国家出版基金项目
NATIONAL PUBLICATION FOUNDATION

"十二五"国家重点图书出版规划项目
林业应对气候变化与低碳经济系列丛书

总主编：宋维明

低碳经济与林木生物质能源发展

◎ 张彩虹　张　兰　编著

中国林业出版社

图书在版编目（CIP）数据

低碳经济与林木生物质能源发展/张彩虹,张兰编著. -北京:中国林业出版社,
2015.5

林业应对气候变化与低碳经济系列丛书/宋维明总主编

"十二五"国家重点图书出版规划项目

ISBN 978-7-5038-7929-6

Ⅰ.①低… Ⅱ.①张…②张… Ⅲ.①林木-生物能源-能源开发-研究-中国
Ⅳ.① F426.2

中国版本图书馆 CIP 数据核字（2015）第 060324 号

出 版 人：金　旻
丛 书 策 划：徐小英　何　鹏　沈登峰
责 任 编 辑：徐小英
美 术 编 辑：赵　芳

出版发行　　中国林业出版社（100009　北京西城区刘海胡同 7 号）
　　　　　　http://lycb.forestry.gov.cn
　　　　　　E-mail:forestbook@163.com　电话：(010)83143515、83143543
设计制作　　北京天放自动化技术开发公司
印刷装订　　北京中科印刷有限公司
版　　次　　2015 年 5 月第 1 版
印　　次　　2015 年 5 月第 1 次
开　　本　　787mm×1092mm　　1/16
字　　数　　342 千字
印　　张　　17.5
定　　价　　60.00 元

林业应对气候变化与低碳经济系列丛书

编审委员会

总主编　宋维明

总策划　金　旻

主　编　陈建成　　陈秋华　　廖福霖　　徐小英

委　员（按姓氏笔画排序）

王　平　　王雪梅　　田明华　　付亦重　　印中华

刘　诚　　刘　慧　　刘先银　　刘香瑞　　杨长峰

杨桂红　　李　伟　　吴红梅　　何　鹏　　沈登峰

宋维明　　张　兰　　张　颖　　张春霞　　张彩虹

陈永超　　陈建成　　陈贵松　　陈秋华　　武曙红

金　旻　　郑　晶　　侯方淼　　徐小英　　程宝栋

廖福霖　　缪东玲

出版说明

宋维明

  气候变化是全球面临的重大危机和严峻挑战，事关人类生存和经济社会全面协调可持续发展，已成为世界各国共同关注的热点和焦点。党的十八大以来，习近平总书记发表了一系列重要讲话强调，要以高度负责态度应对气候变化，加快经济发展方式转变和经济结构调整，抓紧研发和推广低碳技术，深入开展节能减排全民行动，努力实现"十一五"节能减排目标，践行国家承诺。要正确处理好经济发展同生态环境保护的关系，牢固树立保护生态环境就是保护生产力、改善生态环境就是发展生产力的理念，更加自觉地推动绿色发展、循环发展、低碳发展，决不以牺牲环境为代价去换取一时的经济增长。这为进一步做好新形势下林业应对气候变化工作指明了方向。

  林业是减缓和适应气候变化的有效途径和重要手段，在应对气候变化中的特殊地位得到了国际社会的充分肯定。以坎昆气候大会通过的关于"减少毁林和森林退化以及加强造林和森林管理"（REDD+）和"土地利用、土地利用变化和林业"（LULUCF）两个林业议题决定为契机，紧紧围绕《中华人民共和国国民经济和社会发展第十二个五年规划纲要》和《"十二五"控制温室气体排放工作方案》赋予林业的重大使命，采取更加积极有效措施，加强林业应对气候变化工作，对于建设现代林业、推动低碳发展、缓解减排压力、促进绿色增长、拓展发展空间具有重要意义。按照党中央、国务院决策部署，国家林业局扎实有力推进林业应对气候变化工作并取得新的进展，为实现林业"双增"目标、增加林业碳汇、服务国家气候变化内政外交工作大局做出了积极贡献。

  本系列丛书由中国林业出版社组织编写，北京林业大学校长宋维明教授担任总主编，北京林业大学、福建农林大学、福建师范大学的二十多位学者参与著述；国家林业局副局长刘东生研究员撰写总序；著名林学家、中国工程院院士沈国舫，北京大学中国持续发展研究中心主任叶文虎教授给予了指导。写作团队根据近年来对气候变化以及低碳经济的前瞻性研究，围绕林业与气候变化、森林碳汇与气候变化、低碳经济与生态文明、低碳经济与林木生物质能源发展、低碳经济与林产工业发展等专题展开科学研究，系统介绍了低碳经济的理论与实践和林业及其相关产业在低碳经济中的作用等内容，阐释了我国林业应对气候变化的中长期战略，是各级决策者、研究人员以及管理工作者重要的学习和参考读物。

2014 年 7 月 16 日

总　序

刘年生

　　随着中国——世界第二大经济体崛起于东方大地，资源约束趋紧、环境污染严重、生态系统退化等问题已成为困扰中国可持续发展的瓶颈，人们的环境焦虑、生态期盼随着经济指数的攀升而日益凸显，清新空气、洁净水源、宜居环境已成为幸福生活的必备元素。为了顺应中国经济转型发展的大趋势，满足人民过上更美好生活的心愿，党的十八大报告首次单篇论述生态文明，首次把"美丽中国"作为未来生态文明建设的宏伟目标，把生态文明建设摆在总体布局的高度来论述。生态文明的提出表明我们党对中国特色社会主义总体布局认识的深化，把生态文明建设摆在五位一体的高度来论述，也彰显出中华民族对子孙、对世界负责任的精神。生态文明是实现中华民族永续发展的战略方向，低碳经济是生态文明的重要表现形式之一，贯穿于生态文明建设的全过程。生态文明建设依赖于生态化、低能耗化的低碳经济模式。低碳经济反映了环境气候变化顺应人类社会发展的必然要求，是生态文明的本质属性之一。低碳经济是为了降低和控制温室气体排放，构造低能耗、低污染为基础的经济发展体系，通过人类经济活动低碳化和能源消费生态化所实现的经济社会发展与生态环境保护双赢的经济形态。低碳经济不仅体现了生态文明自然系统观的实质，还蕴含着生态文明伦理观的责任伦理，并遵循生态文明可持续发展观的理念。发展低碳经济，对于解决和摆脱工业文明日益显现的生态危机和能源危机，推动人与自然、社会和谐发展具有重要作用，是推动人类由工业文明向生态文明变革的重要途径。

　　林业承担着发挥低碳效益和应对气候变化的重大任务，在发展低碳经济当中有其独特优势，具体表现在：第一，木材与钢铁、水泥、塑料是经济建设不可或缺的世界公认的四大传统原材料；第二，森林作为开发林业生物质能源的载体，是仅次于煤炭、石油、天然气的第四大战略性能源资源，而且具有可再生、可降解的特点；第三，发展造林绿化、湿地建设不仅能增加碳汇，也是维护国家生态安全的重要途径。因此，林业作为低碳经济的主要承担者，必须肩负起低碳经济发展的历史使命，使命光荣，任务艰巨，功在当代，利在千秋。

党的十八大报告将林业发展战略方向定位为"生态林业"，突出强调了林业在生态文明建设中的重要作用。进入 21 世纪以来，中国林业进入跨越式发展阶段，先后实施多项大型林业生态项目，林业建设成就举世瞩目。大规模的生态投资加速了中国从森林赤字走向森林盈余，着力改善了林区民生，充分调动了林农群众保护生态的积极性，为生态文明建设提供不竭的动力源泉。不仅如此，习近平总书记还进一步指出了林业在自然生态系中的重要地位，他指出：山水林田湖是一个生命共同体，人的命脉在田，田的命脉在水，水的命脉在山，山的命脉在土，土的命脉在树。中国林业所取得的业绩为改善生态环境、应对气候变化做出了重大贡献，也为推动低碳经济发展提供了有利条件。实践证明：林业是低碳经济不可或缺的重要部分，具有维护生态安全和应对气候变化的主体功能，发挥着工业减排不可比拟的独特作用。大力加强林业建设，合理利用森林资源，充分发挥森林固碳减排的综合作用，具有投资少、成本低、见效快的优势，是维护区域和全球生态安全的捷径。

本套丛书以林业与低碳经济的关系为主线，从两个层面展开：一是基于低碳经济理论与实践展开研究，主要分析低碳经济概况、低碳经济运行机制、世界低碳经济政策与实践以及碳关税的理论机制及对中国的影响等方面。二是研究低碳经济与生态环境、林业资源、气候变化等问题的相关关系，探讨两者之间的作用机制，研究内容包括低碳经济与生态文明、低碳经济与林产品贸易、低碳经济与森林旅游、低碳经济与林产工业、低碳经济与林木生物质能源、森林碳汇与气候变化等。丛书研究视角独特、研究内容丰富、论证科学准确，涵盖了林业在低碳经济发展中的前沿问题，在林业与低碳经济关系这个问题上展开了系统而深入的探讨，提出了许多新的观点。相信丛书对从事林业与低碳经济相关工作的学者、政府管理者和企业经营者等会有所启示。

2014 年 7 月 9 日

前　　言

　　面对愈发严峻的全球气候问题，经济发展的模式必将进行转变，低能耗、低污染、低排放的低碳经济是目前在国际上得到一致认可和重视的经济发展模式。能源消耗时温室气体的排放是引起全球气候问题的主要原因之一，但能源是经济和社会发展的根本动力，所以能源结构的转型和优化是和谐发展的唯一出路。

　　林木生物质是指森林林木及其他木本植物通过光合作用将太阳能转化而形成的有机物质，包括林木地上和地下部分的生物蓄积量、树皮、树叶和油料树种的果实（种子）。对于林木生物质的能源化利用称之为林木生物质能源，是可再生能源的重要组成部分，是指贮藏在林木生物质中的生物量转化形成的能源，主要是指通过直接燃烧或者现代化转化技术形成的可用于发电和供热的能源。根据形态的不同，新型林木生物质能源主要分为生物质液体燃料、生物质固体燃料、生物质气体燃料以及生物质发电 4 种利用形式。与传统能源相比，林木生物质能源可以显著减少能源消耗时二氧化碳、二氧化硫、氮氧化物和烟尘的排放量，若将能源植物的生长周期考虑在内，甚至可以达到"零排放"和"负排放"。

　　本书遵从"概述 – 分述 – 概述"的结构，第 1 章从全球气候问题的背景切入，介绍了低碳经济发展模式的必要性。第 2 章以数据为基础，介绍了目前全球能源的利用现状，分析了能源发展中亟待解决的问题，指出了可再生能源是能源发展之路上的必然方向。第 3 章开始提出了林木生物质能源，从定义、特点、利用形式和国内外发展状况对它进行了总体性的介绍。第 4 章介绍了我国林木生物质能源资源情况，它是林木生物质能源开发利用的基础，从林地生长剩余物、林业生产剩余物和能源林三个组成类型核算了我国现有林木生物质能源资源量，其中专门独立篇幅介绍了我国木本油料能源资源的类型和总量。第 5 章至第 9 章是本书的主体部分，以林木生物质能源的利用过程和方式为逻辑，第 5 章介绍了林木生物质能源的采集技术和供应模式，建立了一系列资源获取经济分析模型；第 6 章、第 7 章、第 8 章和第 9 章分别介绍了生物质液体燃料、生物质固体燃料、生物质气体燃料和生物质直燃和气化发电技术，对这 4 类林木生物质能源开发利用技术分别从特性、开发利用现状、技术经济评价、环境效益分析、产业发展现状等方面做出详细的阐述。第10章从宏观角度，介绍了在生物质能源发展历程中，国内外颁布的各类型相关政策，同时构建了我国林木生物质能源的政策框架，以期对今后我国相关政策的制定和颁布提供一定的参考价值。

最后，感谢参与本书编著和审阅的各位专家和研究生，对于书中存在不足之处，希望各位读者批评指正。

作　者
2015 年 4 月于北京林业大学

目　　录

第1章 概 述

1.1 气候变化问题的国际化使低碳发展成为必然趋势

全球气候系统是一个由大气圈、水圈、岩土圈和生物圈组成的复杂系统，引起气候系统变化的原因概括起来可分为：自然的气候波动和人类活动的影响。工业化以后，人类活动显著地加快了气候变化的进程。全球气候变暖已成为不争的事实。联合国政府间气候变化专门委员会(IPCC)的综合评估结果表明，自 1750 年以来，人类活动是气候变暖的主要原因之一。近50年全球的大部分增暖，90%以上是人类活动的结果，特别是源于化石燃料的使用导致的人为温室气体排放。近年来，全球气候变化已从科学问题过渡到国际政治问题，现在开始向国际经济问题发展，并逐渐演化为综合性的国际发展问题，渗透到经济活动、政策法规和社会大众心理的各个层面，气候变化已越来越体现出一些新的发展趋势。

作为国际政治问题，围绕温室气体排放，从 20 世纪 90 年代开始，国际谈判中的争论始终没有停止，并且还将长期持续下去。相继通过的《联合国气候变化框架公约》和《京都议定书》，基本反映了各利益相关方的实际责任和义务。在 2007 年年底召开的联合国气候大会上通过的"巴厘路线图"中，把解决减缓、适应气候变化、技术转让和资金机制 4 个方面内容同时列入谈判议程，并且希望把发展中国家在国内采取的适当的"可测量、可报告、可核实"的减缓气候变化行动与发达国家能够提供的"可测量、可报告、可核实"的技术转让和资金支持联系起来。2009 年年底哥本哈根联合国气候变化大会和 2010 年坎昆世界气候大会最终确定了全球长期升温幅度和温室气体稳定浓度以及中长期温室气体减排目标，这是政治决定和各方妥协的结果，将对今后的气候保护、经济增长，甚至国际战略竞争格局产生深远影响。

作为应对气候变化的基本途径，发展"低碳经济"正取得全球越来越多的国家认同。低碳经济是以低能耗、低污染、低排放为基础的经济模式，是人类社会继农业文明、工业文明之后的又一次重大进步。从表面上看，低碳经济是为减少温室气体排放所作努力的结果，但实质上，低碳经济是经济发展方式、能源消费方式、人类生活方式的一次新变革，它将全方位地改造建立在化石燃料(能源)基础上的现代工业文明，转向生态经济和生态文明(鲍健强等，2008)。提高能源效率和改善清洁能源结构，核心是能源技术创新和制度创新(庄贵阳，2007)，即通过最大限度地减少煤炭和石油等高碳能源消耗，建立以低能耗、低污染为基础的经济发展模式。自 2003 年英国能源白皮书《我们能源的未来：创建低碳经济》中首次提出发展低碳经济战略，世界各国均给予了积极的评价，并采取了相似的战略。日本提出要打造全世界第一个"低碳社会"，这一设想在日本出台的《低碳社会模式及其可行性研究》和《低碳社会规划行动方案》两个文件中有所体现。美国自奥巴马上台后，相关政策正在迅速改变，不但表示将会签署新的气候变化协议，而且提出通过"设定碳排放上限和交易制度"来控制温室气体排放。显然，现阶段低碳发展已经远远超出了"生态话题"，而成为关乎各国经济长远发展的"政治议题"。有专家甚至预言，低碳经济会像工业革命那样改变世界经济发展的格局。

　　近年来，中国二氧化碳(CO_2)排放逐年增长，人均排放量已超部分发达国家，温室气体总排放量居世界首位，所面临的减排压力越来越大。作为一个负责任的大国，中国已经并正在采取积极的应对气候变化措施。自 1992 年联合国环境与发展大会以后，中国政府率先组织制定了《中国 21 世纪议程——中国 21 世纪人口、环境与发展白皮书》，并从国情出发采取了一系列政策措施，把建设生态文明确定为一项战略任务，强调要坚持节约资源和环境保护的基本国策，努力形成节约能源资源和保护生态环境的产业结构、增长方式和消费方式。2006 年，中国政府首次提出应对气候变化、发展低碳经济，科技部、中国气象局、国家发展改革委、国家环保总局等 6 部委联合发布了我国第一部《气候变化国家评估报告》。根据《联合国气候变化框架条约》和《京都议定书》的规定，中国在编制完成《中国应对气候变化国家战略》的基础上，制定了《中国应对气候变化国家方案》，并于 2007 年正式颁布实施，成为第一个制定应对气候变化国家方案的发展中国家，明确了到 2010 年应对气候变化的具体目标、基本原则、重点领域和政策措施。2009 年哥本哈根会议召开前，中国政府宣布，到 2020 年单位国内生产总值温室气体排放比 2005 年下降 40% ~50% 的行动目标，并作为约束性指标纳入国民经济和社会发展中长期规划。2011 年 3 月，中国全国人大审议通过的《中华人民共和国国民经济和社会发展第十二个五年规划纲要》提出"十二五"时期中国应对气候变化约束性目标：到 2015 年，单位国内生产总值二氧化碳排放比 2010 年下降 17%，单位国内生产总值能耗比 2010 年下降 16%，非化石能源占一次能源消费比重达到 11.4%，新增森林面积 1250 万 hm^2，森林覆盖率提高到 21.66%，森林蓄积量增加 6 亿 m³。这些都充分显示了我国通过节能减排，控制温室气体排放，发展低碳经济的决心。

低碳经济既是后危机时代的产物也是中国可持续发展的机遇。中国能否在未来几十年走在世界发展的前列，很大程度上取决于中国应对低碳经济发展调整的能力，中国将不断采取行动积极应对这种严峻的挑战。中国走低碳经济的道路，既符合当前经济社会可持续发展的要求，也符合全球气候环境合作的要求。中国应积极应对低碳经济，建立与低碳经济发展相适应的生产方式、消费模式、国内外政策、法律体系和市场机制，真正实现中国经济社会、人与自然的和谐发展。而且，降低二氧化碳排放强度一旦成为强制性目标，将给中国的经济增长模式带来根本性的转变，低碳经济将真正走进中国人的生活。

1.2 林业是全球发展低碳经济、应对气候变化的重要选择

森林是陆地生态系统的主体，林业是实现低碳经济、应对气候变化的重要选择。森林的碳汇功能是指森林在生长过程中，通过光合作用将大气中的二氧化碳吸收后以生物量的形式固定下来，在减缓气候变暖中发挥重要作用。森林是陆地生态系统中最大的碳库，据科学测定，森林每生长 1m³ 木材，大约可以有效吸收二氧化碳 1.83t。我国森林碳库为 214 亿 ~281 亿 t 碳，占全球的 1.87% ~2.45%。但是，森林如遭受砍伐、火灾或病虫害破坏，也会大量排放温室气体，成为温室气体排放源，加剧气候变暖。目前，全球排放的温室气体有 6% ~16% 来自毁林。在巴西等一些热带国家，毁林排放的温室气体甚至占到其温室气体排放总量的 70% 以上。因此，森林既是吸收碳汇，也是排放源，其碳库的增加或减少，都将对大气中的二氧化碳产生巨大的影响。

IPCC 的历次评估报告充分肯定了森林对减缓气候变化的重要作用。IPCC 第四次评估报告再次指出：林业对减缓气候变化的途径主要体现在保持或扩大森林面积，保持或增加林地或景观层面的碳密度，林产品异地碳储量，促进工业产品的燃料替代等方面。据热带木材组织专家估计：全球通过减少森林退化每年可以减少 37.6 亿 t CO_2 当量（$3.76Gt\ CO_2e$）（注：$1Gt = 10^9 t$）排放，到 2030 年，可达到 1000 亿 t CO_2 当量（$100Gt\ CO_2e$）；通过可持续森林管理，到 2030 年，每年可以增加碳汇 66 亿 t CO_2 当量（$6.6Gt\ CO_2e$）。其中，IPCC 评估认为：减少毁林、防止森林退化、减少火灾和采伐迹地焚烧等措施可以在短期内取得较大的减排效果。因此，林业是当前和未来 30 年内或更长时间内，在经济、技术都具有较大可行性的减缓气候变化的重要途径，且其总

体减缓气候变化的成本每吨 CO_2 当量低于 100 美元。特别值得指出的是，在实施上述林业减缓措施时，不但能够以较低成本达到减少排放和增加碳汇的目的，而且这些减缓措施本身可以与适应气候变化、推进经济社会可持续发展形成协同效应，带来诸如增加就业、收入、保护生物多样性、流域保护、可再生能源和减贫等多种效应。此外，林业领域的减缓气候变化措施还有助于使所有利益相关方参与到减缓和适应气候变化的行动中，特别是对于那些最不发达国家，控制人口数量、植树造林是这些国家在现阶段有效应对气候变化，提高自身适应能力的主要手段。

林业在发展低碳经济、应对气候变化中的独特作用是显而易见且得到了国际公认的。近 30 年来，主要发达国家表现为森林净吸收碳汇，且呈增加趋势，森林碳汇在国家温室气体源排放总量中所占的比例也呈增加趋势。我国政府十分重视林业在应对气候变化中的作用，在 2007 年发布的《应对气候变化国家方案》中已将林业作为减缓气候变化的重要措施之一。2007 年，胡锦涛总书记在亚太经合组织第 15 次领导人会议上，提议建立"亚太森林恢复与可持续管理网络"，倡导通过共同促进亚太地区森林恢复和增长，增加碳汇，减缓气候变化，引起了国际社会积极反响。

近 30 年来，我国林业发展取得了很大的成绩。联合国粮农组织发布的 2005 年全球森林评估报告中指出：在全球森林资源继续减少的趋势下，亚太地区森林面积出现了净增长，其中中国森林资源增长在很大程度上抵消了其他地区的森林高采伐率。2006 年年底，中国、芬兰、英国及美国等 6 位不同学科的国际著名专家，共同对中国森林吸收二氧化碳的能力进行了评估，一致认为，1999～2005 年，中国是世界上森林资源增长最快的国家，不仅吸收了大量的二氧化碳，而且为中国乃至全球经济社会的可持续发展创造了难以估量的生态价值，并呼吁世界有关国家向中国学习，以实际行动应对全球气候变化做积极贡献。中国第八次全国森林资源清查（2009～2013 年）结果表明，我国森林面积达到了 2.08 亿 hm^2，森林覆盖率达到了 21.63%，活立木总蓄积量达到了 164.33 亿 m^3，森林蓄积量 151.37 亿 m^3。森林面积列世界第 5 位，森林蓄积量列世界第 6 位，人工林面积继续保持世界首位。据 2007 年发布的《应对气候变化国家方案》中数据显示，1980～2005 年全国森林净吸收 CO_2 约 46.8 亿 t；通过控制毁林减少 CO_2 排放约 4.3 亿 t。随着中国森林资源的不断增长，全国森林年吸收 CO_2 能力将不断增强。据专家分析，我国现有森林植被的碳储量只占潜在碳储量的 44.3%，陆地生态系统仍有很大的碳汇潜力。在发展低碳经济、应对气候变化的过程中，林业将成为不可忽视的重要选择。

1.3　开发林木生物质能源是我国低碳经济可持续发展的重要途径

随着我国经济建设的快速发展，能源资源匮乏、结构不合理、环境污染严重等问题日益突出，能源形势十分严峻。近年来，我国经济以每年约 8% 的速度增长，而经济发展对能源的需求每年却增长了 15%，仅石油的进口每年就增长 30% 以上。据统计，2012 年，我国石油净进口量达到 2.84 亿 t，对外依存度达到 58%；中国能源研究会发布的《中国能源发展报告 2011》预计，2015 年，中国石油对外依存度将超过 60%。目前，能源危机和环境污染成为制约我国经济可持续发展的关键问题，亦已经成为我国内政、外交中一个重要的问题。在这种形势下，大力开发和利用具有高效、环保、可再生性特点的林木质能源，走多能互补、综合利用的道路，促进能源消费结构从单一化向多元化转变，成为发展低碳经济的重要途径，解决能源与环境问题的有效渠道之一，对于实现社会、经济与环境的和谐、健康和可持续发展具有重要的战略意义。

生物质能源是蕴藏在生物质中的能量，是绿色植物通过叶绿素将太阳能转化为化学能而固定和贮藏在生物质内部的能量，是一种广泛的可再生能源。生物质能源遍布世界各地，资源数量庞大，形式繁多，包括自然界可用于能源用途的各种植物，人畜排泄物以及城乡有机废物。具体来说，主要包括薪柴、农林作物（尤其是能源作物）、农业和林业残剩物、动物粪便、食品加工的下脚料、城市固体废弃物、生活污水和水生植物等多种能源形式。生物质能具有燃烧容易、污染少、灰分较低、热值及热效率高、体积大且不易运输等特点。

林木生物质是指森林林木及其他木本植物通过光合作用将太阳能转化而形成的有机物质，包括林木地上和地下部分的生物蓄积量、树皮、树叶和油料树种的果实（种子）。对于林木生物质的能源化利用称之为林木生物质能源，是指贮藏在林木生物质中的生物量转化形成的能源，主要是指通过直接燃烧或者现代转化技术形成的可用于发电和供热的能源。从利用方式来看，林木生物质能源包括以直燃为主的传统林木质燃料（薪柴）和通过现代生物质技术转化生产的现代林木生物质能源。在现代生物质能转化技术下，林木生物质能源可以转化为以下新型能源产品：林木生物质固体燃料、林木生物质气体燃料、林木生物质发电和木质燃料液体（生物乙醇和木质纤维素）。林木生物质能源资源是指可以进行能源化利用的林木生物质，一般来讲，也就是可以用作能源的森林或其他木质资源。

根据第八次全国森林资源清查显示，我国已发展薪炭林 177 万 hm^2；利用这些林业资源，建立能源工厂，将这些生物质热解处理，气体可作为民用煤气，热解的固体木炭进一步加工成化工产品，既可以解决能源短缺的矛盾，又可以为农村劳动力创造就业机会。林木生物质能源开发与利用通过生物质能转换技术，实现对林木生物质资源的高效利用，生产各种清洁燃料替代矿物燃料，以减少人类对矿物能源的依赖，保护国家能源资源，减轻能源消费对环境造成的污染。目前，世界各国，尤其是发达国家，都在致力研究和开发高效、无污染的林木质能源。专家预测，林木质能源将成为未来能源的重要组成部分，到2015年，全球总能耗将有40%来自生物质能源。

　　中国政府也十分重视能源工作，党中央、国务院把发展可再生能源，确保能源安全提上重要日程，在2006年1月1日施行的《中华人民共和国可再生能源法》明确指出，国家今后将采取一系列激励措施大力发展太阳能、风能、水能、生物质能、地热能、海洋能等可再生能源，鼓励清洁和高效地开发利用生物质燃料，鼓励发展能源作物，以确保国家社会经济的可持续发展。根据《可再生能源法》精神，国家发展改革委制定了《国家能源中长期发展规划》，并确定到2020年，可再生能源的发电量将由现在的3%提高到10%以上，以缓解国家能源短缺和确保社会经济的可持续发展。开发生物质能源可以缓解我国能源紧张，缓解对煤炭的需求和对石油进口的依存度，是国家经济发展重要的替代能源资源。中国林木质原料资源比较丰富，而且是可再生资源，分布广泛，是重要能源之一。西部地区有巨大的土地资源和多种优良的能源林树种，许多地方有发展能源林的优越条件。在国家西部大开发和林业生态工程建设的形势下，西部发展能源林可以产生多种效益和作用。因此，加快林木质能源的研究和开发，以林木质能源来替代传统化石能源，是发展低碳经济的重要途径，是我国面临的一项重大而急迫的任务。

第2章　低碳经济下国际能源问题及能源发展趋势

2.1　国际能源问题的产生与概况

2.1.1　国际能源消费现状与趋势

2.1.1.1　国际能源消费现状

能源是人类社会经济发展的重要物质基础，是人类生产和生活不可缺少的物质条件。随着世界经济的发展、世界人口的剧增和人民生活水平的不断提高，世界能源需求持续增加，由此导致能源资源争夺日趋激烈，环境污染也随之日益严重。

世界一次能源消费包括石油、天然气、煤炭、核能和水力发电。根据英国石油（BP）能源统计（图2-1），2001年一次能源消费量为94.3亿t油当量，2011年已达到127.3亿t油当量。由于全球经济衰退，2009年能源消费量增速放缓，与前一年相比，能源消费量降低，这是自1982年以来第一次下降。2011年一次能源消费量达到122.7亿t油当量，与2010年相比增加了2.5%，仍不到2010年增幅的一半，但接近历史平均水平。2011年石油仍然是世界主导燃料，占全球能源消费量的33.1%，为历年最低份额；煤炭占30.3%，达到1969年以来最高水平。按实际价值计算，化石燃料价格在过去10年已涨至纪录新高。石油的年均实际价格在2007~2011年比1997~2001年高出220%。煤炭价格上涨了141%，天然气价格上涨了95%。

由于世界各地区发展的不均衡性，能源的消费在不同国家、不同地区是不平衡的（图2-2）。2001年北美洲的一次能源消费为2698.8百万t油当量，2011年为2773.3百万t油当量，占到世界总量的22.6%；2001年欧洲及欧亚大陆的一次能源消费为2852.1百万t油当量，2011年为2923.4百万t油当量，占世界的23.8%；亚太地区2001年一次能源消费量为2689.5百万t油当量，2011年为4803.3百万t油当量，占到世界一次能源消费量的39.1%。尽管发展中国家与发达国家的能源消费在比例上此消彼长，然而在能源消费的绝对数量上，无论是发达国家还是发展中国家都有增无减。

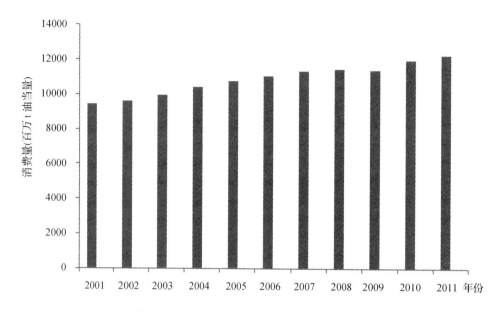

图 2-1 2001～2011 年世界一次能源消费量统计

数据来源：BP 世界能源统计年鉴 2012

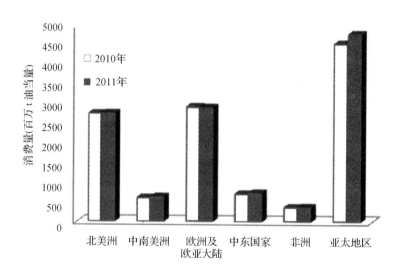

图 2-2 2010 年和 2011 年世界各地区一次能源消费量统计

数据来源：BP 世界能源统计年鉴 2012

从人类社会发展的趋势来看，20 世纪的 100 年间，世界上 15% 的人口完成了工业化，使得石油消耗量急剧增加，从 20 世纪初的 2400 多万 t 上升到 30 亿 t。在 21 世纪，将有 85% 的人口进入工业化，能源消耗量必定进一步增大。

2.1.1.2　国际能源消费趋势

随着人口和经济的增长、社会经济向多元化和能源利用的集中化发展，可以预期到能源消耗和需求的快速增长。人口和收入增长是能源需求增长的关键驱动因素。自1900年以来，世界人口翻了两番，收入（以GDP为度量）增长了25倍，一次能源消费增长了23倍。BP公司预计到2030年世界人口将达到83亿，为满足新增13亿人口的能源需求，全球能源消费量将增加36%。2011~2030年，世界一次能源消费预计每年增长1.6%，增速减缓，而2000~2010年每年增速为2.5%。由于超过90%的人口增长将出现在经合组织外的低、中等收入经济体，所以近93%的能源消费增长都来自非经合组织。

能源需求继续增长，是由于一些国家如中国、俄罗斯和巴西对能源的需求将增长。2010年11月9日，国际能源局（IEA）发布了2010年《世界能源展望》，该报告称，以中国和印度为首的新兴经济体将在未来25年里驱动全球能源需求。2010年的《世界能源展望》称，中国的能源需求量在2008~2035年将上升75%，到2035年，中国占世界能源需求的比例将从目前的17%上升至22%。

现代能源经济受到工业化、城市化、汽车化和不断增长的收入水平趋势的影响。随着人们工资收入的提高将增加对更加密集能源资源的需求，导致能源强度将下降。近年来，单位收入（GDP）的能耗继续下降，并且在加速下降。能效提高和长期的结构转向低能源强度相结合，已成为经济发展的一大趋势。

世界能源结构的变化受到价格、技术和政策等因素的共同作用。根据BP公司预测（图2-3），各种化石燃料的市场份额会在26%~28%区间趋同，各种非化石燃料的市场份额会在6%~7%之间趋同。天然气和非化石燃料的市场份额增加，煤炭和石油的市场份额下降。石油的市场份额保持长期下降趋势，而石油消费日益集中在能够体现其高价值的行业。天然气的市场份额保持缓和而稳健的增长。近期煤炭市场份额的迅速增长将很快出现逆转，其下降趋势到2020年会

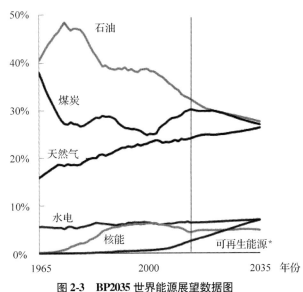

图2-3　BP2035世界能源展望数据图

*包括生物燃料

数据来源：BP2035世界能源展望

更加明显。可再生能源抢占市场份额的速度类似核电在 20 世纪七八十年代的势头。

在需求的推动下,全球化石能源的枯竭是不可避免的,根据日本、欧盟等能源机构预计,能源消费量的峰值将在 2020~2030 年出现,化石能源将在 21 世纪内基本开采殆尽。2011 年对全球能源行业而言可谓不同寻常,跌宕起伏。"阿拉伯之春"的动荡撼动了能源市场,并凸显了通过维持剩余产能和战略储备来应对供应中断的重要性。日本地震和海啸是人道主义灾难,并迅速对日本和世界各地的核能和其他燃料供需造成了影响。石油价格创下了历史新高。同时,天然气生产的革命性变化拉低了美国的天然气价格,并创下油气价差纪录。

根据美国能源信息署(EIA)预测结果(表 2-1),预计到 2020 年,世界能源需求量将达到 128.89 亿 t 油当量,2025 年达到 136.50 亿 t 油当量,年均增长率为 1.2%。欧洲和北美洲两个发达地区能源消费占世界总量的比例将继续呈下降的趋势,而亚洲、中东、中南美洲等地区将保持增长态势。

表 2-1 未来世界能源需求(亿 t 油当量)

地区	2010 年		2020 年		2025 年	
	需求量	比例(%)	需求量	比例(%)	需求量	比例(%)
北美洲	33.56	29.47	37.71	29.26	39.62	29.03
欧洲	33.16	29.12	34.99	27.15	35.76	26.20
亚洲	31.77	27.90	37.73	29.27	40.55	29.71
中东	5.85	5.14	6.85	5.31	7.51	5.50
非洲	3.38	2.97	3.98	3.09	4.30	3.15
中南美洲	6.14	5.39	7.63	5.92	8.76	6.42
世界	113.86	100	128.89	100	136.50	100

数据来源:Annual energy outlook,2005,DOE/EIA。

2.1.2 国际能源供给现状及趋势

根据《2014 年 BP 世界能源统计》,截至 2013 年年底,全世界剩余石油探明储量为 2252.76 亿 t,其中,中东占 47.9%,中南美洲占 19.5%,北美洲占 13.6%,欧洲及欧亚大陆占 8.8%,非洲占 7.7%,亚太地区占 2.5%。世界煤炭 2013 年年底探明储量为 8915 亿 t,……天然气 2013 年年底探明储量为 185.7 万亿 m^3。

世界一次能源生产的增长(图 2-4)与消费增长齐头并进,2011~2030 年世界一次能源每年将增长 1.6%。与能源消费相同,生产增长的主力也是非经合组织国家,这些国家占全球生产增量的 78%。它们在 2030 年贡献全球能源产量的 71%。作为最大的区域性能源产地，亚太地区凭借大量本土煤炭的生产，产量增速最为迅猛（每年 2.2%），占全球能源生产增长的 48%，预计到 2030 年，该地区将提供 35% 的全球能源产量。其他主要增长地区为中东和北美洲，北美洲仍然是第二大能源产区。

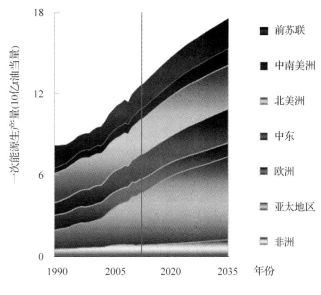

图 2-4　世界各地区一次能源生产预测

数据来源：BP2035 世界能源展望

世界经济与社会发展不但严重依赖于能源，而且在世界能源的消费结构中，以煤、石油、天然气为代表的传统化石能源占有相当大的比例。尽管传统的化石能源面临枯竭的危险，但是到 2025 年之前，以煤、石油、天然气为代表的传统化石能源所占的比例依然高达 70% 以上。

《BP 世界能源统计年鉴》中，世界探明能源储量数据年复一年地表明，世界能源探明储量仍在继续增加，世界能源资源供应并不存在结构性短缺现象（图 2-5），只是漫长的开发时间及某些地区以各种形式存在的勘探开发限制仍在形成挑战和阻碍。但

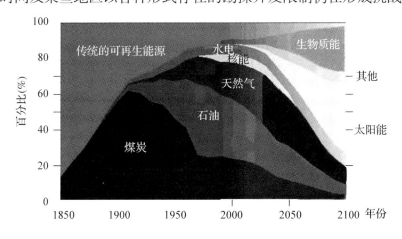

图 2-5　能源供应结构预测图

资料来源：Annual energy outlook，2005，DOE/EIA

是，地球上的能源毕竟有限，而人类社会对能源消费的增长则非常惊人。以目前的消费速度，世界石油和天然气等能源资源的枯竭只是时间问题。可见世界能源问题的凸显是必然的，寻找可能的解决方案是一个亟待研究的问题。

随着世界能源消费量的增大，二氧化碳、氮氧化物、灰尘颗粒物等环境污染物排放量逐年增大，化石能源对环境的污染和全球气候的影响将日趋严重。据 EIA 统计，1990 年世界二氧化碳的排放量约为 215.6 亿 t，2001 年达到 239.0 亿 t，2010 年约为 277.2 亿 t，预计 2025 年达到 371.2 亿 t，年均增长 1.85%。

以二氧化碳为例，到 2030 年人类对能源消费将增长 60%，届时向空气中排放二氧化碳量的增长比例将超过 60%，是一个非常严峻的挑战。尽管国际气候变化协议（京都议定书）要求降低二氧化碳排放，但二氧化碳排放仍在快速增多。2010 年与能源相关的 CO_2 排放量为 2.13 亿 t，比 2009 年上升 3.9%，从绝对值和上升的百分数来看，2010 年是 22 年来（自 1988 年以来）最大的 CO_2 排放上升年。2010 年，工业部门的能源消费总量增长 5.7%，比总能源需求增长高约 2%。

据美国能源部能源信息署（EIA）和《国际能源年报（2009）》公布的统计显示（图 2-6），未来能源消耗和需求的增长远远超过今天，预计 2006～2030 年世界能源消耗需求增长 44%，二氧化碳排放量增长 39%。其中，非经合组织国家二氧化碳排放量增长显著，成为未来全球二氧化碳排放总量增加的主要力量，经合组织国家未来的二氧化碳排放量基本趋于稳定。

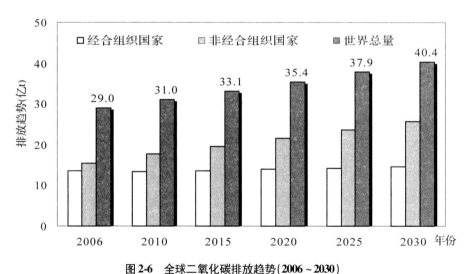

图 2-6　全球二氧化碳排放趋势（2006～2030）

数据来源：Energy Information Administration（EIA）（2006），International Energy Annual 2006（2008）

目前，中国已经超越美国成为世界上二氧化碳排放第一大国，减排温室气体的任务任重而道远。可见能源问题绝对不是孤立的，而是与环境问题和社会发展问题息息相关的。未来理想解决能源问题的途径将综合考虑这三方面问题的结果。

2.2　世界各国解决能源问题的主要途径

2.2.1　节能与减排

由于世界能源形势日益严峻，在当前可再生能源尚未能够实现全面替代的形势下，节能是实现这个目标最现实、收效最快的措施。历史上，发达国家曾以减少石油消费战略赢得了更大的市场利益，在 20 世纪 70 年代石油危机后的 20 年内，迫使石油价格处于甚至低于 10 美元/桶的低价运行时期。当前更加强调综合利用法律、经济和技术等手段鼓励节能，从开采、加工、运输、利用和消费等多环节深挖节能潜力，发展节能产业。为达到节能目的，利用市场和企业、消费者行为开发节能机械、节能汽车等；取消石油价格管制，主张由市场机制调节能源供求关系，对能源企业进行私有化改革，提高资源配置能力，加强勘探等措施。各国经济持续发展和人民生活水平提高的要求，必将加大能源资源的消费量。如何减缓能源消费的增速，只有提高能源效率、加强节能。各国不同程度地采取立法、经济激励、政府补贴、自愿协议和广泛宣传等各种政策措施，并且相互借鉴有成效的举措，体现在各自的能源发展战略中。此外，近年来全球气候变暖，生物多样性锐减，气候灾害频繁与人类过度地消耗化石能源存在密切的因果关系。虽然能源给当代人生活带来一定的舒适和便利，但是全球能源消耗量持续增加的趋势不仅对世界能源供应是严峻的挑战，而且给全球减少温室气体排放带来巨大压力。当人类生存环境遭到严重破坏后，很难逆转。越来越多的国家在制定本国能源战略和政策时，已将环境因素放在优先考虑的地位。不少国家的能源战略强调发展新能源替代化石能源和实现《京都议定书》的温室气体控制目标。在《京都议定书》建立的减、限排温室气体总量机制下，大气中温室气体排放空间凸显为一种稀缺性的经济资源，拥有这种资源就等于拥有了温室气体排放权和经济发展空间。依据《京都议定书》的规定，可以出售多余的二氧化碳排放配额。美国为了国内集团利益拒绝批准《京都议定书》，俄罗斯于 2004 年 11 月批准了《京都议定书》。由此可见，能源的战略选择不仅是能源本身的问题，也是经济利益的问题，环境保护和人类生存的问题。能源发展在经济发展的推动下，正越来越受到环境因素的制约，能源战略目标由单纯强调能源供应向 3E(energy，eeonomy，environment)方向，即能源、经济与环境的协调发展转变。

2.2.2 加强能源领域的国际合作

不但一个国家的不可再生能源是有限的，而且全球的不可再生能源也是有限的。资源的有限性与各国能源战略区域向境外转移的特点，意味着国际间能源资源争夺正在加剧。与过去不同，各国发展所面临的外部环境发生了重大变化，不能再靠殖民地的方式掠夺资源。资源与市场的国际化，使各国政府意识到，必须加强与能源生产国的外交往来，保证能源供应的来源；同时，必须加强能源消费国之间能源合作，形成联盟，增强话语权，抵御能源价格上涨的影响。资源进出口国之间的外交关系、资源国之间战略联盟(如 OPEC)的合作以及资源进口国之间战略联盟(如 IEA)的竞争与合作关系更加微妙。突出体现在国际石油问题上，焦点集中在中东。为保障能源安全，能源外交成为能源消费国家 21 世纪以来的外交重点。各国能源战略普遍出现加强国际化的趋势。例如，韩国对内制定正确的能源政策；对外开展有效的能源外交，实施能源进口多元化。积极倡导区域间的能源合作，加强与产油国的谈判力度。非洲各国强调需要进一步加强团结和合作，协调各国能源政策，明确能源发展战略。无论是产油国还是消费国，积极推动国际合作都是十分必要的。油气出口是印度尼西亚的经济支柱，巩固与邻近国家间的互补合作机制成为国家能源战略的主要目标(李俊峰等，2006)。

由于能源对国家社会经济发展和国计民生具有重要作用，能源的市场性质已从一般商品转为重要的战略商品，能源问题已呈现出日益全球化和政治化的趋势。由一国自主的能源发展向境外资源的拓展是各国能源需求数量和品种的要求，为避免国家之间对世界有限能源资源的恶性竞争，积极开展能源外交，将能源作为处理国际关系的重要战略因素，强调能源生产大国之间以及消费大国之间的对话机制，发展多国的能源国际合作十分必要。而且，由此也将会进一步促进经济全球化的发展。

在上述的两种途径中，节能与减排固然可以缓解能源危机，但是不能从根本上解决能源短缺问题，因为人类节能技术的局限性，利用节能技术节省下的能源很难抵消日益增长的能源消费变化量。加强能源领域的国际合作，展开能源外交，虽然有可能获得世界能源市场上更多的化石能源，但是依然无法回避由于化石能源的非可再生性而导致的未来必须寻找合适的替代能源的问题。所以，正是以上原因，世界各国尤其是能源大国都大力开发可再生性和清洁性的新能源。

2.2.3　大力开发和发展可再生能源

所谓新型能源就是指符合未来社会、经济、环境多重发展标准的能源形式。可再生能源具备资源分布广、开发潜力大、环境影响小及可永续利用等特点，包括太阳能、生物质能源、风能、核能及其他绿色能源等多种形式。

(1)太阳能。太阳是一个巨大无尽的能源，它辐射到达地球表面的能量高达 50×10^{18} kJ，相当于目前全世界能量消费的 1.3 万倍。它既免费使用，又无须运输；既不会出现大气污染，也不必担心生态平衡被破坏；而且可持续时间长，太阳光所及的地方都有可利用的太阳能。因此，太阳能是一种清洁的可再生自然资源。所以，在目前世界性能源短缺和对环境保护要求日益严格的情况下，太阳能的利用具有特别重要的意义。目前太阳能的利用方式，主要是太阳能的热利用和太阳能的光利用，且主要用于发电。

(2)生物质能源。生物质能是指可提供能源的有机物，如农业废物、家畜排泄物和有机垃圾等，将这些有机物直燃或高温发酵后可产出甲烷、甲醇、甲酯等，用于发电或汽车燃料。由于它们在生长过程中可吸收二氧化碳，又利于废物利用，故将其作为可再生能源大力发展。生物质能具有资源丰富、含碳量低、无污染的特点，在人类历史上曾起过巨大的作用。据统计，地球上每年经光合作用固定下来的生物质能约为目前全球能源消耗量的 10 倍，全世界约有 25 亿人的生活能源依靠生物质能，生物质能仅次于煤炭、石油和天然气，居世界能源消费总量的第 4 位(陈金链，2000)。

(3)风能。风能是一项取之不尽，用之不竭的可再生资源，全球的风能资源约为27400 亿 kW，其中可利用的风能为 200 亿 kW，比地球上可开发利用的水能总量还要大 10 倍。据估计，到 2020 年风能将可提供世界电力需求的 10%，并在全球范围内减少二氧化碳排放 100 多亿 t(刘音，2000)。目前，风能的研究主要是用于发电。风力发电的自动化程度高，可实现远程控制。随着人民生活水平不断提高，对电力需求不断增长，风力发电可以满足不同地区的要求，特别是边远的草原牧区，人口稀少，电网成本高不易到达，风力发电更具有重要的经济效益和社会效益。

(4)核能。据 2001 年 7～8 月份的美国《未来科学家》杂志报道，科学家预计，到2010 年风能、太阳能、地热、生物能和水力发电将占到全部能源需求的 30%。不过科学家认为，目前，最有希望的新能源是核能。核能有两种：裂变核能和聚变核能。可开发的核裂变燃料资源可使用上千年，核聚变资源可使用几亿年。裂变核能至今已有了很大发展。裂变核电站及核电设备制造，在日本、法国、韩国等国家已成为其能源工业的重要支柱。不过，裂变核电站的缺点也很大，核燃料的生产过程以及裂变电站产生的核废料危害性较大。因此，科学家普遍看好核聚变。聚变能是轻原子核聚变发出的能量，是使恒星发出耀眼光芒的能量源泉。氢弹是人类利用聚变能源的开始，但它是一个不受控的瞬时释放聚变能量的军用装置。人们的目的是研制开发出一个可以受人意志控制的聚变装置，可以按人们的需要释放能量，为人类所利用。聚变能电站是用可控制方法，利用聚变反应所释放的巨大能量来产生电能的核电站（刘音，2000）。

（5）其他绿色能源。国内外绿色能源的开发研究除上述几种外，还有水能、地热能、海洋能、氢能、可燃冰等，其中水能的开发利用最早，也最成功，水力发电已成为我国电力的主流。地热能在我国已经投入开发利用 20 多年，近年发展最快的是中、低温地热利用，医疗、旅游、种养业、地热采暖已发展到 800 多万 m^2，在地热利用中，能源利用率、资源的梯级开发和尾水回灌等技术方面，还有待进一步重视和提高。

2.3 世界可再生能源的兴起与发展趋势

2.3.1 世界各国开发可再生能源的现状

世界大部分国家能源供应不足，不能满足经济发展的需要；煤、石油等化石能源的利用会产生大量的有害气体导致温室效应和污染环境。这一系列问题都使可再生能源在全球范围内升温。从目前世界各国既定能源战略来看，无论是能源消费量巨大的发达国家还是能源消费潜力超大的发展中国家都着手进行新型能源的开发，大规模的利用可再生能源已成为未来世界各国能源战略的重要组成部分，同时，世界各国都根据各自的国情采取了相应的扶持措施，力求最大限度降低能源短缺风险。

可再生能源是未来能源可持续发展的必然选择。世界各国特别是发达国家把可再生能源开发利用作为人类解决生存问题的一种战略选择，已经在能源消费中占重要比例，如美国占电能消耗的 11.1%，德国占电能消耗的 16.9%，丹麦风能占电能消耗的 20%，瑞典生物质能占总能源消耗的 28%。据 IPCC 预测（2010），到 2050 年，可再生能源的产量可能提高到目前水平的 3～10 倍，可满足全球 77% 的能源需求。

目前，可再生能源在世界范围内的利用现状如下。

作为世界头号能源消费大国，美国能源消费的绝对量远远超过其他国家。布什政府在 2001 年 5 月公布的《国家能源政策报告》中，强调把能源安全当作美国对外政策的当务之急，并且要在未来加大可再生能源在总的能源消费结构中的比例。美国能源部就逐步提高绿色电力的使用比例，制定了风力、太阳能、生物质能发电的发展计划，希望以此提高绿色能源的比例。其中太阳能光伏发电预计到 2020 年将占到全国发电装机总增量的 15% 左右，累计安装量达到 3600 万 kW，继续保持美国在光伏发电技术开发和制造方面的世界领先地位。专家们估计，到 2020 年，全球太阳能光伏电池将超过 7000 万 kW，其中美国将占 50%。同时美国又是世界上仅次于巴西的第二大生物质乙醇生产国。1994 年其生物燃料乙醇生产总量约 52 亿 L，目前，估计年产 63 亿 L 或更多。美国有 20 多个州生产乙醇，生产总量约占燃料油总销售量的 10%，约有 1 亿辆机动车使用含有乙醇的汽油。如 E10 和 E85（分别含 10% 和 85% 的乙醇）型汽油等。美国总能源消费中生物质能源占 4%（1998 年），生物质原料发电装机容量约 1000MW。目前，生物质能源生产及利用可提供 7 万个就业岗位，2020 年将提供 26 万个工作岗位（中国新能源网，2006）。

　　加拿大计划到 2020 年，使可再生能源（不计水电）特别是生物质能增长 56%，达到 983kJ。到 2010 年，加拿大生物质能的利用每年可以达到 720kJ，纸浆及造纸工业达到能源自给自足，同时还将大量增加从废物中提取能源的项目（中国新能源网，2006）。

　　日本是世界上利用可再生能源较为成功的国家之一。1993 年开始实施"新阳光计划"，以加快太阳能光伏电池、燃料电池、氢能及地热能等的开发利用。1997 年，日本又宣布 7 万太阳能光伏屋顶计划，到 2010 年安装 760 万 kW 的太阳能光伏电池。2003 年年初，日本发表官方报告，将从 2010 年正式启动生物能源计划，并与美国和欧盟共同开发可再生能源，有 500 个地区被指定为该计划的示范区（中国新能源网，2006）。因此，日本政府每年拨出大量的专项资金大力开发新能源。此外，日本还在积极开展潮汐、波浪、地热、垃圾等发电的研究和实验。

　　英国公布了《2004 年年度能源白皮书》，确定了新能源战略，2010 年英国的可再生能源发电量占英国发电总量的比重已达到 10%，到 2020 年达到 20%。英国海岸线 1 万多 km，为借助这一地理优势，英国把研究海洋风能、潮汐能、波浪能等作为开发新能源的突破口，希望海洋成为未来英国的能源之源。2005 年，英国设立了 5000 万英镑的专项资金，重点开发海洋能源。同年，耗资 500 万英镑，在苏格兰奥克尼群岛成立的世界首座被称为欧洲海能中心的海洋能量试验场正式启动，标志着英国在海洋能源领域捷足先登。英国第一座大型风能发电厂风能发电一直在不断发展，2005 年风能发电装机总量已达 649.4MW，可满足 44.1 万个家庭的电力需求。根据《可再生能源计划》，英国在近期还将建设 10 个类似的风能发电厂（Danyel Reich，2004）。

　　德国是能源相对缺乏，能源长期依赖进口的国家，因此德国政府一直重视可再生能源的开发。德国联邦政府为促进可再生能源的开发制定了多项政策和法律，其中，2000 年出台的《可再生能源法》规定，电力运营商有义务以一定价格向用户提供可再生能源电力，政府根据运营成本的不同对运营商提供金额不等的补助。2004 年 8 月 1 日，德国新的《可再生能源法》生效，对 2000 年出台的法律又做了修订和补充，为投资太阳能、风能、水利、生物质能和地热提供了可靠的法律保障。新法规明确提出了发展新能源的目标：到 2020 年使可再生能源发电量占总发电量的比例达到 20%。而此前，德国可再生能源发电量的比例，已从 1998 年的 4.7% 提升到 2012 年的 25%。随着新的《可再生能源法》的实施和补贴的增加，德国太阳能装置的安装量 2004 年有望增加 50%。遍布德国乡间的风车每年发电量达到 245 亿 kW 时，满足了全国 4% 的用电需求，是全世界风能发电量的三分之一。据估计，到 2020 年，内陆风力发电与海洋风能发电将满足德国 25% 的用电需求。德国联邦政府从长远出发，制定了促进可再生能源开发的《未来投资计划》，迄今已投入研究经费 17.4 亿欧元。目前，政府每年投入 6000 多万欧元用于开发可再生能源，推动太阳能、风能和地热的开发（Danyel Reiche，2004）。

法国推出一项雄心勃勃的生物能源发展计划，目标是将法国生物燃料的产量提高 3 倍，并最终超过德国，成为欧洲生物燃料生产第一大国。法国力求在 10 年内，成为利用生物能源具有表率作用的国家。为此，推出一项重要计划，具体内容是在 2007 年以前，建设 4 个新一代生物能源的工厂，它们平均年生产能力要达到 20 万 t。这对于减少破坏臭氧层的废气排放以及节约能源有巨大好处。生物燃料属于生物能源，它是太阳能以化学能形式储存在生物中的一种能量形式，它直接或间接地来源于植物的光合作用，是以生物质为载体的能量。生物质主要指薪柴、农林作物、农作物残渣、动物粪便和生活垃圾等，它用途广泛，比如人们用玉米为原料加工成汽车燃料乙醇等。法国的计划一旦得到实施，法国生物燃料的总产量将从目前的 45 万 t 上升到 125 万 t，而法国用于生产生物燃料的作物面积也将达到 100 万 hm²，从而超过德国，成为欧洲最大的生物燃料生产国（Danyel Reiehe，2004）。目前，法国生物燃料主要生产的是二酯和乙醇。二酯是一种从油菜、大豆或向日葵等作物中提取的物质，它被添加到粗柴油中后，可成为很好的车用燃料。而利用甜菜、粮食等可以制取乙醇，并添加到汽油中去。法国用生物能源替代石油，几年后每年可为法国节省 1100 万 t 的石油进口，价值相当于 25 亿～30 亿欧元（Danyel Reiehe，2004）。由于生物燃料目前成本比汽油和柴油贵 2 倍，法国已出台一系列优惠措施，鼓励它的生产和消费。

此外，欧盟国家内部为了尽可能消除国际能源价格尤其是原油价格走高对欧洲经济复苏带来的消极影响。德国、法国、丹麦、意大利、爱尔兰和挪威等欧盟国家签署了一份旨在扩大可再生能源领域合作的协议，大力发展生物质能源、地热能源等可再生能源和新型能源。它们将在可再生能源技术的市场化、降低可再生能源价格等领域进行更紧密合作。

在前经济互助委员会的成员国波兰，生物质能源资源比较丰富，每年全国可提供林木废料 1600 万 m^3，作物秸秆 2500 万 t，污水处理生成污泥干重 250 万 t，牲畜粪便 1.25 亿 m^3，卫生填方 $2845m^3$。但大部分资源未得到充分利用。1998 年波兰已有 18000 个以林木废料做燃料的小型锅炉，总热容量为 600MW；1996 年后陆续建成 100MW 以秸秆为原料的锅炉 100 个；1998 年建成第一家以污水处理生成的污泥做燃料的焚烧厂，同时发电和供热，每日焚烧干污泥 10t，生产热能 2MW；每年生产乙醇 130ML，其中有 100ML 用于机动车辆（Mischa Bechberger，2004）。现有 900 多个小型乙醇蒸馏厂，生产的乙醇经提炼成为纯净的无水乙醇，在炼油厂混合成 E94E 汽油供应市场。波兰还研制成功能利用高含水量（60％）的生物质原料和以废水处理厂的污泥为原料的热解气化装置，生产热能和电能。

发展中国家在能源问题上，也采取了一系列对策：加强国内能源资源的勘探和开发；加大对能源产业的资金投入，加强能源利用研究；大力开展节能活动，用经济手段促进能效的提高；吸收引进更多的资金、技术和设备，加强国际交流与合作；开发新能源和再生能源，尽快完成可再生能源替代常规能源的进程；采取积极而谨慎的态度履行国际公约，既要保护环境，又要发展经济，逐步缩短与发达国家的差距，力争在平等的地位上共同发展；加大教育方面的投资，加强环境与能源的宣传教育，促进节能与新能源开发，等等。发展中国家利用生物质能源较为成功国家是巴西。巴西是世界上生物质能源生产及利用的先驱，全球最大的生物质能源项目普罗阿克尔（Proalcool）于 1975 年在巴西建立。至今，巴西已利用蔗渣生产了约 2000 亿 L 生物燃料乙醇，现在每日以乙醇替代 20 万桶进口石油。在 20 世纪 80 年代峰期有 500 多万辆机动车使用纯乙醇做燃料，另有 900 万辆使用混合了 20％乙醇的汽油。从 1976 年起，普罗阿克尔项目投资 113 亿美元，以生物燃料乙醇替代了 270 亿美元的进口汽油（Mischa Beehberger，2004）。20 世纪 90 年代以来，巴西蔗渣发电率提高，许多蒸馏厂除了生产液态燃料外，还用蔗渣发电。若自给有余，则出售给国家电网。

2.3.2　未来世界能源结构的发展路径分析

纵观人类发展历史，是一个人类发现、选择、优化能源结构的历史。由于科技进步不断拓宽我们的视野，扩大了能源的范畴，各种能源形态由其自身自然特性不同使之具有各自的优点。同时，社会需要的多样性和区域间（国家间）社会经济发展的不平衡性，使得在统一定向尺度下的同一时间层面能源结构呈现出多样化态势。所以能源的多元化是各种能源自然特性与科技进步相互融合发展的必然产物。可再生能源的兴起和发展其实是世界各国为避免未来本国能源单一化，维护本国经济安全和国家安全，根据本国资源禀赋的不同以及结合本国的科技实力而开展未来能源多元化的重要措施，这种势头在未来能源开发中是不可逆转的。世界各国的经济以及社会发展离不开对能源的需求，而开发可再生能源的势头必将持续下去，并且最终引起对各种形式能源需求走势的变化，这些对各种不同形式能源需求的变化趋势则体现在能源消费结构中。人类社会发展史证明，能源结构是由原始的生物质能单一结构向今天的能源多元结构演进。

人类能源消费结构由简单演变到复杂，由单一化演变为多元化（表 2-2）。在现在乃至未来 10~50 年内的能源消费结构中，以煤、石油和天然气为代表的传统化石能源依然占有相当高的比例，由于其不可再生性而逐渐枯竭，所以它们在能源消费结构中的比重必然逐渐下降，逐渐取而代之的是以太阳能、生物质能、风能等为代表的可再生能源。而在更远的将来能源消费结构中，可以预见以煤和石油为代表的传统化石能源将最终退出历史舞台，能源领域将是各种形式的新型能源和可再生能源的"群雄并起"的局面。

表 2-2　未来世界能源消费结构（%）

类别	2020 年	2030 年	2040 年	2050 年
原油	37.60	34.63	32.18	30.04
天然气	27.19	28.48	29.14	30.02
煤炭	20.97	18.64	16.99	15.91
核能	5.13	7.20	8.30	8.80
其他能源	9.11	10.05	12.12	15.21

数据来源：世界可再生能源发展报告（2006）。

随着世界能源问题的日益深化，包括生物质能源在内的可再生能源的开发利用早已引起世界各国政府和科学家的关注，可再生能源的开发利用是解决未来能源供需矛盾的重要利器之一，并在未来能源的消费结构中占有不可替代的地位。包括上述国家在内的许多国家不但制定了短期的能源应对措施，而且已经规划了长期的新型能源开发利用研究及规划目标，见表 2-3。

表 2-3　部分国家制定的可再生能源的发展目标

	2010 年	2020 年	2050 年
美国	可再生能源利用率达 7.5%	风电比例达到 5%，可再生能源发电比例达到 20%	
加拿大	风电产量提高 5 倍	水电比例达到 76%	
德国	风电比例达到 12.5%	可再生能源发电比例达到 20%	可再生能源发电比例达到 50%
英国	可再生能源发电比例达到 10%	可再生能源发电比例达到 23%	
法国	可再生能源发电比例达到 22%		可再生能源发电比例达到 50%
日本	可再生能源发电比例达到 1.4%	可再生能源利用率达 20%	
韩国	可再生能源利用率达 5%		
中国	可再生能源发电比例达到 5.3%	风电比例达到 2%，可再生能源发电比例达到 12%	可再生能源利用率达 30%，2100 年将达到 50%

资料来源：世界可再生能源发展报告(2006)。

　　其他诸如丹麦、荷兰、德国、法国、加拿大、芬兰等国，多年来一直在进行各自的研究与开发，并形成了各具特色的生物质能源研究与开发体系，拥有各自的技术优势。新技术成果在能源工业迅速推广应用，使整个能源工业正在由低技术向高技术过渡；能源产品正在向洁净化、精细化、高质量化、多元化方向发展。

　　国际能源署(IEA)研究表明，可再生能源在减少二氧化碳排放和使能源供应多样化方面可起到关键作用，但需得到政府的有力支持。政策支持是目前发展可再生能源的关键推动力。按照现有的政策情况，对全球可再生能源的投资额度进行年度分解(图 2-7)，投资将从 2009 年 570 亿美元提高到 2035 年 2050 亿美元，但较高的化石燃料价格和对其下降的投资费用将也刺激可再生能源投资增长。

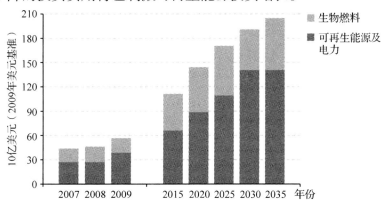

图 2-7　全球对可再生能源投资的年度支持预测

数据资料来源：国际能源网

　　根据 BP 公司预测，风能、太阳能、生物燃料和其他可再生能源在今后 20 年内将会继续强劲增长，到 2030 年它们在一次能源中所占份额将从现在小于 2% 增大到预期的超过 6%。生物燃料将提供运输燃料的 9%，核能和水力发电将稳步增长，并且在总能源消费中所占市场份额将增大。尽管如此，世界能源结构中将仍然继续较大地依赖于化石燃料。

第3章 国内外林木生物质能源产业发展现状

3.1 林木生物质能源概述

3.1.1 现代生物质能源

3.1.1.1 生物质能源

生物质能源是蕴藏在生物质中的能量，是绿色植物通过叶绿素将太阳能转化为化学能而固定和贮藏在生物质内部的能量，是一种广泛的可再生能源。生物质能源遍布世界各地，资源数量庞大，形式繁多，包括自然界可用于能源用途的各种植物、人畜排泄物以及城乡有机废物。具体来说，主要包括薪柴、农林作物（尤其是能源作物）、农业和林业残剩物、动物粪便、食品加工的下脚料、城市固体废弃物、生活污水和水生植物等多种能源形式。生物质能具有易燃烧、污染少、灰分低、热值及热效率低、体积大且不易运输等特点。根据利用方式，生物质能分为传统生物质能源和现代生物质能源。传统生物质能源多数以直接燃烧为主，包括薪柴、稻草（包括稻壳）、动物粪便等，在今后相当长的时间内这种利用方式仍是发展中国家农村生物质能利用的主要方式。现代生物质能是指通过热-化学转换或生物-化学转换技术使得生物质能源转化效率提高的一种开发利用方式。现代生物质能主要技术包括沼气发酵技术、气化及发电技术、热裂解、压缩成型技术、生物质液体燃料技术以及传统乙醇生产技术等。

在人类历史上，生物质能源在满足人们基本生活需求中占据主导地位。19世纪中期以来，随着化石能源消费的快速增长，生物质能在能源总消耗中所占的比例逐渐减少。尽管如此，传统的生物质能源利用在多数发展中国家仍占支配地位，作为农村生活用能、传统手工业和小型服务行业的主要能源来源。传统生物质能源的利用技术陈旧、效率低下，主要通过家庭种植或家庭劳动力采摘加工获得，不能形成有效供给，不是一种完全的商品化能源。并且传统生物质能源的利用释放出大量污染物，如一氧化碳、甲烷、氮氧化物、苯、甲醛和粉尘颗粒物质等，对生态环境造成了很大的危害。

通过表3-1 可以看出，生物质能源在世界能源消费结构中占有重要的比例，且以传统生物质能利用为主，尤其在非洲、亚洲和拉丁美洲以发展中国家为主的地区，传统生物质能源消耗占有较高的比例。而现代生物质能源还没有得到广泛的利用，尤其是亚洲生物质能源现代化利用与北美洲和北欧一些国家相比，差距较大。在一些发展中国家存有大量未利用的生物质剩余物和废弃物可用于未来现代化生物质能源的发展，生物质能源在这些国家存在巨大的发展潜力和市场拓展空间。

表3-1   2000 年全球现代生物质能源生产与利用现状(EJ/年)

能源类型	世界总计	OECD 国家[1]	非 OECD 国家	非洲	拉丁美洲	亚洲
一次能源[2]消费总量	423.3	222.6	200.7	20.7	18.7	93.7
其中：生物质能所占比例(%)	10.8	3.4	19.1	49.5	17.6	25.1
终端能源[3]消费总量	289.1	151.2	137.9	15.4	14.6	66.7
其中：生物质能所占比例(%)	13.8	2.5	26.3	59.6	20.3	34.6
现代生物质能生产总量	9.8	5.2	4.6	1	1.9	1.5
占一次能源比例	2.3	2.3	2.3	4.7	10	1.6
现代生物质能源利用						
其中：电力与供热利用	4.12	3.72	0.39	0	0.14	0.07
占部门能源利用比例(%)	2.7	4.1	0.6	0	3.4	0.2
工业部门利用(近似值)	5.31	1.34	3.97	0.98	1.45	1.44
占部门能源利用比例(%)	5.8	3	8.6	30.3	26	6.3
交通部门利用	0.35	0.1	0.26	0	0.29	0.03
占部门能源利用比例(%)	0.5	0.2	1.1	0	6.3	0.4

数据来源：Biomass Assessment Handbook-Bioenergy for a Sustainable Environment (Rosillo 等，2007)。

注：①OECD 是指经济合作与发展组织(Oganization of Economic Corporation and Development)，目前经合组织共有30 个成员国，它们是澳大利亚、奥地利、比利时、加拿大、捷克、丹麦、芬兰、法国、德国、希腊、匈牙利、冰岛、爱尔兰、意大利、日本、韩国、卢森堡、墨西哥、荷兰、新西兰、挪威、波兰、葡萄牙、斯洛伐克、西班牙、瑞典、瑞士、土耳其、英国、美国；

②一次能源又称天然能源或原生能源，指自然界中已存在的未经加工或转换就能直接利用的能源，如太阳能、风能、水能、海洋能、地热能等自然能源，从地下资源中开采的煤炭、石油、天然气以及植物和农作物秸秆等植物燃料；

③终端能源是指终端用能设备入口得到的能源，终端能源消费量等于一次能源消费量减去能源加工、转化和储运这三个中间环节的损失和能源工业所用能源后的能源量。

3.1.1.2　现代生物质能源的兴起

近年来，传统生物质能和化石能源利用引起的气候变化、酸雨形成、水污染、城市空气质量恶化等问题越来越严重，人类对能源产业的发展不断提出更高的环境要求，促使人们通过现代化技术将能源利用扩展到包括对生物质能源在内的可再生能源的开发和利用中。这不仅使得生物质能源的转化效率得以提高，也促使能源化利用的经济性和环境效益得到明显改善。

现代生物质能转换技术主要包括直接燃烧技术、热化学转换技术、生物转换技术、液化技术和有机垃圾处理技术等。依据这些技术手段，生物质能可分为固体燃料、液体燃料和气体燃料。生物质固体燃料是指将农作物秸秆或林业加工废弃物压缩成颗粒或块状燃料；生物质液体燃料是指将生物质通过有关技术转化为乙醇或柴油，代替石油产品用于燃烧或驱动运输车辆；生物质气体燃料是指将生物质通过有关技术转化为沼气或其他合成可燃气，可用于发电、供热或生活能源。

现代生物质能源产业始于 1973 年，以巴西大规模发展甘蔗乙醇替代汽油为标志；发展于 1999 年，当时美国颁布"发展生物质产品和生物能源"；近年来，生物质能源产业已经在全球范围内得到快速发展。据联合国环境规划署（UN Environment Programme）统计，2006 年全球在生物质运输燃料方面的投资已经达到 260 亿美元。

在中国，生物质能源是仅次于煤炭、石油和天然气的第 4 位能源资源，在能源系统中占有重要地位。我国生物质能源资源丰富，理论上，每年可产出生物质能源 50 亿 t 左右，有巨大的开发潜力。我国生物质能源的发展一直以农林生物质能源开发为主，主要致力于改善农村居民的生活用能，是农村发展长期战略的重要组成部分。目前，我国在生物质能源产业领域已经迈出新的发展步伐，大力发展生物质能源的各种条件基本成熟。在国家政策的引导下，诸多企业单位和研究机构正在进行全方位的科学研究和实践探索。根据我国"十二五"发展规划目标，到 2015 年，可再生能源年利用量达到 4.78 亿 t 标准煤，其中生物质能利用量达到 5000 万 t 标准煤。

3.1.2　林木生物质能源定义

一直以来，对于森林能源化利用的概念界定非常模糊不清，形成了"百家争鸣"的状况，各有各的说法和道理。尤其随着现代生物质能源转化技术的出现，森林资源能源化利用的范畴不断扩大，该类能源的概念界定也随之不断更新，出现了多种形式的说法。Young（1980）将林木生物质界定为林木的地上和地下部分生物量的总和，同时包括各类灌木丛和乔木的树叶和树皮部分。Hakkila 和 Parikka（2002）在此基础上进一步提出林分的生物质净增量（Net biomass increment of a forest stand），即在两次测量期间累计林木生物质的变化量。张希良和昌文（2008）在《中国森林能源》一书中，提出"森林能源"的概念，从森林资源多元化利用的角度，将其概括为"在森林生物量中，通过人为活动可以获得并可以直接或间接作为能源利用的森林生物量剩余物和能源林资源"。"中国林木生物质资源潜力与开发机制研究"课题组在其研究报告(2006)中指出,林木生物质能源资源是指将太阳能转化的生物量经林业的经营活动产生的可以成为能源的物质,它是林木总生物资源量的组成部分。王连茂(2009)在其研究中提出林木生物质是指以木本、草本植物为主的生物质,把来自森林的能源界定为"林业生物质能源",指出"林业生物质能源是指林木生物质本身所固定和贮藏的化学能,这种化学能由太阳能转化而形成"。刘刚和沈镭(2007)认为林木生物质能源是指可用于能源或薪柴的森林及其他木质资源。

　　这里从生物质概念的角度出发,对林木生物质和林木生物质能源的概念进行界定。林木生物质是指森林林木及其他木本植物通过光合作用将太阳能转化而形成的有机物质,包括林木地上和地下部分的生物蓄积量、树皮、树叶和油料树种的果实(种子)。对于林木生物质的能源化利用称之为林木生物质能源,是指贮藏在林木生物质中的生物量转化形成的能源,主要是指通过直接燃烧或者现代转化技术形成的可用于发电和供热的能源。从利用方式来看,林木生物质能源包括以直燃为主的传统林木质燃料(薪柴)和通过现代生物质技术转化生产的现代林木生物质能源。在现代生物质能转化技术下,林木生物质能源可以转化为以下新型能源产品:林木生物质固体燃料、林木生物质气体燃料、林木生物质发电和木质燃料液体(生物乙醇和木质纤维素)。在本研究中,林木生物质能源主要是指现代林木生物质能源。

　　林木生物质能源的出现是森林能源化发展的具体表现。虽然在人类社会日益发达的今天,面对经济发展和环境保护的双重压力,林业发展及森林利用的生态化取向是一个合理地选择。但是,不能因此而理解为森林的唯生态化利用,特别不能只以森林论森林,而忽略了另外的发展思考。如果从人与森林关系的角度来看,森林发展大致经历了人类栖息地、食物仓库、燃料、肥料、材料利用、工业材料和原材料利用,到今天的以生态为主的综合利用阶段。这一过程是由人类社会发展需求变化所决定的。当然,森林的演变过程也影响着人类社会的发展(张大红,2006)。由上述森林与人类社会的关系,可以看出:即将到来的森林利用将是森林生态化和能源化利用的时代。

3.1.3　林木生物质能源的特点和优势

　　(1)林木生物质能源的可再生性。林木生物质能源的一个重要特点是可再生性。全球尚有相当大的土地潜力,通过高效、合理的利用,可以使包括林木生物质能源在内的生物质能成为未来持续能源供应中的主要部分。根据联合国粮农组织的调查,112 个发展中国家现有耕地 7.24 亿 hm^2,森林和林地 19.96 亿 hm^2,草原 15.46 亿 hm^2,

合计 42.66 亿 hm^2；目前各种类型潜在的农用地（包括已利用的）为 27.19 亿 hm^2。假设到 2025 年人口增加 50%，耕地也相应增加 50%，那时则需要的耕地应为 10.86 亿 hm^2，用现有潜在的农业用地减去这个数字，可得出那时多余的农业用地为 16.33 亿 hm^2。考虑到这些土地的生物质生产潜力，经计算可以获得理论值为 2.44899×10^{17} J 的能量，相当于这些国家总能耗的 4.56 倍（张无敌，2001）。可见，包括林木生物质能源在内的生物质生产的潜力很大。当然，在发展中国家，土地资源的分布很不平衡，非洲和拉丁美洲潜力甚大，亚洲则较为紧张，如果按上述方法计算，到 2025 年农业用地会出现赤字，但如果考虑了农业单位面积产量的提高，则仍然有潜力。至于工业化国家，农业发展计划的成功，导致了耕地的过剩。到 1988 年，美国已废除了 3000 万 hm^2 耕地，欧洲共同体 12 国过剩的耕地，2000 年达到 1500 万~2000 万 hm^2，这将为林木生物质能源在内的生物质能源的发展提供重大机会（张无敌，2001）。联合国粮农组织的研究报告《利用生物质来促进发展》指出：根据最近的综合研究，所有生物质能源到 2050 年将提供全世界 10.5% 的电力和 20.5% 的直接燃烧的燃料，据估计，林木生物质能源将提供的比例约为 2%，其绝对量是相当可观的。这将是世界能源结构的一次重大的变化。

（2）林木生物质能源的环保性。森林能源化发展可以产生环境改善和能源促进的双重效应。森林是地球陆地生态体系的主要组成部分。在维护生态平衡中起着主体作用。森林在生态体系中与其他生态因素相互作用，共同维护着地球环境。森林的生态功能和环境作用是多种多样的。以现有的研究成果来看，森林在地球表面的碳平衡中，发挥着极为重要的作用。从理论上讲，燃烧现有森林（或林木）所释放的二氧化碳量与形成这片森林所吸收固化的二氧化碳量相等，不会对大气形成二氧化碳的正排放，这是传统的化石能源不可比拟的。此外，森林能源化模式，拓宽了森林有用资源的范围，使木材剩余物、灌木林、小老树林、阔叶林等都成为有用的资源，由此扩展了森林经营的空间范围，从而增加了森林覆盖和空闲地的利用。因此，较之于森林资源的木材利用，森林的能源利用扩大了森林覆盖率，直接改善了生态系统，强化了森林的环境作用。所以说森林能源化与环境保护的关系是正向相关、同轨发展的（张大红，2006）。另外，森林的能源化发展对解决未来能源问题具有积极的意义。其实，林木生物质能源的利用是人类社会历史最古老的能源形式之一，从古至今从未间断。所不同的是，在不同时期不同地区，由于社会经济发展水平的不同森林生物质能利用的强度和所占的份额不同罢了。从上一章的分析中可以看出：以现在的能源消费增长速度，能源的短缺只是一个时间问题。弥补这个能源缺口的新型能源的特性必须兼顾社会、经济和环境三方面考虑，而林木生物质能源恰恰满足这三方面的要求，是一种较为理想的可再生能源。所以，如果排除一些具体条件的差异来分析，在今天或今后的时代，林木及森林生物质特性使其具备了能源化发展的优势，更符合社会需求发展和能源变革的方向。

（3）林木生物质能源的地区适宜性。林木生物质能源还是一种特别有利于农村发展的能源。林木生物质能源的开发和利用具有分散性和规模小的特点。可以为农村和边远山区、林区就近提供相对廉价资源，以促进经济的发展和生活的改善。一些国家如印度，正在采用利用各种形式的生物质能源的分散化电力系统来解决农村用电问题，因为依靠国家电网通过长距离的输电会产生一系列问题，如输配电损失很高、电压低且起伏不定、运行维护费用高、供电不稳、停电频繁，等等。开发包括林木生物质能源在内的生物质能源还具有向农村提供就业岗位的潜力。农业的发展必然会造成劳动力的过剩，因此，保证就业也是繁荣农村的一个重要条件。巴西利用生物质的酒精工业提供了 20 万个工作岗位，这些工作同其他农林业用工部门相比，季节性的因素也相对较少。生物质能源最重要的优点之一是较低的工作创造费，根据巴西的统计，每创造一个工作所需要的投资数，水电站要 100 万美元，石油化工要 80 万美元，东北部的一般工业要 4 万美元，利用生物质的酒精工业只要 12000～22000 美元（Fredrie C. Mena，2005）。此外，一些国家和地区的实践证明，采取农用林业（agroforesery）的做法也具有高产出和多样化的土地利用潜力，可以获得食物、能量的持续高效生产。

（4）林木生物质能源的其他优势。同目前广泛利用的其他能源相比，林木生物质能具有自己独特的优势。如上所述，化石燃料储量有限，利用时又会产生较突出的环境问题，因此，目前注意力已转向了大规模的、无二氧化碳排放的能源生产技术，即核能和水能。发展核电要付出高额的基建投资和安全处理废料的费用，许多专家认为其效益并不是很高的；此外，健康和社会方面的问题也会限制它的发展。水电在未来的能源发展中无疑会起重要的作用，但进一步大量增加水电的生产只能在付出了大量的费用后才能得到，且大量的移民、淹没大面积的农田、高额的基建费、长的建设期和回收期、低的农村就业前景和某些环境问题都是它的不利因素。而林木生物质能源相对于以上两种形式的能源来说，涉及的其他派生问题较少。

3.1.4 林木生物质能源的利用形式

自然状态下的生物质能量密度低，影响它取代煤、油、气的功能。为提高其能量品位，强化其应用功能，需要采取各种技术措施进行加工。中国对生物质能技术相当重视，但限于国家整体科技实力状况，目前还没有太多成熟的应用技术和工艺研究成果，然而，中国在使用生物质能方面已经打开局面。目前，我国林木生物质能主要有 3 种利用方式，即生物质固体燃料利用、生物质液态燃料利用和生物质气体燃料利用。其终端产品主要有 6 类：一是利用含油脂转化为生物柴油，二是木质纤维素转化生物乙醇，三是木质加工成固体燃料，四是木质转化成燃料气体，五是木质燃料发电，六是生物质气化发电。结合林木生物质能的技术工艺（利用方式）和终端产品综合分类如下。

3.1.4.1　固态利用及产品

生物质固体成型燃料，一般又叫作致密成型燃料，是以林木枝丫、薪材和林木加工剩余物为主要原料，通过粉碎、干燥、混合和高压定型处理后成型为各种几何形状的固体燃料，如颗粒燃料、棒状燃料、块状燃料等。这类燃料可以由剩余物直接制成，也可以用木炭制成。它具有以下一些优点：①有较高的密度，一般为 0.9~1.3t/m^3；②热值相当于普通原煤的 0.7 倍左右；③燃烧排放有害成分较低，可以实现 CO_2 零排放，SO_2 含量较低，粉尘排放低于国标、低于原煤；④燃烧速度比成型煤快 10% 左右，残留灰渣很少；⑤燃料成本较低。

国外生物质固体成型燃料的发展分 3 个阶段。从 20 世纪 30~50 年代为研究、示范、交叉引进阶段，研究的着眼点以替代化石能源为目标。20 世纪 70~90 年代为第二阶段，各国普遍重视了化石能源对环境的影响，对数量较大的、可再生的生物质能源产生了兴趣，开展了生物质致密成型燃料研究，90 年代，欧洲、美洲、亚洲的一些国家在生活领域较多地应用了这种燃料。第三阶段为 20 世纪 90 年代后，首先以丹麦为首开展了规模化利用的研究工作，丹麦著名的能源投资公司 BWE 率先研制成功了第一座生物质致密成型燃料发电厂。随后瑞典、德国、奥地利等国家也先后开展了利用生物质固体燃料发电和作为大型锅炉替代燃料的研究。利用的方式，一是打捆直接燃烧；二是气化，利用燃气发电。除此之外，他们还积极向发展中国家出售生产技术及设备。

从 20 世纪 80 年代开始，中国大陆引进了韩国、中国台湾、日本近 20 套成型设备，主要是螺杆挤压式。欧洲的荷兰、比利时也将相关技术推入中国，但后来基本全部停产。20 世纪 90 年代前后，中国林科院、陕西武功机械厂以及湖南、湖北、辽宁等省的一些单位都开展了以螺杆式为主的生物质固体成型燃料研制工作，加工原料以木材废弃物为主。进入 21 世纪，化石能源价格连续攀升，加之国家对于环境污染的高度重视，使生物质致密成型燃料进入了良好的发展时期，而且众多企业开始涉及此项产业。

3.1.4.2 液态利用及产品——生物液体燃料

当前生物液体燃料开发领域的主要技术有 2 种：一种是生物柴油生产技术，另一种是纤维素降解技术。液体燃料利用技术方面主要是生物柴油和生物乙醇的生产技术，这方面的技术主要在热化学转换技术方面。相关研究所和企业如果能在该领域继续取得突破性进展，将极大地促进该产业的迅速发展。

（1）利用含油脂转化为生物柴油。生物柴油，又称燃料甲酯，是由甲醇或乙醇等醇类物质与天然植物油或动物脂肪中主要成分甘油三酸酯发生酯交换反应，利用甲氧基取代长链脂肪酸上的甘油基，将甘油基断裂为 3 个长链脂肪酸甲酯，从而减短碳链长度，降低油料的黏度，改善油料的流动性和汽化性能，达到作为燃料使用的要求。生物柴油的主要成分是软脂酸、硬脂酸、油酸、亚油酸等长链饱和与不饱和脂肪酸同甲醇或乙醇所形成的酯类化合物。由于可再生，无污染，因此生物柴油是典型的"绿色能源"。其性能与 0 号柴油相近，可以替代 0 号柴油，用于各种型号的拖拉机、内河船及车用柴油机。其热值约 10000cal/kg，能以任意比例与 0 号柴油混合，且无需对现有柴油机进行改动。

广义的生物柴油是以动植物油酯为原料生产的可再生的清洁能源，用于汽车燃料，能和石油柴油任意比例混合，可以作为优质的石油代替品。《可再生能源法》中规定的定义是：生物柴油是指用油料作物、油料林木果实、油料水生植物等为原料制取的液体燃料。生物柴油分为 3 种：100% 生物柴油、20% 生物柴油加煤油、家用燃料油。常用的生物柴油调和油为加入纯生物柴油的混合油，如加入 20% 生物柴油为 B20。

目前，生物柴油的主要加工方法为化学法和生物酶法。化学法即采用植物油（或动物油）与甲醇或乙醇在酸、碱性催化剂作用下进行酯交换，生成相应的脂肪酸甲酯或乙酯燃料油。生物酶法合成生物柴油则是动植物油脂和低碳醇通过脂肪酶进行转酯化反应，制备相应的脂肪酸甲酯及乙酯。酶法合成生物柴油具有条件温和、醇用量小，无污染物排放等优点。

在中国，生物柴油近年来的发展如火如荼，到 2012 年年底产能已经达到 5717.36 千桶（1 桶 = 158.9873L）。2001 ~ 2004 年是我国生物柴油发展的初始阶段，2003 年四川古杉油脂化学公司在河北邯郸建成年产 3 万 t 的生物柴油工厂，这是当时我国最大的生物柴油工厂。中国第一家生物柴油厂以植物油榨油厂"油脚"为原料，"油脚"价格为 1100 ~ 2300 元/t，得到的生物柴油价格在 3000 ~ 3500 元/t；这样，生物柴油在没有税收减免，没有财政补贴的情况下，可以与常规柴油进行竞争，并且盈利。

（2）木质纤维素转化生物乙醇。生物乙醇是以生物质为原料生产的可再生能源。

它可以单独或与汽油混配制成乙醇汽油作为汽车燃料。汽油掺乙醇有两个作用：一是乙醇辛烷值高达 115，可以取代污染环境的含铅添加剂来改善汽油的防爆性能；二是乙醇含氧量高，可以改善燃烧，减少发动机内的碳沉淀和一氧化碳等不完全燃烧污染物排放。同体积的生物乙醇汽油和汽油相比，燃烧热值低 30% 左右，但因为只掺入 10%，热值减少不显著，而且不需要改造发动机就可以使用。

目前，世界上使用生物乙醇的国家主要是美国、巴西等国。在美国使用的是 E85 生物乙醇，即 85% 的乙醇和 15% 的汽油混合作为燃料，而美国是用甘蔗和玉米来生产生物乙醇的，这种 E85 生物乙醇的价格与性能与常规汽油相似。当前世界上最大的生物乙醇生产国家是巴西，目前巴西生物乙醇产量已占世界生物乙醇总产量的 35%，每年的生物乙醇出口量超过 20 亿 L，巴西也是世界最大的生物乙醇出口国。排在第二位的是美国，美国大概每年转化 1500 万 t 生物乙醇。

近年来，生物乙醇在我国各地尤其是在东北地区的发展和应用比较广泛，由于我国粮食安全的特殊国情，中央自 2006 年开始明令禁止用粮食作物生产生物乙醇，规定只能用木质纤维素等生产生物乙醇，故该产业的发展有所放缓。

纤维素制乙醇研究技术，主要包括：连续自动水解与超低酸水解反应器的研制及工艺条件优化；纤维素酶的固定化技术研究；木质纤维素类生物质水解液的脱毒处理及高效发酵菌种构建；木质纤维素类生物质生产燃料乙醇连续生产工艺的研究；葡萄糖化学分解制乙醇研究；产纤维素菌种筛选及纤维素酶基因工程菌开发。纤维素降解是针对目前利用纤维素原料生产燃料乙醇、生物丁醇和其他生物基材料研究中存在的纤维素难以降解、水解酶用量过多及产物抑制等关键技术问题，开展纤维质材料预处理及纤维素酶水解研究。同时开发高效、省水的固态发酵降解纤维质原料的新技术，对优选菌株进行代谢调控，开发成本低、多组分培养材料，提高微生物产酶活性和产酶浓度，以有效的使纤维素材料转换糖。该方向研究成果可以用于生物柴油、生物乙醇和丁醇的发酵生产，解决目前生物液体燃料生产原料瓶颈问题，具有非常广阔的应用前景。

3.1.4.3 气态利用及产品

各类生物质气化技术在我国的市场潜力巨大，其用途主要有以下几个方面：①烘干：木材、烟草、茶叶、橡胶、粮食、食用菌、中药材、果蔬脱水；②供暖：种植大棚、暖房、养殖保温、居民采暖；③供气：集体炊事、热水、有条件地区村镇居民供气；④高温热源：陶瓷、制砖、窑炉等烧制业。由于气体分子可任意扩散，其可燃成分最活跃，与空气中氧分子的接触几率远远高于固体或液体中可燃成分的接触几率。所以如果将固态的生物质转换成气态再燃烧，那么其与空气混合充分，燃烧完全、洁净、无烟，而且其燃烧热利用率也必然提高，比传统的柴草直接燃烧提高 2~3 倍。生物质气化装置以柴草、枝条等为原料。当前气化发电技术相对成熟，林木生物质能源气化技术还应取得更大突破，以满足产业化、规模化的发展要求。当前比较成熟的是生物质气化与燃料电池整合发电技术。采取的是热化学转换的办法。未来主要研究重点是研究生物质气化发电技术，进一步提高气化发电效率，并结合现有已趋于成熟的燃料电池生产技术，实现生物质气化与燃料电池整合发电。

(1)木质转化成燃料气体。采用循环流化床研究生物质高效气化技术，并与合成液体燃料工艺相结合，生产动力燃料，缓解我国石油资源短缺的现状。

根据中国国情，生物质气化装置在结构上、生产使用上更实际可行，只要掌握了关键参数，一般民用厂家都有能力进行生产和维修。如果产生的煤气直接热利用，气化过程实现的是一级能量转换。因此，它的理论效率比较高，热煤气的燃烧效率将是物料直接燃烧的 3 倍。

当燃料燃烧释放能量时，首先与空气接触产生氧化燃烧反应，其反应(燃烧)速度、产热率及产热量均与在空气中与氧的接触程度有关。在气、液、固 3 种形态中，秸秆、废木料、锯木屑等为气化物料，经过气化反应产生可燃煤气，从而达到以柴制气，以气代柴的目的。由于气化设备投资低廉，气化物料可从农林废弃物中就地取材，燃料成本所占比例甚微，使得气化成本更为低廉。

(2)生物质气化发电。生物质气化发电技术是洁净利用生物质能的有效方法之一，它可以在不产生污染的情况下把生物质能转化为电能，达到从低品位能源获取高品位能源的目的，是最有前途的可再生能源技术之一。因地制宜地利用丰富的生物质资源，建立分散、独立的离网或并网生物质分布式电站不仅可以弥补电力供应的不足，而且可以有效减少环境污染和温室气体排放，所以它也是一种重要的环保技术。

自"六五"以来，我国开展了生物质气化技术的研究工作，并取得了一系列卓有成效的研究成果。我国已用或商品化的气化炉和气化系统有：中国科学院广州能源研究所的 GSQ-1100 大型装置，中国农机院的 ND 系列和 HQ-280 型，山东省能源研究所的 XFL 系列，在农村具有广泛的应用前景。因为以农业废弃物和木材废弃物为主的生物质资源分布较为分散，收集和运输困难，不适合采用大规模燃烧技术，而中等规模的生物质气化发电技术(400~6000kW)在发展中国家具有独特的优势，也具备进入市场竞争的条件。

3.2　国外林木生物质能源发展概况

3.2.1　世界林木生物质能源资源状况

林木生物质能源不论在人类早期生活用能中还是在未来新能源发展中都占有重要的地位。林木生物质能源资源的丰裕程度主要取决于阳光、气候条件、种植树种、土地资源的可获得性与肥沃程度以及病虫害控制等。全球生物质能源的资源潜力为103.8EJ/年，其中林木生物质能源资源潜力为 41.6EJ/年，占 40% 以上（Parikka，2004）。2005 年世界森林面积近 4 亿 hm²，占全球土地总面积的 30%，人均林地面积0.6 hm²，全球林木生物质产出量约 4860 亿 t（表3-2）。2004 年全球林木燃料和工业木材消费总量 34 亿 m³，其中 52% 直接用作能源，剩下的 48% 用于工业木材，且在其初级或二次加工过程中产生近 40% 的剩余物也可用于生物质能源生产。

表 3-2　2005 年全球森林资源与林木生物质资源量统计

地区	林地面积			森林蓄积量		林木生物质[①]	
	林地总面积（10⁶hm²）	占土地面积（%）	人均林地面积（hm²/人）	单位蓄积量（m³/hm²）	总蓄积量（10⁹m³）	单位生物量（t/hm²）	总生物量（10⁹t）
非洲	635	21.4	0.7	102	64	191	120
亚洲	572	18.5	0.1	82	47	115	65
欧洲	1001	44.3	1.4	107	106	88	88
拉丁美洲	860	47.3	1.9	153	98	224	157
北美洲	677	32.7	1.6	111	68	125	38
大洋洲	206	24.3	6.3	36	1	114	19
全球	3952	30.3	0.6	111	384	145	486

数据来源：www.fao.org，State of the World's Forests 2012。

注：①包括地上和地下生物质及死木。

近年来，随着化石能源价格的上涨，对林木生物质能源需求进一步增加，包括发达国家对来自农林剩余物的生物质能源利用和发展中国家农村生活用能利用都呈现增长趋势。据统计，全球约 14% 的基本能源消耗源于林木生物质资源，25% 用于发达国家，75%用于发展中国家（Parikka，2004）。在发展中国家贫困的农村地区，居民做饭和取暖的生活用能多数通过砍伐林木直接获得，如非洲近90%砍伐后林木资源被用于生活燃料（FAO，2007）。一些 OECD 成员国，如奥地利、芬兰、德国和瑞典等，越来越多的林木生物质能源资源被用于发电生产。虽然传统的林木生物质能源资源多数以传统的废弃物形式存在着，仍将作为发展中国家农村生活用能的基本来源，但是随着现代生物质能源技术的成熟与推广，林木生物质能源利用模式也将从传统低效率的薪柴消耗模式转化为现代新能源模式。国际能源署（IEA，2008）有关研究表明，可再生能源在未来能源市场所占比例将会持续增加，预计到2030年林木生物质发电将增至2008年的3倍。

当前的林木生物质能源现代化利用仍以林地生长剩余物和林业生产剩余物为主，未来林木生物质资源供应则更多地通过专业能源林种植直接供应。根据联合国粮农组织亚洲木质能源发展项目（RWEDP①，FAO，1998）研究预测，其成员国每年可获得的林木生物质能源资源约20亿t，约1/3被利用。印度总土地面积中6%属于森林砍伐后的退化土地，若进行能源林种植，将供应25~30GW 的生物质发电原料（Hall，1994）。在美国，有近5亿英亩②森林用地和其他林地资源可用于发展能源林（Smith等，2004）。生物质能源的现代化生产，可以解决很多国家面临的农林废弃物得不到合理利用的问题，解决人口增长带来的能源需求提高问题，同时发展能源林种植，将为发展中国家农村居民和林区工人提供更加稳定的收入，提高地区整体社会经济水平和生态环境的质量。

3.2.2　世界各国林木生物质能源开发利用现状

1958 年，美国科学家 I. A. Wolff 和 Q. Jones 倡议对野生油脂植物的开发利用进行研究，并建立了一批生物柴油原料利用基地（谷战英、谢碧霞，2007）。20 世纪 70 年代的石油危机引发了建立"能源林场"的设想，直到美国加利福尼亚州南部成功栽培了香槐和绿玉树两种"能源树"后，能源林场的设想才具有一定的可行性。欧共体为了鼓励开发"能源植物"资源，从 1993 年起减免植物燃料90%的消费税。20 世纪 80 年代以来，越来越多的国家开始进行林木生物质能源开发。日本制定了本国的生物质能源转换计划，并建立了利用纤维素生产乙醇的综合加工厂；巴西建设了数十个木材水解制

---

① RWEDP 即亚洲区域木质能源发展项目，是一个区域性的合作项目，旨在开发薪柴资源，以满足农户和小型加工企业对能源的需求。包括十六个成员国：孟加拉国、不丹、柬埔寨、中国、印度、印度尼西亚、朝鲜、老挝、马来西亚、缅甸、尼泊尔、巴基斯坦、菲律宾、斯里兰卡、泰国和越南。

② 1 英亩 =4046. 86m²。

乙酸的工厂和原料林基地；印度尼西亚棉兰油棕研究中心利用棕油配制汽车生物柴油；德国 HOREN 高科技公司开发出一套年产 15 万 t 燃油的生产设备，利用木屑等原料可从每 10t 生物质中提取 2～3t 的燃油；法国制定了"绿色能源计划"；英国利用 8 万 hm² 土地用于能源林建设；瑞典提出了"能源林业"的新概念，利用优良树种无性系营造短周期的能源林(谷战英、谢碧霞，2007)。事实上，林木生物质能相比化石能源而言，具有十分明显的优势，而其可再生性以及环境友好性正是解决经济增长、能源消耗与环境保护三者之间矛盾的关键。这也正是林木生物质能源的研究与开发之所以受到世界各国政府与学术界日益重视的原因。

从林木生物质能开发利用的方式来看，主要有燃烧技术，即通过直接燃烧或者将生物质压制成型后燃烧而获取热量；其次是通过对不同原料先酸解或水解，然后经微生物发酵，制取液体燃料或气体燃料，也就是所谓生物化学转化；再次是经热化学转换后，可获得木炭、生物油和可燃气体等高品位能源产品。就目前国外林木生物质能利用技术来看，主要是将生物质转化为电能或者优质燃料。

一般而言，林木生物质通过直接燃烧所获得的热量及效率很小，因而为了提高燃烧效率还必须借助于林木生物质成型技术。日本从 20 世纪 40 年代开始研究林木生物质成型技术，开发出单头、多头螺杆挤压成型机，生产棒状成型燃料。欧洲各国也相继开发了活塞式挤压制圆柱及块状成型设备，到 20 世纪 70 年代还研发了颗粒成型设备(俞国胜，袁湘月等，2006)。目前，生物质成型燃料制备主要以农作物秸秆、农产品加工废弃物、林木及其加工废弃物为原料，成型后的生物质燃料不仅可以用于家庭炊事、取暖，也可作为工业锅炉和电厂的燃料替代煤、天然气、燃料油等化石能源。与未经加工的农作物秸秆、林木废弃物相比，成型燃料的能源利用效率可超过 90%，在生物质成型燃料作为电厂的燃料时，热电联产的能源利用效率可高达 88%(吕文，王春峰等，2006)。在德国、瑞典、丹麦等国家，生物质颗粒成型技术已经能够满足产业化需要，欧洲林木生物质成型燃料的年生产能力已达百万吨规模。

林木生物质成型燃料虽然在民用方面有很大的潜力，但其最为主要的用途还是发电方面，美国的林木生物质发电处于世界领先地位。美国有 350 多座以林木生物质为原料的发电站，发电装机容量达 700MW。奥地利实现了燃烧木质能源的区域供电计划，瑞典和丹麦正在实施林木生物质热电联产计划(俞国胜，袁湘月等，2006)。欧洲的林木生物质发电技术，包括全生物质燃烧发电和林木生物质与煤混合燃烧发电 2 种情况。从技术上看，欧洲的林木生物质能源发电系统较为成熟，已形成比较完整的装备制造体系。而且由于国家在税收、价格、投资上给予了一定的优惠政策，林木生物质能源发电项目在丹麦、德国等国家已经能够盈利运行。自 1993～2000 年，丹麦政府对生物质发电实施优惠电价政策，固体生物质发电平均上网电价 4.3 欧分/(kW·h)，再加上二氧化碳税返还和政府对私有企业发电项目补贴，1998 年固体生物质发电商的实际平均上网电价达到 7.3 欧分/(kW·h)。2001 年丹麦政府引入了配额与绿色证书交易制度和实行 10 年期固定结算价格，包括国家补贴在内，固体生物质发电的平均上网电价约为 9 欧分/(kW·h)。1990 ~ 2001 年，欧盟 15 国林木生物质发电装机容量翻了一番，达到 8733MW，发电量 28.3TW·h(吕文，王春峰等，2006)。

在林木生物质燃烧设备的研发方面，丹麦新建了一台以林木生物质为燃料的供热锅炉，这台完全自动化的锅炉机组已经在 Hemingv Ikast 工业区投入运行。其供热功率可达 10 ~ 300kW，比较适合于小规模工业用户、政府机关和学校。东南亚一些国家林木生物质成型燃料燃烧设备大多为碳化炉与焦炭燃烧炉，直接燃用林木生物质成型燃料的设备较少，同时这些燃烧设备存在着工艺差、专业化程度低、热效率低、排烟污染严重、劳动强度大等缺点，还需要进一步研究、试验和开发(俞国胜，袁湘月等，2006)。

在林木生物质液化技术方面，国外学者大多侧重于将植物油脂转化为燃料油的研究，美国、巴西、日本、芬兰、瑞典、印度、菲律宾、澳大利亚等国在这方面的研究比较成功。从植物获得燃料油的途径主要有物理方法、热化学工艺和生物化学工艺。植物油可通过压榨、分离及分馏等方法获得，也可通过热化学工艺获得酒精、甲烷、碳氢化合物、氢气等混合燃料，还可通过生物化学工艺生产酒精。如将林木生物质粉碎处理后，经化学反应转化为液化油，其发热量达 $3.5 \times 10^4 kJ/kg$。上述 3 种技术均较为成熟，已实现产业化(吕文，王春峰等，2006)。欧洲的生物质燃料油技术主要有林木生物质气化合成生物柴油技术、植物油生产柴油技术、谷物生产乙醇技术、畜禽养殖场废弃物厌氧消化生产甲烷技术。在优惠税收政策的支持下，德国和丹麦等欧盟国家，植物油生产柴油、谷物生产乙醇、畜禽养殖场废弃物厌氧消化生产甲烷已初步具备了产业化条件。目前，林木生物质气化合成柴油技术中的生物质气化和柴油合成技术研发已经取得突破性进展，正在进行试点示范。德国和法国目前是欧洲最大的生物乙醇生产国，2004 年两国生物乙醇的年产量都达到 1 亿 L，2003 年全球生产生物柴油 280 万 t，其中约 2/3 来自欧盟。德国是欧洲最大的生物柴油生产国，已有和在建的生物柴油年生产能力达到 20 亿 L，2004 年实际生产生物柴油 14 亿 L(吕文，王春峰等，2006)。

欧盟各国在生物质能源开发利用方面所取得的进展，与各种政策法规息息相关。2001 年欧盟发布了《促进可再生能源电力生产指导政策》，要求到 2010 年欧盟电力总消费的 22% 来自生物质在内的可再生能源，并规定了各国须达到的目标，例如德国为

12.5%，丹麦为 29%，瑞典为 60%，意大利为 25%。《欧盟生物质能利用指南》规定，欧盟生物质能的使用量到 2010 年要达到每年 1.35 亿 t 标准油，到 2020 年要达到每年 2 亿 t 标准油。2003 年欧盟发布的《欧盟交通部门替代汽车燃料使用指导政策》要求，汽车燃料中生物柴油和乙醇的比例到 2005 年年底要达到 2%，到 2010 年要达到 5.57%，2020 年为 8%。德国包括生物质能在内的可再生能源发展目标是，可再生能源在全国总电力消费中的比例在 2010 年达到 12.5%，到 2020 年至少达到 20%。德国可再生能源发展的远景目标是，到 2050 年可再生能源占全国能源消费量的 50%。丹麦政府在 1993 年提出的"生物质能协议"，为丹麦生物质能发展设定了到 2000 年年利用秸秆 120 万 t、林木及其废弃物 20 万 t 的目标。根据意大利的《国家生物质可再生能源计划》和《国家农林生物质保护价格计划》，到 2010 年实现年农林生物质能产量 800 万～1000 万 t 标准油，到 2012 年实现生物质发电装机容量 4000MW（吕文，王春峰等，2006）。

　　总体而言，国外林生物质能的开发利用已经处于产业化前期，有些技术已经实现了产业化应用，还有一些正在进行试点和示范。可以认为，欧洲林木生物质能的转化利用无论是从技术研发，还是在实践应用方面都处于世界领先水平。究其原因，欧盟国家对环境保护的特别重视以及技术研发的实力，在欧盟各国的优惠政策激励下，最终形成了林木生物质能开发利用的蓬勃发展。

3.3　中国林木生物质能源发展现状

3.3.1　林木生物质能源开发利用的历史回顾

　　我国森林生物质能源有着巨大的开发潜力。据调查，全国现有用材林、薪炭林共 8165 万 hm^2，每年可生产薪材约 1 亿多 t，尚有大量由森林抚育和生产剩余的小材小料未计在内，均可逐步经加工转换成高热效的生物质燃料。我国南方有油桐、乌桕等工业原料林约 200 万 hm^2，年产桐油、桕油各 14 万余 t，居世界首位（方运霆，2003）。其产区集中，并有 1000 余年的栽培历史，可建设规模化生物柴油生产基地。同时，小油桐、黄连木、光皮树、文冠果等优良树种，均可用以发展生物质能源。

　　过去我国对生物质能源的开发把注意力集中在农业生物质资源的利用方面，主要是以秸秆为原料，对其进行一系列的化学处理，促使其发酵成为能够为农村生产生活所利用的能源形式——沼气，以及以其为燃料进行发电。我国以前对林木生物质资源认识较为肤浅，使其资源再利用方面得不到重视，利用方式一直停留在非常原始的状态。但随着能源危机和环境问题的日益加深，我国开始逐步重视对林木生物质能源的开发。

其实，我国历史上对林木生物质能源的利用也是较早的。早在抗日战争时期，我国人民就曾开发利用多种森林生物质能源，替代矿物燃料。南方福建、浙江、广东、广西、湖南等省份历来煤炭与石油依靠北方或进口供应，抗日战争中因日寇封锁而货源中断，因此各地发挥亚热带林木生物质能源丰富的优势，积极开发利用。当时，以栎类等硬阔叶材炼制的木炭，广泛用作公共汽车。燃料含脂多、热力强的马尾松薪材，用作铁路蒸汽机车和工业锅炉燃料。桐油广泛用于替代煤油点灯，重庆的工厂还用以炼制生物柴油。乌桕种子用作制造蜡烛和固体酒精的原料。用樟树的枝、叶、根和木材加工废料炼制的樟油，用作汽车和煤气灯的燃料。所有这些，当时对国民生产生活都发挥了重要作用。我国"林产制造化学"学科首创人梁希，抗日战争时期为重庆中央大学森林系教授，并主持中央林业实验所的林产利用研究工作。他用自己设计的木材干馏等设备，带领学生和科研人员，从薪材、桐油等林产品中，炼制了木煤气、木炭和生物柴油等燃料（白金明，2000），从而使我国森林生物质能源利用的试验研究，有了一个良好的开端。

近年来，中国科学院、中国林科院、清华大学、四川大学、北京林业大学等单位，在对我国主要木本燃料油植物的资源调查、生物质燃料的性能、生产技术和设备及林木生物质能源产业化等方面的研究，做了大量的研究工作，取得了阶段性成果。有些生产部门与科研单位，还同国内外能源产业公司合作，进行生物质能源林规模化种植和产业化经营的示范性开发，从而为我国林业生物质能源的新发展拉开了序幕。目前，国家林业局根据国家能源战略的要求，根据林业的特点和优势，把发展林木生物质能源作为林业发展的一个新方向摆上了重要的议程，成立了国家林业局林木生物质能源领导小组及其办公室，并将林业生物质能源资源培育开发列入了"十一五"林业发展规划。着手编制《全国能源林建设规划》，重点规划了油料能源林、木质能源林等主要能源林的发展目标。根据国家加快生物质燃料发展的需求，结合林业自身特点，编制了《林业生物质原料林基地"十一五"建设方案》，通过加快林业生物原料基地建设，促进林业生物燃料的开发利用。同时，国家林业局进一步加大林业生物质能源发展科技研发力度，积极开展了能源树种良种选育的科研攻关和推广应用，加大了能源植物及培育技术的引进力度，加快研究了推广生物质能源开发技术。

3.3.2 中国林木生物质能源发展的制约因素

3.3.2.1 认识的不足

我国人口众多，能源资源相对匮乏，能源消费结构不合理，人均能源资源占有量不到世界平均水平的一半，石油仅为 1/10，煤炭、石油、天然气剩余可采储量均仅够开采到 21 世纪中叶或更早；煤的大量使用已经使我国成为世界第二大温室气体排放国，《京都议定书》生效后，我国虽没有减排义务，但面临巨大的减排压力；我国有 9 亿的农村人口，其中大多数集中在林区、山区和边远地区。发展林木生物质能源对实施可持续发展战略的意义、对减排温室气体的意义、对建设社会主义新农村的意义并未得到充分的、广泛的认识。目前，我国在林木生物质能源产业发展方面还未形成一个完整的产业链，如市场不稳定，种植、收储和物流体系不顺畅，投融资机制不健全、风险投资介入少，原料资源紧缺等，决策部门在其中所起到的助推作用也较小。

3.3.2.2 资源制约

我国林木生物质能源种类、资源虽然十分丰富，但缺乏长期、系统、深入的研究，特别是对生物质能源收集、加工利用的成本以及能源平衡研究不够。尽管林木资源潜力巨大，但是可规模化利用的资源量很少，分布分散，收集和运输困难，其费用也十分高。在科研机构投入人力、物力进行研究取得初步成果的时候，未得到企业界的响应，因此很难形成规模效益（张瑞芹，2004）。生物质不同的用途，使生物质有不同的价值。同一树种，作为能源林的价值与作为经济林的价值可能差别很大，同时缺乏统一的转换系数和方法，造成了进行资源量估计的困难和不可靠性，因此统一确定林木生物质利用的经济性十分困难。

阻碍我国林木生物质能源产业化利用最主要原因是，资源不能持续稳定供应和资源收集成本过高。由于受到生态保护和纸浆等工业原料需求的限制，目前现有的林木生物质资源还不可能大量用于生物质能源开发，因而开发优良的能源树种和规模化、基地化、集约化、高产化培育工业化能源林，就成为当前最为重要的工作之一。

从优良树种到规模资源培育进而到工业开发利用一体化，开展试点示范十分必要。但是考虑到不与农业争地，平衡与经济林、重要工业用材林的关系，能源林多选择干旱、半干旱以及盐碱地等立地条件差的地区，此类地区生态环境脆弱，地处偏远，一方面需要在开发利用过程中保护生态环境，另一方面也增加了运输等开发利用的成本。

3.3.2.3 技术制约

林木生物质能源开发利用过程中的技术与设备是该产业链条上一个重要环节，也是降低原料开发成本的重要因素，它关系着原料的加工转换、产成品的销售使用。制造业技术水平的局限性，使得生物质能源开发和利用的设备制造本地化和商业化进程缓慢。开发利用林木生物质能源的技术同世界先进水平相比存在较大的差距，特别是在技术设备的产业化和商业化生产方面的差距更为明显。目前，在国外这些技术基本上都实现了工业化生产，有的如大中型沼气工程和直接燃烧木材发电供暖技术等已达到产业化水平（张瑞芹，2004）。而中国目前处于产业化前期，有的还停留在示范阶段，同时缺乏相应的技术和产品标准、规范。因此，导致了当前林业生物质能源的高成本、高价格，林业生物质能源仅原料成本就占总成本的70%左右，与同类技术相比，生产成本比化石燃料高得多。以发电技术为例，如燃煤发电成本为1，则生物质发电（沼气发电）为煤电的1.5倍，从而大大削弱它的经济竞争力。导致生产成本居高不下的原因很多，生产制造技术滞后、生产规模小是最主要的原因之一，严重制约了其技术的商业化和推广应用。世界科学技术的发展历史证明：产业化和商业化是加速科学技术发展的动力，也是科技研究成果转化为生产力的根本措施。

迄今为止，我国许多科研院所和高校在生物质能源的研究与开发方面都有重大突破，取得了令人瞩目的成就，一些林木生物质能源开发利用技术甚至位居世界前列。但是相对发达国家而言，我国的研究与开发投入不足，尚未实现科研成果共享，导致一定程度的重复研究，在进一步开展林木生物质能源研发的同时，对知识产权的保护意识有待加强。对于我国先进的技术成果，特有树种的果实，以及产业化以后外资进入在企业中的持股比例，都需要保护和重视。

3.3.2.4 政策制约

由于林木生物质新能源的开发目前还是一个新生事物，政府缺少关于林木生物质能源的专门立法，缺少相应的运行机制来达到政策目标，政策效果得不到充分发挥。例如，虽然国家已出台生物质发电补贴0.25元/kW的政策，但仍缺乏具体的实施细则和协调机制；对于农林废弃物混燃量小于总热值80%的情况，国家规定不给予补贴，限制了混燃技术的推广应用。

从国外的经验看，政府支持是发展可再生能源的关键。国际上，不论是发达国家还是发展中国家，可再生能源发展离不开政府的支持，如税收、补助、低息贷款、加速折旧、帮助开拓市场等一系列的优惠政策，这是可再生能源产业化的初始动力。我国林木生物质能源等可再生能源推广应用的地区多为边远贫困地区，社会效益显著，但经济效益不高，更需要国家和各级政府的激励和支持，尤其在发展初期，需要国家投入引导资金加快资源培育，出台优惠政策促进产业发展。

目前，国家决策层已较为重视林木生物质能源的开发利用，包括林木生物质能源在内的生物质能源在国家法律及发展规划中也得到明确支持，如《可再生能源法》《中共中央关于制定国民经济和社会发展第十一个五年规划的建议》《可再生能源产业发展指导目录》《可再生能源中长期发展规划》等。虽然这些政策法规为林木生物质能源产业的发展指明了方向，但是仍然不够完善，具体表现为宏观性强，操作性弱。以林木生物质发电为例，我国对可再生能源的资金支持贴息补贴年限为 3 年，年贴息率最高不超过 3%。发电项目自投产之日后，取消补贴电价。自 2010 年起，新批准和核准建设项目的补贴电价比上一年新批准和核准建设项目的补贴电价递减 2%。这种政策是适用于任何可再生能源发展项目，但是没有考虑到林业经营周期长的特性进行特殊对待，造成的后果是其政策效用得不到最大限度发挥。

3.3.2.5　市场制约

由于林木生物质能源仍是非商品能源，在市场渗入过程中需要克服很多障碍，如机会成本、生产成本、竞争产业等。当前林木生物质能源资源培育与加工企业建立也存在一定程度上的冲突，一些专家认为应该在加工厂附近就近培育能源林，而加工企业则认为目前没有能源林的地区不适宜建厂，这也大大制约了林木生物质能源加工企业的数量。

就目前而言，林木生物质液态燃料仍然处于"以产定销、计划供应"的阶段，与市场化竞争和运作尚存在较大的距离，不能形成连续稳定的市场需求，缺少持续性的拉动。林木生物质能源市场的主要表现是：规模小、非确定性，而且缺乏相应的发展机制。林木生物质能源的市场规模同其资源开发潜力和市场需求来说仍然很小。要进一步扩大市场，就必须进一步降低成本，提高技术可靠性；反之，只有建立成长的市场才能使可再生能源产业在发展中提高系统运行的可靠性，降低能源的供应成本。现在林木生物质能源仍需要避免与常规能源直接竞争，但是缺乏竞争又会使林木生物质能源过高的价格长期得不到应有的降低，反而会伤害到林木生物质能源的发展。要解决这个矛盾就需要根据我国国情，采取适当的市场机制。

3.3.2.6　其他制约因素

对林木生物质能源的开发利用，除了资源、技术、政策、市场等方面存在障碍之外，虽然林木生物质能源相对于矿物燃料而言是典型的清洁能源，但是若大规模开发利用生物质能源，也必须注意保护生物多样性，保护自然风景区和环境敏感区，同时还要严格控制废水和废气的排放。另外，还要提高公众对于能源环境保护的意识，建立多种信息渠道和加大媒体宣传力度。

3.3.3　中国林木生物质能源产业形成路径

林木生物质能源产业的发展也将经历一个由不成熟走向成熟的过程。这里依据产业生命周期理论，将林木生物质能源产业形成和发展过程分为：形成期、成长期、成熟期和衰退期。这里根据不同时期的要素投入、产出规模和市场需求，分析林木生物质能源产业在形成期、成长期和成熟期 3 个发展时期呈现出的不同特点。

3.3.3.1　产业形成期

在形成期，林木生物质能源作为新能源产业，生产可再生清洁的新型能源，市场潜在需求巨大，技术先进，代表新的产业发展方向。这一阶段以试点、示范、零星生产为主，生产量低，生产效率低下；原料资源以林地生长剩余物和林业生产剩余物为主，资源丰富但分布分散，收集成本高；生产成本高，不具备市场竞争力，市场需求完全依靠政府政策拉动。

3.3.3.2　产业成长期

在成长期，林木生物质能源被作为国家积极引导的产业方向，发展速度快，还有很强的带动其他产业发展能力，引起产业结构的变动，可能发展成为主导产业。这一时期，大量厂商开始涉足投资该行业，生产进入项目推广阶段，生产技术日渐成熟和稳定，产量规模增大，生产率逐步提高；原料资源不仅包括森林系统中已有的各类林木生物质能源资源，同时人工种植能源林在这一时期也逐步成为原料的主要来源，资源来源相对集中，获取价格仍然相对较高；市场规模增大，需求增加迅速，并且随着化石能源储量的减少，市场竞争力相对提高，政府 + 市场成为这一段市场推进的主要手段。

3.3.3.3　产业成熟期

在成熟期，产业集中程度高，出现了一定程度的企业垄断，具有较为长期和稳定的产出和收入，在产业结构和国民经济中占较大的比重。这一时期，实现生产规模化，技术较成熟，工艺流程规范化标准化，产业的利润达到很高的水平；原料资源已经实现集约化和规模化供应，并且能源林基地化供应占绝对优势；生产成本下降，市场需求达到最大，增长速度明显减缓，市场比较价格低，市场竞争力强，市场机制起决定性作用。

林木生物质能源产业属于政府视野范围内关注的可能对国民经济整体有重大影响的产业。它的形成和发展需要经历从萌芽到成长再到市场地位的确立、巩固和持续这样一个过程，但不是依靠市场作用自发形成的，而是在国家政策的支持下成长起来的。虽然从满足能源需求和社会生态性的角度分析，林木生物质能源产业的社会需求是非常巨大的，但是前期它们的市场生存能力弱，短时间内很难适应市场竞争，市场投资者因其直接利益又不愿意涉足。因此，林木生物质能源产业的形成阶段离不开政府的扶持。它们需在政府的政策扶持下获取必需的原料资源和技术支撑，与其他产业展开市场竞争，获得必要的市场份额，维持其生存和发展。政府通过产业政策的培植和保护，促使这类新兴产业逐步成长壮大，形成一个相对独立的产业领域。因此，我国林木生物质能源产业的形成路径属于政府构建培植模式。

第4章　我国林木生物质能源资源潜力与可利用程度

4.1　我国森林资源及功能分析

4.1.1　森林资源总量

我国地域辽阔，气候类型多样，树种资源丰富，木本植物8000余种，占世界的54%。森林资源由森林的种类、面积、蓄积量、生物量及其分布等指标表示。自1973年以来，我国已经实施了八次森林资源清查（表4-1），从森林资源数量、质量、结构以及森林生态状况和功能效益等各个方面反映了森林资源分布的现状和发展动态。

表4-1　全国历次森林资源清查结果

历次清查	清查时间 （年）	活立木蓄积 （亿 m³）	森林面积 （万 hm²）	森林蓄积 （亿 m³）	森林覆盖率 （%）
第一次清查	1973～1976	95.32	12186.00	86.56	12.70
第二次清查	1977～1981	102.61	11527.74	90.28	12.00
第三次清查	1984～1988	105.72	12465.28	91.41	12.98
第四次清查	1989～1993	117.85	13370.35	101.37	13.92
第五次清查	1994～1998	124.88	15894.09	112.67	16.55
第六次清查	1999～2003	136.18	17490.92	124.56	18.21
第七次清查	2004～2008	149.13	19545.22	137.21	20.36
第八次清查	2009～2013	164.33	20008.00	151.37	21.63

数据来源：根据历次森林资源清查数据整理。

总体来说，我国森林资源呈现出持续增长的趋势，森林质量有所改善，林种结构渐趋合理。根据我国第八次森林资源清查结果，全国森林面积2.08亿 hm²，森林覆盖率21.63%，活立木总蓄积164.33亿 m³，森林蓄积151.37亿 m³。……全国林地面积

31046 万 hm^2，活立木总蓄积 164.33 亿 m^3。天然林面积 1.22 亿 hm^2，天然林蓄积 122.96 亿 m^3，人工林面积 0.69 亿 hm^2，人工林蓄积 24.83 亿 m^3；人工林面积居世界首位。

4.1.2　森林生物量

森林生物量(forest biomass)是指在一定时间内单位空间中森林植物群落在其生命过程中所产生的干物质的累积量，也称现存量(standing crop biomass)，一般用单位面积干物质重量来表示。森林生物量是森林生态系统的最基本数量特征，它既表明森林的经营水平和开发利用的价值，又反映森林及其环境系统在物质循环和能量流动上的复杂关系。1994 年联合国粮农组织(FAO)在"国际森林资源监测大纲"中就明确规定：森林生物量是森林资源监测中的一项重要内容。森林生物量包括乔木、灌木、草本植物、苔藓植物、藤本植物以及凋落物生物量等；其中，乔木层的生物量是森林生物量的主体，大约占森林总生物量的 90%。树木生物量可以分地上和地下两部分，地下部分是指根重量；地上部分则包括树干、树枝、树叶和花、果的重量等。乔木层中的生物量中，树干占全层生物量的 65% ~75%、枝量占 7% ~13%，叶量占 2% ~11%、根量占 11% ~20%。

森林生物量的测定以树木生物量测定最为重要，受到诸如林龄、密度、立地条件和经营措施的影响。林分蓄积包含了森林类型、树龄、立地条件和林分密度等诸多因素，利用林分蓄积进行生物量的推算，是现在常用的一种估算方法，具体包括平均生物量法、生物量转换因子法和生物量转换因子连续函数法。平均生物量法是基于野外实测样地的平均生物量与该类型森林面积来求森林生物量的方法。生物量转换因子法(biomass expansion factor，BEF)又叫材积源生物量法(volume-derived biomass)，是用林分生物量与木材材积比值的平均值，乘以该森林类型的总蓄积量，得到该类型森林的总生物量的方法；或用木材密度(一定鲜材积的烘干重)，乘以总的蓄积量和总生物量与地上生物量的转换系数。即 $B = a + bV$，式中 a 和 b 均为常数，B 为林分生物量(t)，V 为林分蓄积量(m^3)。

方精云(2001)等把我国森林类型分成 21 类，分别计算了每种森林类型的生物量和蓄积量的转换系数。肖兴威(2005)基于以上转换系数计算结果，根据我国第六次森林资源清查各林分样地的蓄积量，对森林中的林分部分(经济林和竹林除外)的生物量进行了计算，得出森林总生物量为 1.0666×10^{10} Mg，单位面积生物量 74.7Mg/hm^2。

联合国粮农组织(FAO)在利用材积测算生物量的研究中，得出地上部分生物量和蓄积量平均比：$B/V = 1.173$，B 表示生物量(t)，V 表示蓄积量(m^3)。"中国林木生物质资源潜力与开发机制研究"课题组参照以上转换系数，结合我国森林各树种和林种的面积、单位蓄积和林龄等指标，根据第六次森林资源清查资料，对我国森林生物量进行了测算。该结果表明，我国林木总生物量为192.6亿t，地上林木生物量为167.5亿t，其中来自森林林分的林木生物量占87%，经济林和竹林生物量占4%，其他非蓄积量统计资源如人工造林未成林、苗木、城镇绿化树木等资源的林木生物量占9%。

总体看来，我国森林资源状况呈现出总量持续增长的良好态势，森林生物量相当可观，将成为我国林木生物质能源产业发展的巨大物质基础。

4.1.3   森林的系统功能与分类

4.1.3.1   森林系统功能

由于森林对于人类生存和生活的影响是多方面的，所以森林的功能也具有多样性。国内习惯从经济、生态和社会方面分析森林的功能，包括经济功能、生态功能和社会功能；国际上通常将森林功能分为产品功能、服务功能和文化价值。从现代社会对森林基本需求的角度来看，森林的经营与利用应同时考虑满足人类需求和在地球生物圈的主体作用。因此，森林的基本功能是提供生产资料和发挥生态效益，即森林的生态功能和经济功能(图4-1)。具体来说，生态功能以保护和改善人类生存环境，保

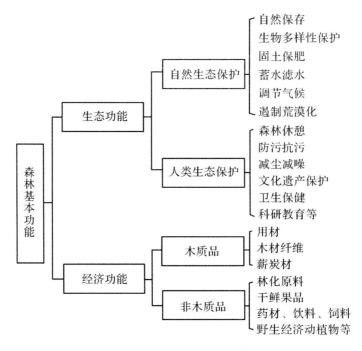

图4-1   森林基本功能划分图(林进，2007)

持生态平衡，保护生物多样性和固土保肥等为主体功能，主要提供"公益性服务"；经济功能则提供商品林木质和非林木质产品，以获得最大经济产出为主体功能，主要提供进入市场流通的经济产品。从森林功能的角度看，森林经营可以同时为社会提供两种属性不同的产品：生态产品和经济产品，即无形的生态公益产品和有形的林木及林特产品。

森林资源具有很多功能，其价值内涵可以从多种角度、多种用途进行界定。林木生物质能源只是森林资源利用范畴中的一个子集。仅从能源使用的角度上来说，林木的任何部分都可以燃烧和转化为能源利用，都是潜在的能源资源，它的使用会与其他用途发生竞争和冲突。但是，森林作为可再生资源，将其部分用作林木生物质能源，只要不影响到林木生长，就不会与林木的基本服务功能发生矛盾；另外，林木的不同部位可以有多种功能，有些树种的林木某些部位用于非能源用途，其他部位可以用于生物质能源。因此，从平衡森林功能角度来说，林木生物质能源的范畴是在森林资源利用的众多规定中，通过与其他用途比较和取舍进行界定的。

4.1.3.2 森林分类

森林按照造林方式分为天然林和人工林。我国《森林法》按照林种和用途分为以下5类。①防护林：以防护为主要目的的森林、林木和灌木丛，包括水源涵养林，水土保持林，防风固沙林，农田、牧场防护林，护岸林和护路林；②用材林：以生产木材为主要目的的森林和林木，包括以生产竹材为主要目的的竹林；③经济林：以生产果品、食用油料、饮料、调料、工业原料和药材为主要目的的林木；④薪炭林：以生产传统燃料为主要目的林木；⑤特种用途林：以国防、环境保护、科学实验等为主要目的的森林和林木，包括国防林、实验林、母树林、环境保护林、风景林、名胜古迹和革命纪念地的林木和自然保护区的森林。

对我国现有森林资源进行分类，依据森林保护的严格程度将各类森林的受保护程度划分为4个等级：1级为严格保护林，包括国防林、自然保护区、原始林、科教实验林；2级为重点保护林，包括文化林、游憩景观林、种子林、护路（岸）林；3级为一般保护林，包括生物防火林、水土保持林、水源林、防风固沙林、海防林、农田牧场防护林；4级为开发利用林，包括非木质产品林、工业纤维林、燃料林、用材林。满足人类经济生活需求的林木产品主要来自4级的开发利用林，也可以包括划入3级的部分可利用的林木产品。

4.1.4 木材产品供需与林业可持续经营

4.1.4.1 木材产品供需现状

从国际通用的统计口径来看，林产品包括以森林资源为基础生产的木质和非木质林产品，主要包括原木、锯材、木制人造板、各种木质成品和半成品、木浆、以木材为原料的各种纸及纸制品、林化产品等。为方便后期对林木生物质能源资源的分析，这里仅对木材产品的需求与供给进行分析，包括原木、锯材、单板、胶合板、纤维板、刨花板、木片以及纸和纸制木质产品。

4.1.4.1.1 木材供给

我国木材供给主要来自国内木材生产和国外木材进口。1998 年之前，我国进口木材数量不多，市场供应主要依靠国内木材生产。1998 年我国实行天然林资源保护工程后，国内木材产量大幅减少，木材进口量增长较快。全国木材的产量由 1997 年的 6395 万 m^3 调减至 2002 年的 4724 万 m^3，2003 年以后，我国木材产量开始出现反弹态势，但是增长速度相对较慢。2008 年我国木材总产量为 8108 万 m^3，其中原木产量为 7357 万 m^3，薪材产量为 751 万 m^3，原木进口总量为 2957 万 m^3。2011 年我国木材总产量为 8146 万 m^3，其中原木进口量为 4233 万 m^3（图 4-2）。

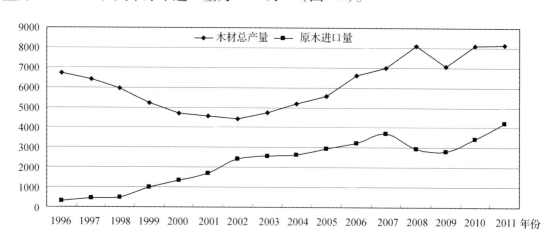

图 4-2　1996～2011 年中国木材总产量和原木进口量（万 m^3）

数据来源：中国林业年鉴(2011)

4.1.4.1.2 木材需求

我国木材需求主要包括工业部门用材、农民自用材、薪炭材及出口木材量。

图 4-3 显示了 1999～2010 年我国木材消耗情况，表明我国木材消耗量呈上升趋

势，供需缺口也随之增长。2009 年木材消耗量约 3.8 亿 ~ 4.0 亿 m³，各种进口林产品折合木材约 1.7 亿 m³，仍有 0.2 亿 ~ 0.4 亿 m³ 的木材缺口。

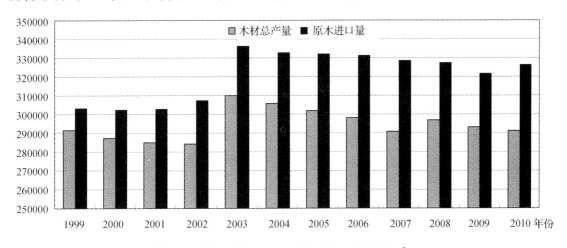

图 4-3　1999 ~ 2010 年中国木材总供给与消耗（万 m³）

数据来源：FAO 林产品年鉴（1999 ~ 2010）

工业部门木材消耗是木材需求的主要构成部分，在总消耗中所占的比例比较稳定，一直在 70% 左右。其中以建筑、家具和造纸为主的木材消耗行业，木材消耗量占工业用材总量的 90% 以上。另外，在我国农村地区除了少数地区利用煤等其他资源外，大部分地区的农村生活用能仍以薪柴为主，且其消耗量呈现增长趋势。

我国既是木材生产大国，又是木材消耗大国。我国森林资源相对匮乏，扩大林木产品原料利用范围，开发林木生物质能源，可以在不增加森林砍伐的前提下增加林产品的供给，可以提高森林资源的利用效率，是实现我国木材与林产品自给，达到供需平衡的一条重要途径。

4.1.4.2　林业可持续经营

长期以来，木材产品在我国林业生产中占据主导地位，对森林资源的过度消耗和对生态林业建设的忽视已经造成了很大的环境和资源问题。林业可持续发展是指保持森林资源的可持续利用和生态环境的改善，同时发挥林业的各种经济效益、社会效益和文化价值方面的效益。目前，国家和国际层次上对界定和实施林业可持续管理已经付出了很大的努力，多数通过建立评价标准来对其进行界定，这些标准主要集中于环境、社会和经济价值方面。环境价值方面包括对生物多样性、土壤和水质的保护，对生态系统的健康和生产效率的维持以及林业对地球生态圈的贡献。社会经济价值方面包括林业产生的社会经济效益和社会及政府对可持续林业管理的责任。对于林木生物质资源用于能源生产可以被看作是另外一种简单的林业产品，可以通过常规的林业可持续管理的标准和指标来衡量。

　　林业可持续经营不应仅仅局限于造林种树式的传统生产模式，而要摆脱以提供低价值初级产品为主的经营模式，转向深度挖掘林业经济新的增长点，提供具有高附加值的林业产品。林木生物质能源的开发过程并不影响森林原有的生态效益和经济效益的发挥，而是通过采集林下枯落物和林业生产剩余物实现高效率的能源化利用。另外，林木生物质能源的发展还可以带动我国广大宜林荒山荒沙种植能源林，不占用耕地又可以恢复植被；且以灌木为主的能源林收割后还能自然萌生更新，是能源建设和生态建设的最佳结合。从一个国家或地区的范围来看，林木生物质能源是林业管理和土地利用总系统中的重要部分，可以对林业和能源产业同时起到促进作用。因此，林木生物质能源的开发将成为林业可持续发展的一项基本动力。

4.2　我国林木生物质能源资源类型与总量

4.2.1　林木生物质能源资源类型

　　从广义的角度来讲，我国林木生物质能源资源可以是全部范围内森林生物量的总和(图4-4)，但是在实际中，森林在社会经济可持续发展过程中发挥着更为重要的经济效益和生态效益，林木生物质能源的开发和利用应以不威胁到传统森林功能为前提。由于工业生产对木材资源的利用具有选择性，即使是在最有利的条件下，一般也

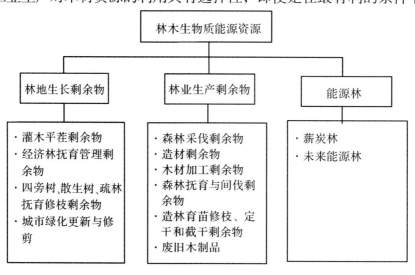

图4-4　林木生物质能源资源构成

仅限于对满足尺寸和质量要求的树干部分的利用，所以林地里的林木生物质的生长过程以及森林的生产经营中，均会产生各类林木剩余物资源，进而成为现阶段林木生物质能源资源的主要构成部分。另外，薪炭林作为传统的能源林，也将转型为林木生物质能源资源；并且随着生物质能源产业的发展，专门能源林种植将成为重要的发展方向。

理论上，林地生长剩余物是指可以被开发利用林地上的各类林木生长量减去林木总采伐量，即林木生长总量中，未被工业木材生产和传统薪柴所利用的部分。根据我国现有的林木资源分类特点，林地生长剩余物主要是指来自灌木平茬（包括纯灌木林和天然次生林下木）、经济林修剪更新、四旁树和散生疏林抚育修枝、城市绿化更新及修剪等产生的各类林木剩余物资源。林业生产剩余物包括森林采伐和造材剩余物、木材加工剩余物、森林抚育与间伐剩余物、造林育苗修枝、定干和截干剩余物、废旧木制品等。能源林是以生产能源为主要目的而营造和经营的森林。传统的能源林以薪炭林为主。能源林具有一次造林，多次采伐，多年利用的特点，便于实行集约化经营，是未来林木生物质能源资源供应的主要发展方向。来自能源林的林木生物质能源资源量取决于用作能源林种植的土地资源量和单位面积林木产出量。而单位面积林木产出量主要受到地区能源树种选择以及种植技术先进程度的影响。

从林木生物质资源的社会总供给和总需求的角度来看，可以用于现代生物质能源生产的原料资源的供给能力受到生态、技术和经济等条件的制约。首先，林木生物质能源资源来自可以被开发利用的林地，即受保护的林地面积被排除在外；其次，林木生物质能源资源的利用将不会威胁到工业木材和传统薪柴的供应，也不会进一步引起森林的过度采伐；最后，未来能源林的种植土地来自我国现有宜林荒山荒沙地，不与农业生产争地。

4.2.2　现有林木生物质能源资源量

4.2.2.1　林地生长剩余物

理论上，林地生长剩余物是指可以被开发利用林地上的各类林木生长量减去林木总采伐量，即林木生长总量中，未被工业木材生产和传统薪柴所利用的部分。

根据我国现有的林木资源分类特点，林地生长剩余物主要是指来自灌木平茬（包括纯灌木林和天然次生林下木）、经济林修剪更新、四旁树和散生疏林抚育修枝、城市绿化更新及修剪等产生的各类林木剩余物资源。

（1）灌木平茬剩余物。一般来说灌木具单层树冠，林层高度为 5m 左右，不具有主干而簇生，盖度大于 30% ～40% ，其生态幅度较乔木林广，分布范围常比乔木林大。在气候干燥或寒冷、不适宜乔木生长的地方，常有灌木林分布。灌木林对改善生态环境，如保持水土和防风固沙等具有重要作用，同时可以提供燃料和饲料等。

在我国，灌木林构成具有以下特点：①灌木林地资源区域分异明显。主要集中于西北、新疆及华北地区，且在同一地区，灌木林地资源分布差异较大。②一般灌木林面积相对较小，高山灌木林面积较大。③防护性灌木林比重较大，薪炭林次之，经济林相对较小。④灌木种类丰富，野生经济灌木资源比例高，可开发潜力大。其中火棘、悬钩子、刺梨、沙棘、杜鹃、蔷薇、余甘子、山楂等均是具有开发价值的经济灌木资源。

我国拥有5590.22万 hm^2 灌木林，占全国林地总面积的18.01%，主要分布于内蒙古、四川、云南、西藏、青海、新疆等西北和西南地区。其中西藏面积最大，为856.44万 hm^2；其次是内蒙古，面积为798.56万 hm^2；四川为759.82万 hm^2。根据已有的研究成果，我国灌木林的生物产出量为每公顷2~8t，如果以每公顷6t计算，我国灌木林的现有生物量约2.7亿t。若以3年为平茬轮伐周期计算，每年可以获得9000万t。

（2）经济林修剪与更新。经济林是指以利用木材以外的其他林产品，如果实、树皮、树枝、树叶、树脂、树汁、花蕾、嫩芽等为主要经营目的的森林，又称特种经济林。我国经济林2056.52万 hm^2。如每年对经济林进行更新、修剪等经营活动，产生的树枝等废弃物约为1t/ hm^2，全国经济林修枝每年产生的总枝条量约2056.52万t。

（3）四旁树和散生疏林抚育修枝。在我国，四旁树和散生疏林约有230亿株，对其进行抚育修枝，按照每株产生1.3kg计算，每年可获得枝条量约0.3亿t。

（4）城市绿化更新及修剪剩余物。我国城市绿化森林及园林树木株数可折合面积400万 hm^2，生物量达6亿~7亿t，每年林木修剪和树木更新产生的废弃物达0.4亿t。

4.2.2.2 林业生产剩余物

林业生产剩余物包括森林采伐和造材剩余物、木材加工剩余物、森林抚育与间伐剩余物、造林育苗修枝、定干和截干剩余物、废旧木制品等。

（1）森林采伐及造材剩余物。森林采伐由主伐利用和间伐利用两部分组成。采伐剩余物是指经过采伐、集材后遗留在地上的枝丫、梢头、枯倒木、被砸伤的树木、不够木材标准的遗弃林木等。由于不同地区森林类型不同、树种不同、木材的利用方式不同，采伐剩余物的比例有很大的差别。从全国总体水平看，树干是林木生物量的主要部分，约占70%；树枝、树叶约占30%。另外，树木采伐后生产原木需要经过造材工艺，根据各大林区采伐数据和样地数据，经不完全测算，采伐剩余物、造材剩余物合计约占林木生物量的 40%。在森林采伐剩余物中有一部分被用于人造板加工生产，可作为林木生物质能源资源的部分仅是被丢弃不用的采伐剩余物部分。

目前，我国达到采伐标准的成熟林和过熟林的用材林面积为 1468.6 万 hm^2，蓄积量 27.4 亿 m^3，总生物量 32.1 亿 t；防护林和特种用途林需要采伐更新的过熟林面积为 307.8 万 hm^2，蓄积量为 7.1 亿 m^3，总生物量 8.4 亿 t。因此，理论上来说，我国可以进行林木采伐更新的总量约 40.5 亿 t，可产生采伐、造材剩余物量约 16.2 亿 t。但是，这些达到成熟龄的森林由于受到采运条件、防护要求、国土安全等多方面的限制，并不能完全采伐。根据国务院批准的"十一五"期间年森林采伐限额，全国每年限额采伐指标为 2.5 亿 m^3，换算为生物量约 2.92 亿 t，则每年可产生的采伐及造材剩余物约 1.17 亿 t。

(2) 木材加工剩余物。木材加工剩余物是指在工业木材加工为木制产品的过程中产生的剩余物。在我国，木材加工剩余物主要来源于商品用材，农民自用材主要用于房屋建设和薪材，产出的剩余物很少，商品材多数用于木材加工企业，产出的剩余物比较多，进入木材加工厂的原木，从锯切到加工成木制品，将产生树皮、板皮、边条和下脚料、锯末和刨花等剩余物。木材加工剩余物数量为原木的 15%～34%，其中，板条、板皮、刨花等占全部剩余物的 71%，锯末占 29%。根据有关部门的不完全统计[①]，全国各地的木材加工企业年加工能力 7245.9 万 m^3，其中，锯材为 1597.5 万 m^3，人造板 5648.4 万 m^3，木材加工剩余物量约 3229.7 万 t。

(3) 森林抚育间伐及造林剩余物。森林抚育间伐是指从幼林郁闭起到成熟林主伐前一个龄级止，定期采伐部分林木的营林措施，又称森林抚育采伐或间伐。根据我国第八次全国森林资源清查结果，需要抚育管理的幼龄林面积 5331.83 万 hm^2，中龄林 5311.61 万 hm^2。中幼林面积占森林总面积的 64.66%，是森林的主要组成部分。根据国家林业局的相关技术规定，针叶树种和阔叶树种的修枝次数不同，中幼林在其生长过程中间伐 2～4 次。森林抚育期内平均伐材量 6.0 m^3/hm^2（按 10 年抚育期，20% 间伐强度），可产生 5.4 亿 m^3 小径材，生物量为 6.3 亿 t，年可获得林木剩余物约 0.63 亿 t。

我国每年造林约 600 万 hm^2，用苗量约 120 亿株，据此估计，每年可以获得的育苗修枝、定干和截干剩余物约 0.15 亿 t。

(4) 废旧木制品。废旧木制品是指各类木制家具、门窗、矿柱木、枕木、建筑木等各类废弃木制品。我国每年因危房改造和家具更新淘汰等产生的木制品废弃物多达 2000 万 m^3，约 0.8 亿 t。

---

① 数据来源："中国林木生物质资源与木本油料开发潜力研究"课题报告，本文作者为课题主要参与人。

4.2.2.3　能源林

能源林是以生产能源为主要目的而营造和经营的森林。传统的能源林以薪炭林为主。能源林具有一次造林，多次采伐，多年利用的特点，便于实行集约化经营，是未来林木生物质能源资源供应的主要发展方向。来自能源林的林木生物质能源资源量取决于可用于能源林种植的土地资源量和单位面积林木产出量。而单位面积林木产出量主要受到地区能源树种选择以及种植技术先进程度的影响。

（1）薪炭林。薪炭林是以生产烧柴或木炭为主要目的的森林，可以是乔木林或灌木林。传统薪炭林种植没有固定的树种，几乎所有树木均可做燃料。一般主要选择耐干旱瘠薄、适应性广、萌芽力强、生长快、再生能力强、耐樵采、燃值高的树种进行营造和培育经营，以硬材阔叶为主，大多实行矮林作业。许多用材树种同时也是优良的薪炭林树种，如马尾松、麻栎、桉树等。

在我国，薪炭林为解决农村能源，加快农村经济发展，改善人民生活条件，推进脱贫致富具有重要作用。我国薪炭林发展已初具规模，根据第八次全国森林资源清查结果，薪炭林面积 177 万 hm^2，蓄积量 5909.58 万 m^3，分别占森林面积和蓄积的1.07% 和 0.40%。但薪炭林在整个森林资源中的所占比例比较少，占森林面积的2.12% 和森林蓄积量的 0.46%。根据各省薪炭林的面积、蓄积量和树种组成因素测算，生物质总量约 0.66 亿 t。随着现代生物质能源的开发，薪炭林将成为林木生物质能源资源的重要组成部分。

（2）未来能源林种植。我国林木种类丰富，以乔木优势种、亚优势种或特征种为标志的类型主要有 212 类，竹林主要有 36 类，灌木林主要有 113 类，红树林主要有 18类。对于能源林树种的选择，一般应遵循以下原则：①树种生物量大，生长迅速，如南方树种生长量，灌木 5t/（hm^2·年）以上，乔木 10t/（hm^2·年）以上；北方地区树种生长量，灌木 2t/（hm^2·年）以上，乔木 8t/（hm^2·年）以上。②热值高，树种热值大于 16.7GJ/t。③树种适应性和抗逆性强，耐干旱、耐瘠薄、抗盐碱等。④树种萌生能力强，耐平茬，便于短期轮伐经营。⑤适合规模化经营。另外，由于我国自然资源分布区域性差异性较大，能源林的培育和发展的树种选择以地区乡土树种为主。

表 4-2 列示了我国常见的能源树种。

总的来说，我国可用于发展能源林的土地资源丰富，各类宜林地面积近 5700 多万 hm^2，不适宜农业生产的边际性土地近 1 亿 hm^2（包括盐碱地、沙地以及矿山、油田等复垦地），这些土地面积中有很大比例可用于种植特定能源树种。未来能源林经营以灌木林为主，土地利用以现有宜林荒地和宜林荒沙地资源为主，我国各省份的宜林土地资源分布不均，其中以内蒙古宜林荒山荒沙土地资源最多，约 2064 万 hm^2，其次为云南和山西等省份。当前，我国土地资源竞争激烈，随着木材需求的日益增长，发展纸浆林和工业原料林，使得越来越多的荒山荒地被占用。近期，随着发展能源林受到重视，一些土地资源正在转向发展能源林，并且随着未来种植技术水平的提高将带动适宜土地面积进一步扩大。

表 4-2　我国主要木质能源树种热值特性与产量

树种	热值 (GJ/t)	平均产量 [t/(hm²·年)]	树种	热值 (GJ/t)	平均产量 [t/(hm²·年)]
小叶栎	20	1.5	荆条	19	13.0
柠条锦鸡儿	20	2.0	木荷	18	14.0
山杏	20	2.7	多枝柽柳	18	15.0
胡枝子	20	3.8	沙枣	18	13.3
花棒	19	4.5	桤木	18	18.7
甘蒙柽柳	18	5.0	雷林 1 号桉	20	30.2
紫穗槐	17	5.3	银合欢	19	27.5
细枝柳	18	3.9	刚果 12 号桉	20	20.6
马桑	17	0.8	厚荚相思	21	49.8
沙棘	19	6.4	东江沙拐枣	17	5.3
小叶锦鸡儿	20	2.0	大叶相思	20	28.5
蒿柳	19	8.0	目毛相思	20	39.7
刺槐	19	5.4	窿缘桉	20	40.9
短序松江柳	19	8.5	巨桉	21	18.9
头状沙拐枣	18	30.0	纹荚相思	23	64.8
麻栎	20	3.4	翅荚木	18	56.3
枫香	19	10.0	黑荆树	19	40.0
火炬树	16	10.0	马占相思	21	50.0
刺栲	18	10.7	柠檬桉	20	95.9
旱柳	18	11.3	木麻黄	21	11.7
石栎	18	11.5	铁刀木	18	30.0

数据来源：《中国森林能源》(张希良，吕文，2008)。

4.3 我国木本油料能源资源类型与总量

4.3.1 木本油料能源树种资源概述

木本油料能源树种主要包括油脂树种和具有制成较高还原形式烃的能力、接近石油成分、可以代替石油使用的树种（俗称"石油树"）。它们的果实、种子、花粉、孢子、茎、叶、根等器官都含有油脂，但一般以种子含油量最丰富。木本油料能源树种的油脂资源经过提取加工后，都可以生产出的一种可以替代化石能源的燃性油料物质，这种物质就是植物燃料油，也就是我们通常所说的"生物柴油"。

我国山地幅员辽阔、自然条件优越，木本油料资源丰富。现已查明且种子含油量达到40%以上的油料植物有154种。其中，油茶、油橄榄、核桃、沙棘、松柏类等油料资源种植技术较为成熟，用于食用和药用开发利用，具有较高经济价值。可用于开发生物柴油的木本油料主要源于非食用的含油量高的油料果实，现阶段可规模化发展的树种资源有20多种，包括分布在北方的文冠果 *Xanthoceras sorbifolia*，黄连木 *Pistacia chinensis* 等；分布在南方的小桐子 *Jatropha curtae*、油桐 *Aieurites fordii*、乌桕 *Sapium sebiferum*、光皮树 *Cornus wilsoniana*、山桐子 *Ldesia polycarpa*、漆树 *Rhus succedanea*、盐肤木 *Rhus chinensis*、绿玉树 *Euphorbia tirucalli* 等。

据《中国林业统计年鉴(2005)》"全国经济林面积、产量统计表"统计，我国主要木本油料林面积420.6万 hm²，主要木本油料的产量为559.4万 t。我国已查明的油料植物有151科697属1554种，面积342.90万 hm²，占经济林面积的16.03%，其中种子含油量在40%以上的植物就有154种，分布广，适应性强。目前，除了油茶、油橄榄、核桃、沙棘、松柏类等油料树种资源常用于食用和药用开发利用，具有较高经济价值，亦可规模化发展和开发生物柴油的乔灌木树种有20多种，且已在人工种植方面取得成功经验，其资源有较大发展前景和开发生物柴油价值的树种有漆树科的黄连木、无患子科的文冠果、大戟科的小桐子（麻疯树）、油桐、乌桕，山茱萸科的光皮树等。

4.3.2 主要木本油料能源树种资源分布

我国幅员辽阔，各种木本油料能源树种分布广泛，符合其自然属性的各地土地质量仍然是千差万别，因此为了能够优先开发最适合的土地资源，为本本油料资源的长期规划提供政策建议，首先必须摸清我国主要木本油料能源树种现有的土地资源面积、分布状况。根据查阅相关年鉴文献及实地调查，我国 6 种主要木本油料能源树种现有资源分布地域广泛，涉及 20 多个省份，资源分布以野生林为主，分布面积为 194.34 万 hm^2（表 4-3）。

表 4-3　木本油料能源树种现有资源分布

树　种	面积（万 hm^2）	主产区和主要分布区
油桐	102.39	四川、湖北、广东、广西、福建、云南、贵州、浙江、湖南、江西、陕西、河南
乌桕	41	山东、江苏、安徽、浙江、福建、台湾、广东、广西、云南、贵州、四川、湖南、江西、陕西、河南、甘肃
小桐子	21	云南、贵州、四川、广东、广西、福建、海南、云南、台湾
黄连木	28.5	河北、河南、安徽、湖北、湖南、贵州、四川、陕西、云南、广西、广东、台湾、浙江、江苏、山东
文冠果	1	辽宁、河北、河南、山东、山西、陕西、甘肃、内蒙古
光皮树	0.45	湖南、湖北、江西、贵州、四川、广东、广西

油料树种适宜土地评价主要依据土地的自然性质（土壤、气候和地形等）及其对于土地的某种持久利用的限制程度，评价土地在该利用方面的潜在生产能力和可利用规模。这里，依据各主要油料树种对土壤、气候、地形等要素来分析我国满足条件的适生土地的类型与资源分布状况（表 4-4）。

表 4-4　符合木本油料能源树种自然属性的宜林荒山荒地面积

省份	土地类型	主要油料树种	宜林荒山荒地面积（万 hm^2）	
			总面积	其中：宜林地
云南、贵州、四川、广东、广西、海南	干热河谷	小桐子	200	100
南方和华北部分省份	宜林地、低产林地、荒山	黄连木、油桐、漆树、乌桕、山桐子、绿玉树	400	300
北方各省份	宜林荒沙、荒滩地	文冠果、黄连木、沙棘、沙枣	3000	1000
合　计			3600	1400

从表 4-4 可以看出，云南、贵州、四川、广东、广西等省份主要利用的土地类型为干热河谷，发展小桐子种植；在南方和华北地区，适宜发展油桐、黄连木、漆树、乌桕、山桐子、油棕、绿玉树等油料能源树种的宜林地、低产林地、荒山约 400 万 hm^2；在三北地区则有适宜发展黄连木、文冠果、沙棘、沙枣等油料能源植物的宜林

荒沙、荒滩地面积约 3000 万 hm²。例如，内蒙古东部在沙地上开荒种地，长期对这些农田实施秋翻春种传统耕作方式，造成农田季节性沙化长达 6 个月，种植油料树种文冠果是提高土地产出和避免土地季节性沙化的有效途径。

木本油料树种具有野生性，生长适应性强的特点，在我国南北方均有不同油料树种的自然分布。目前各类型宜林地面积 5400 多万 hm²，有较大比例可用于发展油料能源林。综合当前林地利用状况和生物质能源发展需求，现阶段我国可用于规模化发展油料能源林的面积约 360 万 hm²，主要包括对小桐子(麻疯树)、黄连木、光皮树、文冠果、油桐和乌桕六大树种资源的种植开发。当前这些树种具有初始利用期短、盛果期长、含油率高和转化技术成熟的特点，部分地区自然分布相对集中，可通过低产林改造实现规模化利用，也可在宜林荒山荒地开展种植经营。大面积营造油料能源林，不仅可以为生物柴油产业发展提供丰富的油料资源，还可以实现我国农民和林区工人增收，变荒山劣势为能源资源优势。随着我国生物柴油产业发展和市场需求的扩大，增加技术投入和种植面积扩张，集约化和规模化经营的油料能源林将成为生物柴油产业的主要原料来源。

我国已初步选择适宜区域建立小桐子(麻疯树)、黄连木、文冠果、油桐、乌桕、光皮树六大油料树种种植示范基地，并在人工种植和开发利用方面取得成功经验，成为当前最具有生物柴油开发价值的树种资源。据统计，6 个树种的现有成片分布面积达到 135 万 hm²，其中约 40 万 hm² 可经过改造培育作为油料能源林。如果能够加工利用，按每公顷油料林出油 1.5t 计，可获得 60 万 t 生物柴油。

4.3.3　我国重点发展的木本油料能源树种类型

4.3.3.1　重点发展木本油料能源树种选择

由于木本油料资源种类繁多，分布零散，多为历史遗留废弃树种，产量甚微，所以需根据该类资源现有分布特点和自然特性，选择重点发展树种，进行规模化集中种植，进而提高产量水平和可利用程度。我国地域辽阔，木本油料树种资源丰富，且种植历史悠久，现已发现小桐子、乌桕、光皮树、文冠果、黄连木、漆树、山桐子、漆树等 20 多种油料树种的油脂是生产生物柴油的优质原料。当前重点发展的油料树种的选择应遵循以下原则：

(1)果实含油量高，30% 以上；

(2)结实量高，平均果实年产量 2000 ~ 3000kg/hm²；

(3)结实早，一般为 5 ~ 8 年，南方 5 年，北方 8 年；

(4)结实期长，一般为 20 年以上；

(5)适应性强,耐瘠薄。

根据生物柴油原料林树种的分布状况,以及对油料能源林培育的土地资源、水资源和热量条件等自然条件、社会和经济发展对能源的需求等方面分析,我国将小桐子(麻疯树)、黄连木、光皮树、油桐、文冠果和乌桕 6 个树种作为生物柴油原料林基地培育的优先树种。这些树种具有种子或果实含油率高(30% 以上)、初始利用期短(一般为 5 年以下)、盛果期长(一般为 20 年以上)、转化技术成熟等特性,这些树种可以利用宜林荒山荒地和沙荒等林地开展规模化经营,也有一些树种在局部地区自然分布相对集中、可利用程度相对较高。

4.3.3.2　主要木本油料能源树种适生性描述

任何植物的生长发育均离不开光、水、热、土地酸碱性等自然属性条件的制约,木本油料能源树种适宜性土地潜力同样也受制于这些自然条件。初步研究表明,我国主要的六大木本油料能源树种均喜光,耐干旱,耐贫瘠,对土壤要求低,对多种土质适应能力强,而且抗严寒能力强,可以适应我国的复杂地形地貌和多变的气候环境(表 4-5)。

表 4-5　木本油料能源树种主要自然属性

主要树种	海拔(m)	年降水量(mm)	光照	年平均温度(℃)	绝对最低气温(℃)	土壤
小桐子	700～1600	480～2380	喜光	18～28.5	0	石砾质土、粗质土、石灰岩裸露地上均可生存
文冠果	400～1400	140.7～948.9	喜光且耐半阴	6～13	-42.4	pH 值7.5～8.0
油桐	≤1000	1000～1600	喜光	15.5～17	-8～-10	pH 值6～7
黄连木	140～3550	650～1300	喜光且耐阴	12～15	-20	酸性、中性、微碱性
乌桕	≤2000	≥700	喜光	16～19	-10	pH 值4.8～8.5
光皮树	≤1000	1570	喜光	18.9	-11.3	pH 值4.5～8

4.3.3.2.1　小桐子

小桐子一般适合生长于海拔 1600m 以下的河谷荒山荒坡,喜光,喜暖热气候,可在年降水量 480～2380mm、年平均气温 17℃ 以上生存,能耐 -5℃ 短暂低温,不择土壤,耐干旱瘠薄,是干热河谷地区造林绿化的优良树种。造林地宜选择年平均温度≥17℃、无霜冻的地段。四川选择 1800m 以下地区,云南选择在 1600m 以下地区,贵州选择在 800m 以下地区进行造林。宜选择在土层厚度 30cm 以上、土质疏松、排水性、透气性良好的土壤造林。在土层深厚的壤土、沙壤土上生长良好,产籽量高,在土壤黏性强、不透气、易积水的地方生长较差。各坡向均可种植,但在阴坡背光处结实欠佳,因此造林地选择以阳坡、半阳坡为佳。

图 4-5　小桐子

4.3.3.2.2　文冠果

文冠果在我国三北地区分布广泛，为喜光树种，适应性极强。造林地宜选择中性至微碱性的沙壤土、壤土，年均气温 6～13℃，年降水量 500～800mm 的环境有利于文冠果的生长发育和结实，但以土层深厚，湿润肥沃，通气良好，pH 值 7.5～8.0 的微碱性土壤生长最好。不耐涝，低湿地不能生长，排水不良的低洼地、重盐碱地和未固定的沙丘不宜栽植。在极端干旱条件下能够生长，耐寒能力强，在降水量仅为 148.2mm 的宁夏，也有散生分布；耐寒，耐半阴，在气温 -41.4℃ 的哈尔滨可以安全越冬；耐瘠薄、耐盐碱，对土质要求不高，在华北、西北、东北等地的黄土丘陵、冲积平原、固定沙地和石质山区等瘠薄多石干燥之地均能生长。

图 4-6　文冠果

4.3.3.2.3　油　桐

油桐树分布于长江流域及以南地区，垂直分布在海拔 1000m 以下低山丘陵地区。3 年桐造林地，宜选择在向阳开阔，避风的缓坡山腰和山脚，土层深厚，排水良好的微酸性或中性土壤，而海拔过高的冲风地、低洼积水的平地、荫庇的山谷和过于黏重的酸性土壤均不宜栽培。4 年桐造林地，宜选择在平地、丘陵和"四旁"（宅旁、村旁、路旁和水旁），阳光充足、土层深厚、湿润肥沃的酸性土壤。整地深度一般应达 20～30cm。

图 4-7　油　桐

4.3.3.2.4　黄连木

黄连木为温带树种，适应大陆性气候，垂直分布一般在海拔 2000m 以下，其中以 400～700m 最多。抗旱能力强，在年降水量 300mm 的地方能正常生长。黄连木喜光，可耐 −20℃的温度。在酸性、中性、微碱性土壤上均能生长。土壤类型以褐土为主。对二氧化硫和烟的抗性较强，据观察距二氧化硫源 300～400m 的大树不受害；抗烟力属 II 级。抗病力也强。该树种适应性强，对立地条件要求不严，在干旱瘠薄的石灰岩山地生长良好。但立地条件不同，其林木的生长量和结实量相差很大。

4.3.3.2.5　乌　桕

乌桕喜温暖向阳环境、耐潮湿。主要分布在海拔 2000m 以下，年平均温度 15℃以上，年降水量 700mm 以上，活动积温 5771℃，相对湿度 70% 以上的地区。乌桕对土壤的适应性较强，适宜于土层深厚、肥沃、湿润，土壤呈酸性或中性、微碱性的红壤、黄壤、紫色土及钙质土上生长，含盐量在 0.3 的盐碱土上亦能生长。

图 4-8　黄连木

图 4-9　乌　桕

4.3.3.2.6　光皮树

　　光皮树分布于东经 99°~121°41′，北纬 18°30′~36°之间，垂直分布在海拔 1000m 以下。喜欢生长在排水良好的地块，耐旱，对土壤适应性较强，在微盐、碱性的沙壤土和富含石灰质的黏土中均能正常生长；抗病虫害能力强。耐寒，一般可忍受 −18~25℃低温。造林地可选择在向阳的房前屋后、渠旁路边、溪河两岸、田头地尾、山脚山窝和平原岗地，土层深厚、质地疏松、肥沃湿润、排水良好、pH 值在 5.5~7.5 的土壤栽植。

图4-10 光皮树

4.3.4 主要木本油料能源树种产量水平

木本油料能源树种的单位产出水平除了跟光、热、水、海拔、土质等自然条件有关外，也跟选种、育苗方式、造林技术、管护手段以及病虫害防治等人工经营培育有很大关系。根据查阅相关文献和实地调查情况，表4-6 是我国主要木本油料能源树种产出水平的一些常见的指标标准。由于土地、气候、品质等多方面的影响，我国主要木本油料能源树种产出水平呈现很大的差异，因此表4-6 中所给出的各项标准也都是以区间形式存在，从表中我们可以看出除黄连木、乌桕利用初始期最长可达 8 年，油桐、文冠果、小桐子以及光皮树的利用初始期均在 5 年以下。利用年限除油桐外一般在 20 年以上。其中黄连木、光皮树利用年限长达百年。

由于我国木本油料能源树种能源林基地尚处于建设阶段，各种人工林在管护下的产量数据十分缺乏，大多数据均来源于实验数据与经验数据。而野生油料林由于目前开发力度不够，处于无人管护的野生状况，产量低下且极其不稳定，基本处于"靠天收"的状况。 风调雨顺的年份，亩①产可达百斤②以上；如年成不好，亩产仅有十

---

① 1 亩 = 1/15hm²。
② 1 斤 = 1/2kg。

表 4-6 我国主要木本油料能源树种产出水平指标标准

树 种	种仁含油率(%)	种子产量 (kg/hm²)	利用初始期(年)	利用年限(年)
油桐	49.4~58.6	3000~6000	3~4	10~20
乌桕	22.8~41.6	2250~4500	3~8	20~50
小桐子	50.2~61.5	3000~6000	3~5	30~50
黄连木	25.6~52.6	1500~4500	5~8	50~100
文冠果	55~67	1500~4500	2~3	30~80
光皮树	33~36	3000~6000	3~5	50~100

几斤，甚至绝收。据河北邯郸涉县黄连木相关资料中记载，涉县野生黄连木约有 258 万株(含散生树)，结果树 86.7 万株，成林面积 3.2 万亩，涉县黄连木最高年产达 129 万 kg，低则几吨，甚至绝收。新中国成立以来，年产 100 万 kg 以上 2 年，100 万~50 万 kg 为 22 年，10 万 kg 以下 21 年，绝收 4 年。现阶段的产量也不过 20 万 kg 左右。此外，由于目前木本油料能源树种经济效益不高，再加上野生林多分布在深山高地，采摘不便，因此即使野生林有着不错的产量，当地的政府和群众采摘意愿也不高，许多果实在枝头自然风干脱落，使得宝贵的木本油料资源得不到很好的开发利用。

4.4 产业形成阶段的资源培育与供给

产业形成以后，随着林业资源消费量的增加，原材料来源将会发生变化，即由主要依靠现有资源到资源培育的基地化建设，这是产业发展的必然结果，一方面满足日益增长的对原材料的需求，另一方面也可以降低成本，增强产品竞争力。所以要对产业形成以后的资源供给方式——林木生物质资源培育展开分析。

4.4.1 资源培育的基础条件

(1)外部环境分析——法律和政策环境。2003 年 6 月，中共中央、国务院做出了《关于加快林业发展的决定》。同年 9 月，国务院召开了全国林业工作会议，确立了林业发展战略，明确了林业建设的指导思想、战略目标及政策措施。2004 年国家又通过了《再生能源法》，推动再生能源开发和利用。这些都为林木生物质能源的资源培育和发展提供了良好的外部环境和大好机遇。

(2)自然条件分析。我国自然条件复杂，气候差异明显，水热资源丰富，有利于森林植物的生长。乔木和灌木种类繁多,营造能源林可供选择的树种种类多,适应性广,生长迅速,生物量大,热值高。

(3)成本优势。我国有大量的宜林荒山荒地和荒漠化、沙化土地等待开发利用。能源林利用这些土地,用地成本低。另外,随着农村经济的不断发展和生产力的提高,农村出现大量的剩余劳动力需要转移和安置,劳动力资源充足,劳动力成本低。适宜种植油料树种生长的地区大力恢复和发展油桐、黄连木、文冠果、乌桕、油翅果油料树种,并建立液体燃料加工基地(吕文,2006)。

(4)培育技术优势。自"六五"全国有计划地实施薪炭林造林工作以来,经过近30年的发展,全国各地在树种选择、造林模式和经营管理方面积累了丰富的经验,有良好的技术储备。科研院所也在积极培育和引进新树种,试验新的造林、营林方法,能源林的培育在应用高新科技和产业化的经验。

4.4.2 资源培育模式

要想在能源林发展和培育过程获得最大的效益,各地应根据不同立地条件、适生树种和采取适合于本地区的能源林造林经营方式。在传统薪炭林发展的基础上,我国能源林建设已呈现雏形。全国能源林造林和经营模式大致有5种方式(表4-7)。

为保证原料资源供应的充足性,资源培育应以提高单位产量和供应规模为目的。林木生物质能源资源供应能力受到地区林木生长量、资源分布密度、地理地势、获取和运输条件等多种因素制约。而能源林资源培育要想获得更大的产出效益,则需结合林业生产特点,应用国内外先进的林木良种繁殖的理论和种植管理技术,采取适合于本地区的能源林造林经营方式进行基地化建设和集约化经营。

表4-7 5种能源林经营模式

经营模式	造林方式	经营方式	适宜土地	特点	适宜树种
纯能源林	灌状纯林	短轮伐期,2~3年平茬	立地条件好的宜林地或更新林地	一次造林,多年利用,单位面积生物量高	铁刀木、木麻黄、刺槐、桉树、相思树、紫穗槐、沙棘、柽柳、胡枝子、荆条、柠条和各种灌木柳等
用材林+能源林	用材和能源树种采用行状立体配置,采用乔木灌木结合、针阔混交林	用材树种8~10年轮伐期,采伐剩余物作为发电原料,灌丛采用短轮伐期平茬	立地条件好或中等	满足用材和能源两种需求	火炬松与麻栎,杨树与沙棘或灌木柳等,落叶松与胡枝子,油松与沙棘或刺槐,胡杨与柽柳等

（续）

经营模式	造林方式	经营方式	适宜土地	特点	适宜树种
能源林＋经济林	乔木经济林下带状混种能源灌木	对经济林定期整形修剪获得枝条，灌丛采用短轮伐期平茬	立地条件较好或中等，适宜发展经济林	既可得到能源原料，又可兼收经济作物	桑树、沙棘、山杏、山苍子、黑荆树、枸杞、山楂以及各种经济林树种
能源林＋牧草	灌木丛和牧草带状配置	木质能源原料和牧草双收	干旱半干旱地区和畜牧业发展地区	既生产能源原料，又增加牧草饲料	柠条、杨柴、花棒、胡枝子、沙棘等灌木和各种牧草
乔木灌丛	行状或块状造林	在造林3～4年，截干使其萌生新枝，再修剪逐渐成为头状	北方条件较好的沙地	充分利用零散地造林	铁刀木、桉树、刺槐、榆树、柳树、杨树

4.4.3 资源培育的区域布局

4.4.3.1 东北、内蒙古林区

本区包括内蒙古和辽宁东部、吉林大部分地区、黑龙江，面积共 95.27 万 km²，是我国森林资源最丰富的林区之一，也是我国主要的木材产地之一，气候和土壤条件非常适合森林生长。林地面积 5245.47 万 hm²，其中有林地面积 3811.27 万 hm²，无林地面积 1103.46 万 hm²，还有需要改造的疏林地 86.67 万 hm²，发展能源林具有良好的自然条件。该地区是我国老工业基地，工业发达，交通方便，对能源需求大。木材采伐和加工业一直是主体产业。近年来，随着国家天然林资源保护工程的实施，大批国有森工企业面临经济转型，林业产业亟需寻找新的发展方向。该地区发展能源林产业具备自然、经济和需求方面的条件。如果有 10% 的无林地能够用于能源林发展，将培育 100 多万 hm² 的能源林（吕文，2006）。同时，也可以充分利用林区采伐和造材剩余物，进行成型燃料加工。

4.4.3.2 西北、华北北部和东北西部地区

本地区包括内蒙古中部和西部、辽宁西部、吉林西部部分、河北北部、北京北部、山西北部、陕西西安以北、甘肃兰州以北、青海北部、新疆和宁夏，面积 378.80 万 km²。本区是我国气候最为干旱和风沙危害最为严重的地区，八大沙漠和四大沙地分布在这一地区，还有大量的戈壁。气候条件是影响森林分布的最重要的因素，整个

地区平均降水量为 90mm，但局部地区(天山、祁连山等的中上部)降水量超过 600mm。≥10℃的积温 2500～3200℃，只有南方地区的一半左右。该地区发展能源林的限制条件是缺水，其次是积温较低，只有在局部地区可以发展能源林。该地区林地面积 3930.26 万 hm²，灌木林地面积 570.13 万 hm²，无林地面积 1712.16 万 hm²，占林地面积的 43.56%，可供能源林发展的土地面积大(吕文，2006)。由于生态防护林建设是该地区林业建设的主体，能源林发展要和防护林建设相结合，实施防护林–能源林模式。考虑到该地区经济发展程度低，交通条件差，煤炭资源丰富等社会经济因素。选择人口密度大，水分条件好，交通便利的地区发展能源林。如河西走廊、黄河河套、内蒙古中南部地区、河北坝上、山西北部。

4.4.3.3　华北和中原地区

本地区包括北京市郊区、天津市、河北南部、山西东南部、河南大部分地区、山东、安徽北部和江苏长江以北地区，总面积 56.64 万 km²。该地区是我国经济发达、人口密度大，也是能源短缺地区。发展能源林有巨大的社会需求。该地区地形复杂多样，包括了山地、丘陵和平原。气候四季分明，冷热同期，年降水量 750mm。林地面积 961.69 万 hm²，无林地面积 295.12 万 hm²，森林覆盖率 9.19%，有近 30% 林地还没有得到有效利用，而且还在实施退耕还林工程，有大量的退耕地可以发展能源林，发展能源林的土地资源和水分条件较好(吕文，2006)。该地区发展能源林的优先区域在山地和丘陵地区，太行山区、燕山低山、山东低山丘陵地区和黄河故道盐碱地是发展能源林优先地区。

4.4.3.4　南方集体林区

本林区包括江苏长江以南、安徽南部、上海、浙江、福建大部、江西大部、湖南、湖北、广西北部、贵州、云南东部和中部、四川东部、重庆、陕西南部、河南南部地区，总面积 161.25 万 km²。本地区地形包括高山、中山、丘陵和平原 4 种，海拔在 20～3000m 之间，年降水量为 800～2000mm，年均温度 14～21℃，本地区热量丰富，雨量充沛，适宜多种树种生长。林地面积 9451.73 万 hm²，无林地面积占林地面积 16.71%，1579.38 万 hm²(吕文，2006)。但该地区林业发展不平衡，湖南省等已消灭了荒山，浙江、福建省森林覆盖率也较高，无林地面积较小。由于该地区人口密度大，经济发达，对木材的需求量大，国家实施了速生丰产用材林基地工程。经济林树种资源丰富，经济林发展规模大，对能源林的发展有竞争性。发展能源林要和防护林工程、退耕还林工程相结合，在秦巴山区、四川盆地、大别山、桐柏山区、贵州、云南高原等地区交通条件好优先发展。

4.4.3.5 华南热带地区

本地区包括福建南部、广东、广西南部、云南南部、海南、台湾、香港、澳门，总面积 47.71 万 km^2，林地面积 2315.67 万 hm^2。本地区是我国自然条件最好的地区，地形地貌复杂，以山地、丘陵为主，温度最高，年均温度 21℃，年降水量 1800mm，热量大，植物生长时间长。树木种类丰富且生长快，生物量大，如桉树、相思类树都是优良的能源林树种（吕文，2006）。本地区林地利用的潜力比较大，在林业用地中，无林地 386.83 万 hm^2，在水热条件最优越的地区，还有 16.7% 的林业用地没有有效利用。由于华南地区是我国经济高速增长的地区，能源短缺最为严重，能源的市场需求大，交通方便，具备发展能源林各种条件。要充分利用现有无林地资源，实行规模化、集约化经营，在与其他利用方式比较中取得竞争优势。

4.4.3.6 西南高山峡谷地区

本地区包括云南西部、四川西部、西藏东南部、甘肃南部，面积 66.53 万 km^2，林地 3059.65 万 hm^2。本地区为高山峡谷地貌，海拔在 1300～8000m，森林主要生长在 4000m 以下地区。年降水量为 650mm，但分布不均；温度较低，大于 10℃ 的积温较低，不利于林木生长。无林地面积 495.02 万 hm^2，占林地总面积的 16.4%（吕文，2006）。本地区是我国木材生产的第二大林区，国家建立了大量的森工企业，曾进行过大规模的木材采伐，造成森林资源锐减。国家已开始实行天然林资源保护工程，对森林实行严格保护。本该地区经济落后，交通条件差，发展能源林主要是满足当地居民的生活需求，以减少森林资源的破坏程度。

4.4.3.7 青藏高原高寒地区

本地区包括甘肃玛曲、四川西北部、青海南部、西藏除东南部以外的地区，总面积 147.50 万 km^2，林地面积 740.27 万 hm^2（吕文，2006）。本地区的特点是地势高，气温低，降水分布不均，不利于林木的生长。而且人口密度小，经济落后，交通不便。从自然、经济等方面分析，发展能源林潜力不大。

因此，仅从能源林培育的土地资源、水资源和热量条件等自然条件、社会和经济发展对能源的需求等方面分析，能源林培育和利用的优先发展地区如下。

一类地区：华南地区、南方地区；

二类地区：华北和中原地区、东北林区；

三类地区：西北、华北北部和东北西部地区；

四类地区：西南高山峡谷地区和青藏高原高寒地区。

当然，以上是对林木生物质能源资源培育的优先发展区域给出了较为简单而粗略的结果。林木生物质能源本身就是由多种能源产品形式的集合，所以针对每一种能源产品形式还需要在以上分析结果的基础上做进一步的细致分析和修正分析。

4.5 资源可持续利用

林木生物质能源产业的发展初期示范性项目数量有限，加之其能源产品的产量不会太大，所以现有的用于该产业发展的林木生物质能源绰绰有余。但是林木生物质能源产业的发展不可能永远停留在这个阶段，随着产业发展步伐的推进，林木生物质能源产能增加，产品的生产量会加大，所需原料资源量会增加。这就很可能导致产业内部各企业对原材料的争夺加剧，原材料的价格上涨，产品的生产成本增加。从整个林业资源供给的角度来说，虽然在供给的总量上并不算少，但是林业资源的供给方向却并不是唯一。而且从 20 世纪末开始，由于我国生态环境的日益恶化，林业更多强调的是生态效应和社会效应，形成了很多禁伐区，使我国国内林业原料的供需失衡，林产品进口量逐年增加，价格上涨。

林木生物质能源产业在发展初期原材料问题并不是很突出，随着产业的成长，原料问题日益明显。无论是林木生物质能源产业内部各生产企业对原料的竞争还是林木生物质能源产业与其他林业产业对林业原材料的争夺，其后果就是使原材料的成本变高。而此时林木生物质能源产业尚处于发展过程中，并没有达到成熟的程度，产业内部对原材料获取难度的增加，很可能导致各生产企业利润过低甚至亏损倒闭。而林木生物质能源产业与其他较为成熟的林业产业竞争原材料的来源，更是以卵击石，根本没有赢得胜利的可能。所以作为鼓励新型能源产业开发的主体——政府就必须采取相应的政策，来防止林木生物质能源产业各生产企业停工待料甚至亏损倒闭现象的发生。如对原料资源利用的补贴，做好林业原材料基地的规划，制定推动能源林基地发展的政策。

随着产业的发展尤其是在产业形成阶段以后，此时能源企业的经济实力与产业发展初期时相比有了较大增强，国家直接投资的力度要有所减弱并制定政策（如减少国家投资的比重，提供优惠的贷款等）迫使和鼓励能源企业投资能源林基地。此外，这个阶段投资能源林基地的收益率有所上升，虽然投资能源林基地的收益率仍然低于投资与金融市场的收益率，但是与金融资产相比，投资能源林基地资产价值波动较小，客观上起到资产保值的作用。所以政府应该充分利用这个优势制定相应的政策引导资金流向，鼓励民间资本投资能源林基地。

在林木生物质能源产业高速发展以及成熟阶段以后，林业资源的供应是以依靠企业自身的原材料基地供给为主，企业完全有能力结合生产上游产品（原材料），各项政策应逐渐撤销，政府的角色由产业坚强的扶持者转变为市场监督者，所以国家应逐步取消直接投资能源林基地，建立对能源林基地的有效监督机制，完善能源林质量评价体系，并对生物质产品采取分类标准限制，根据不同利用途径对不同来源的原料进行严格控制，防止乱砍滥伐现象。

第 5 章　林木生物质能源资源获取与供应

原料供应系统是林木生物质能源转化生产过程中的第一环节，其运作的规范性和稳定性直接影响该类能源生产的产量和质量。现阶段，我国林木生物质能源项目刚刚兴起，原料资源以现有各类林木剩余物资源为主，自然堆积密度低，资源收集和处理机械化程度相对较低，可利用规模较小。世界各国的实践表明，推进林木生物质能源的产业化发展，关键在于原料资源的可持续性供应。原料来源的合理性、可靠性、使用的经济性是实现林木生物质能源持续生产的关键因素。

5.1　原料采集技术

技术与设备是影响林木生物质能源产业的重要因素之一，贯穿于原材料的收集和产品的生产过程中。在我国，木质资源规模化收集、处理和利用技术发展有十多年，起步较晚，机械化程度相对比较低，林木生物质能源的产业化利用受到很大限制。因此，研究规模化、机械化的收割、收集、处理、运输和储藏——木质燃料的产业化供给具有重要意义。根据对林木生物质能源生产企业和林业生产相关部门的调查研究，原料供应系统主要包括木质燃料采集或收割、晾晒或风干、打包或打捆、粉碎或削片、运输、存储、输料。

5.1.1　原料收割

5.1.1.1　基本要求

我国宜林荒山荒地、灌木林资源、沙荒地资源丰富，同时我国劳动力资源丰富，低廉的劳动力成本使林木资源收集及能源林和能源灌木林培育成为可能，从而使林木生物质能源产业化发展有更为广阔的区域。灌木是一种多年生植物，一般高为 2m，其枝条非常坚韧且耐盐碱、耐干旱，非常适合在沙漠里种植，植后能起到明显的防风固沙作用，对保护生态、降低沙漠化程度效果斐然。因此，在我国三北地区均有大量种植。这类植物在生长期间，需定期从根部切割枝条，否则会减缓其生长速度，一般

3～5年需要平茬。但目前发现这些地区的灌木林有些因为无法收割而荒废，有些可以收割的其收割方式又极其落后，农民多采用人工收割，即用铁锹等农具用力将其砍断。这种方式劳动强度大，效率低下，农民说起此事均苦不堪言，不仅如此，这样做还很容易伤及灌木根部，从而影响其生长。

机械化收割是今后的发展方向。目前，比较适宜的作业方式是中小型背负式灌木收割机或拖拉机悬挂式的中型收割机。经济条件好的地区，现在利用背负式灌木割灌机或小型灌木收割机作业，但是成本比较高。今后应发展林木联合收割机。

机械的选用必须依据不同地区、不同的能源林种类、不同树龄选择不同的机械收割。我国现有的可用于热电联产的林木资源主要是森林采伐抚育剩余物和立地条件很差的沙地灌木林，在选择收割机械时，应根据不同的情况分别选用。

5.1.1.2 收割机械选择

灌木和能源林收割机械可根据不同的情况分别选用。

（1）对集中分布或种植在地势比较平缓的山坡地上的灌木林、能源林，收割可以选用轮式牵引的大型联合收割机械，如山东双力集团股份有限公司的4LZ-2轮式联合收割机、俄罗斯的双锯盘式除灌机、德国制造的克拉马尔除灌机等。

（2）对集中分布或种植在湿度较大土地的灌木林、能源林，可选用轮式或履带式联合收割机械，如广州市科利亚农业机械有限公司的4LBZ-148履带式半喂入联合收割机、中国农业机械化研究院现代农装科技股份有限公司的4LB-1.5半喂入联合收割机等。

（3）对分散分布在丘陵、山地林区的灌木林，可选用轻便携带、操纵灵活的中小型收割机械，如山西省广灵新特服务公司的柠条收割机、俄罗斯的Cekop-3型割灌机和PЭK-1型电动割灌机、中国农业机械化研究院呼和浩特分院研制生产的9GG-0.84型灌木平茬收割机等。

（4）对于大面积能源林采收，多采用拖拉机悬挂式的国外机械，不但具有很高的生产率，而且可以进行直接粉碎、削片或打捆等联合收割。如瑞典的机械联合收割柳条，可以进行大规模的联合收割作业。机械可以根据经营规模选择合适的机具，机具使用效益很高，整机可以行驶到工作地点进行作业，机器灵活，作业半径大，但是价格十分昂贵。国外的小型收割机器比较轻，便于携带、操纵灵活、安全可靠，刀具坚固耐用。

我国现有的林木资源，分布比较分散，主要是小规模的农户种植和立地条件很差的西部沙地灌木林。所以在选择收割机时，目前以中小型灌木收割机为主，轻便携带，操作灵活；在西部立地条件相对好的地方，可以采用拖拉机悬挂式的中型收割机，收割完毕后集中收集。未来，我国将种植大规模的能源林，应选择联合收割机械，直接进行粉碎、削片和打捆。因此，进行大型联合收割机械的研究和开发具有重要的意义和价值，也是实现热电联产产业化的保障条件之一。

图 5-1 至图 5-3 所示为灌木收割机。动力均在 20 马力①以上，拖拉机割刀盘转速 4000r/min，工作速度 2.2～2.7 亩/h，可在松软的砂石土地上对无行无距飞播的柠条、红柳进行平茬收割作业。在无附加动力的条件下，对地面进行自动随机仿形，能自动将平茬后的枝条拨向拖拉机的一侧。刀片采用超高硬度且有良好韧性的硬质合金镶嵌，遇砂石不碎裂，割茬高度可调。

图 5-1　9GG-0.84 型灌木平茬收割机

图 5-2　9CG-0.82 型侧悬挂灌木平茬收割机

---

① 1 马力 =0.735kW。

图5-3   9PC-90型柠条红柳平茬机

图5-4 至图5-7 所示专业化、系列化联合收获成套设备，而且大部分是在林间移动作业，作业季节基本在秋季、冬季和春季。收获设备有自走式的，也有轮式拖拉机牵引式的。两种都是集收割、切碎于一体的联合收获设备，切碎长度均在 30~50mm。牵引式设备，配套动力大部分在 150 马力以上；自走式设备，动力在 200 马力以上。

图5-4   能源林联合收获机

图5-5   能源林联合收获机

图 5-6　剩余物收集粉碎机

图 5-7　机械装运设备

5.1.2　原料收集

5.1.2.1　晾晒和风干

通常，资源剩余物需要在林地自然放置 2～3 个月，灌木林和能源林收割后放置 3～4 个月，其含水率可以降到 30% 以下，比较适宜打包或打捆，在雨雪季节需要的时间会长一些。

5.1.2.2　打　捆

木质燃料打捆整理可在林地进行，也可运至收购站集中打捆。目前，我国打捆机多应用于农业秸秆打捆。秸秆打捆机多为从国外引进技术后加以改造，处理效率约 1t/h，打捆效率较低；成捆的密度在 90kg/m³ 左右，打捆密实度低；多采用麻绳捆扎，打捆不实，麻绳断头率高，影响了打捆速度。目前，丹麦的秸秆打包技术已经非常成熟，常见的秸秆打包类型包括：小型方捆，圆形包捆和大型方捆。

当前，可结合当地较为丰富的劳动力资源进行人工打捆作业，也可以采用原木捆绑的铰链在山上将原料打捆，运输到加工企业附近专设的粉碎站进行原料粉碎。

5.1.2.3　机械归堆与集背

由于采伐及加工剩余物分布相对比较分散，收集困难，因此选取设立收购站的方式对这类资源进行收集整理。对于林间堆积的大量剩余物和枝丫材以及火烧木资源，可以依靠人工采集，将树下残留的大量枝丫树杈收集背运到集材道，然后再统一由自备的交通工具运输到较近的木质燃料收购站。林区运输是剩余物利用和转化能源的关键生产工序，其中包括枝丫材的挑拣、集中和搬运。

（1）归堆。常用的枝丫归堆机械有黑龙江省带岭林业实验局于 1982 年研制的 J2-5 型集枝机，其由主机和枝丫搂集装置组成。主机选用 J-50 集材拖拉机；枝丫搂集装置由耙齿组、耙齿吊架和联结底架 3 大部分组成。该机最大搂集量为 1.5t，装置总质量为 880kg；与人工作业相比较效率提高 7～12 倍，成本降低 50%。还有一种原苏联研制的铲式集材机性能也很优良。

（2）集背。拖拉机集背法即把剩余物根据集材道宽进行造材，一般造成 2.5～3.0m 长，放到集材道两侧，利用拖拉机搭载板横背，每次可背 5～6m³。这种方法对于剩余物的利用不利，把长材短造了，影响了木材的利用价值，适于集材距离近的伐区。单杆集剩余物的方法：这种方法适用于集材距离远的伐区，一次可集 25m³ 左右。这种方法，剩余物不需林内造材、大捆集材、大捆装车、大捆卸车，对剩余物的集运都非常方便，效率也很高。但存在着捆绑方法不完善，集中搬运距离远，对拖拉机主绳磨损严重等缺点，有待进一步研究和改进。

在采伐迹地里收拣剩余物是一项比较困难的工作，剩余物分散，单株材积小，集中搬运距离较远，工效低，工人劳动强度大。剩余物收拣应向装有液压抓具运输联合机方向发展。联合机可减少劳动力，提高效率。枝丫集材主要靠动力集材，动力集材是拖拉机加挂集材装置，主要有背集、拖集及挂集 3 种方式。如 ZJ-50 型枝丫集材机、JZ2-50 型枝丫集材机、JIT-168 型枝丫集材机等。

（3）林区运输。剩余物分散、体积大，装卸不方便，给运输带来了许多困难，应合理组织。剩余物的运输主要采用汽车运输。提高剩余物的载量是提高汽车运输效率的关键，一般采取预装的方法，如预装架预装、拖车预装等。枝丫运输主要靠陆运，采用解放 ZB-7 型背负式半挂枝丫运输车。该机械属枝丫顺装式半挂运输车，使用中挂车装载量最大达到 4.8m³/台。

5.1.3　原料利用前处理

用于加工林木生物质能源和气体燃料的原料处理方法不同，需要根据加工工艺需求采取相应的处理方式。对用于直接燃烧发电的原料可采取削片处理，加工固体成型燃料的原料需要进行粉碎处理。

5.1.3.1　削片粉碎处理

削片、粉碎主要用于森林剩余物和能源林枝条类原料的处理，采用的设备主要是各种规格的削片机、粉碎机、揉碎机等。木质原料主要使用削片机，除在木材加工行业使用的大型削片机以外，用于林区抚育剩余物的一般是以拖拉机为动力或自带发动机的可移动式削片机，另外一种是集削片、粉碎于一体的削片粉碎机。

削片、粉碎主要设备有滚式、鼓式和盘式切碎机。粉碎和削片环节主要在林场、收购站集中进行。除在木材加工行业使用大型削片机以外，用于林区的中小型削片设备一般是以拖拉机为动力或自带发动机的可移动式削片机，这类设备目前在我国比较成熟，林区各林场应用的以拖拉机为动力的削片机比较适用。林木生物质能源加工企业直接收购的燃料可以在林木生物质能源加工企业专设的原料粉碎站削片或粉碎加工处理。

（1）小型切碎机。小型切碎机可以移动且价格便宜，林区、农户有能力购买，容易普及，可以形成较大的加工收购区域，设备结构简单，易于操作、维修。如图 5-8 所示为 9GQ-50 型灌木切碎机，喂入量 2000kg/h，适用于多种原料的切片处理。

图 5-8　9GQ-50 型灌木切碎机

(2)中、大型切碎机。中、大型切碎机技术含量较高，易于实现自动化，但价格较高，只能适合于有实力的燃料经纪人和电厂燃料收储站使用。一般配套动力在90kW以上，效率在10t/h以上。

5.1.3.2　加工成型燃料

加工成型燃料的原料处理包括成型棒状燃料的原料处理、块状燃料的原料处理（为热成型和常温成型两种方式）、颗粒燃料的原料处理等。对于林木发电原材料预处理主要有粉碎处理和加工压缩成型处理。原材料进炉前需要根据资源发电项目选择的技术路线进行相应的加工预处理。需要根据资源直接燃烧发电、削片燃烧发电、成型木质煤燃烧发电和气化发电不同的技术路线进行相应的加工与处理。

5.1.3.3　原料运输

林木生物质能源资源的低密度性，决定了原料运输量大和运输成本高的特点。通过加工压缩等方法使生物质密度增大是解决生物质运输问题的关键。原料运输包括枝条（处理前）和削片两种形态，对于枝条运输需提前打捆，对于削片或粉碎的原料则可用简易集装箱或者打包后运输。

(1)打捆技术。打捆作业多数是收集进行，按生物质种类的不同，使用不同的打捆设备。我国现有打捆机多用于农业秸秆打捆，秸秆打捆机多为从国外引进技术后加以改造，打捆效率较低，处理效率约1t/h；打捆密实度低，成捆的密度在90kg/m³左右；且多采用麻绳捆扎，打捆不实，麻绳断头率高，影响了打捆速度。目前丹麦的秸秆打包技术已经非常成熟，按照打包的形状和重量，常见的秸秆打包类型包括：小型方捆，圆形包捆和大型方捆，技术参数见表5-1。

表5-1　丹麦打捆机性能参数

技术参数	小型方捆	圆形包捆	大型方捆
消耗功率(kW)	>25	>30	>60
产量(t/h)	8～20	15～20	15～20
容重(kg/m³)	120	110	110
形状	长方形	圆柱形	长方形
密度(kg/m³)	120	110	150
外形尺寸(mm×mm×mm)	500～1200×400×500	1200～1700×1200～2000	1200～2500×1200×1300
质量(kg)	8～25	300～500	500～600

数据来源：《生物质能源清洁转化利用技术》(姚向君等，2005)。

　　用于林木生物质打捆作业的设备在国内尚属空白，国外有关该方面的文献也很有限。当前，林木生物质打捆可以借鉴丹麦打捆设备和技术，也可以结合当地较为丰富的劳动力资源进行人工打捆作业，也可以采用传统林业生产中原木捆绑的铰链在山上将原料打捆。

　　(2)运输工具选择。对于林木生物质原料运输工具的选择，需结合当地的自然、交通情况、运输距离和经济条件进行确定。改装和加梆的农用拖拉机可装运 8～10t 枝条或经粉碎的木质原料，畜力车运输也比较方便。简易集装箱运输粉碎的木质原料将成为林木生物质能源加工企业原料供给运输的主要方式。如在内蒙古调查中发现，运距 15km 之内可以考虑通过当地农民农用车运输，15km 以上可以通过大中型卡车进行大批量运输；同时，由于大型卡车运输量大，不仅有利于控制运输成本，还可以避免交通堵塞，减缓公路承载能力。对于交通条件较差的林区，因大型运输设备无法进入(图 5-9)，人力交通工具或者农用拖拉机是比较适合的运输工具。

图 5-9　燃料装车运输

5.1.3.4　原料存储

　　由于原料的消耗随时间的不同而变化，林业每年都有固定的采伐抚育期。一般夏季原料的产量大于消耗量，冬季原料供应不足；相对地，原料使用需求冬季比较大。这就要求原料的供应能与工厂的使用需求一致。因此，原料的贮存问题成为原料从林区到工厂燃料分配的一个重要环节。

　　对于木质燃料的存储有两点要求：一是要保证向林木生物质能源加工企业供应木质燃料的稳定性。二是在储存库的放置过程中，通过人工干燥或自然存放使得进炉前的木质原料含水量可以达到标准。

（1）室外贮存。露天堆放贮存能够降低贮存成本，但是会受到天气情况的影响，在雨雪季特别需要注意防水，必要时可以加盖防水油布。室外贮存最重要是防止木质燃料发生自燃，尤其是碎末状的木质原料贮存。室外贮存常用堆垛设备，主要完成料场卸车、堆垛存储及装车。由于国内没有完全适用的产品，这里介绍一种基于18t电动轮胎抓斗起重机的改型产品（图5-10）。其主要优点是价格适中，能耗小，作业效率高，充分利用燃料收储站有限面积，向空间发展，堆高燃料垛，最大化利用原料收储站的存储功能；缺点是移动灵活性较差、作业幅度较小。该机适合各种原始料、切碎后燃料的堆垛、装车，是原料收储站不可缺少的设备。起重臂长大于18m，最大起吊高度不超过18m，作业幅度3～12m，抓斗容积大，以外接三相交流电为动力，全液压驱动进行起重机的各种操作，功率控制在45kW以内。

（a）　　　　　　　　　　　　　　　　　　　　（b）

图5-10　林木生物质原料堆垛现场和抓料机堆垛现场

（2）室内贮存。室内贮存可以解决原料贮存的防水问题，对于贮存要求较高的木质燃料，工厂可以根据原料的存放要求来控制室内的温度和湿度等条件。但是室内贮存堆放成本较高，对于防火、通风等要求也较高。图5-11是燃料室内和室外储藏现场。

（3）异地储藏。异地储藏是指木质燃料在收购站或林木生物质能源加工企业附近的粉碎削片站存储处理。与原料供应商签订长期的供货合同，可以节约未经处理原料的存储成本。仓储地点主要设在收购站及林木生物质能源加工企业。

无论是露天存放还是仓储，防火能力要强、防火措施得当、仓储管理制度健全和管理人员工作能力较强，另外还要综合考虑降低建设、维护的成本等因素。

例如，在电厂周边3个方向设置削片和储存仓站。削片和储存仓站每天可削片处理原料在百吨以上。每个储存仓站储存削片燃料能力为：电厂5天的用量（约3000t），

图 5-11　燃料室内和室外储藏

3 个削片和储存仓站理论上最大可储存 15 天的量。采取露天储存与仓站储存结合，分别储存 2400t 和 600t，比例约为 8∶2。储存仓高 8m，直径 10m，每个可存 50t 削片燃料，每个储存仓站建 20 个储存仓，理论上可储存 1000t 削片燃料。

图 5-12、图 5-13 为芬兰生物质电厂的储存仓示意图。

图 5-12　电厂周边削片和储存仓 (出料螺旋 CSR) 示意图

图 5-13　电厂燃料进炉前储存仓

5.1.3.5　输料模式

林木生物质能源加工企业可建设 2～3 个独立的木质原料仓库，原料运输车可在林木生物质能源加工企业门外地磅场称重后直接进入仓库。过秤同时测试原料含水率。含水率超过 25%，则为不合格。在欧洲的林木生物质能源加工企业中，这项测试由安装在自动起重机上的红外传感器来实现。在国内，可以手动将探测器插入每一个原料捆中测试水分。该探测器能存储 99 组测量值，测量结果可以存入连接至地磅的计算机。可使用叉车卸货，并将运输货车的空车重量输入计算机。计算机可根据前后的重量以及含水率计算出木质燃料的净重。

若进料由 3 个方向输送，每个方向可设 5 个储存仓，传送距离 80～100m（距锅炉 80～100m），可连续进料 250t 以上。3 个方向可连续进料 700～800t。

5.2　原料供应模式

原料价格高和供应不稳定是林木生物质能源产业兴起和发展面临的主要障碍，研究经济合理的原料供应模式是解决该问题的有效途径。根据前期实践调查结果，这里提出 3 种基本的原料供应模式，即直接收购模式、收购点供应模式和能源林供应模式。

5.2.1　直接收购模式

直接收购模式是指企业不直接参与原料的采收和运输活动，由当地农民或林户自发进行原料采收和加工处理，并运送到林木生物质能源企业。林木生物质资源的采集和加工处理以人工作业为主，辅以各种小型的辅助作业工具，运输工具以农户自有农用车为主。它可以是单一农户或林户的行为，也可以是多个农户或林户自发组成的小型合作组织。原料收购由林木生物质能源企业在厂址附近集中进行收购，价格以周边地区市场价为准，由散户收集成本和同类产品市场竞争共同作用形成，不受合同或其他协议的约束。

现阶段，林木生物质能源多以示范项目进行零星生产，生产规模小，原料资源分布比较分散。直接向零散农户进行收购的方案操作比较简单，即由散户收集到林木生物质原料后，直接运送到生产企业。直接收购模式省去了建造收购点所需要的建设成本、仓储成本以及管理成本，而且运输方式较为灵活，是现阶段较为经济的一种收购模式。

直接收购模式也具有极高的风险性与不确定性。由于原料资源采收受季节性影响较大，在直接收购模式下，农林散户与生产企业之间的连接完全取决于市场行为，约束能力较差，遇到恶劣天气或非采伐季节，原料供应量必然会锐减或供应不及时和不连续，从而导致原料价格的大幅上涨。对于距离较远的散户，其农用车的运输成本远远高于整合后的汽运成本，如在内蒙古阿尔山地区调研中了解到，部分地区农户自有农用车 10km 范围内平均运费 1 元/(t·km)，10km 以上的平均运费达到 2 元/(t·km)以上，汽运价格为 1.1 元/(t·km)，在成本约束下，该模式仅适用于运输距离短且资源相对集中的地区。因此，在产业初期，直接收购模式虽然可以作为原料收购模式之一，但需要与其他多种收购模式相结合，才能实现原料供应的稳定性和可持续性。

5.2.2　收购点供应模式

收购点供应模式是指林木生物质能源生产企业或当地林业部门根据资源分布情况确定一定的收集范围，以村镇或林场为单位设置林木生物质原料收购点，同时作为原料供给的中转站和仓储点进行原料的加工处理(削片粉碎、干燥处理)。推行"星"状分布的收购点模式，它不仅可以实现多途径的原料收集与供给，而且可以弥补原料供应和需求的时间差，是提高原料供应稳定性的一种有效模式。

现阶段，原料资源分布零散，原料源辐射面积大，尤其来自村镇集体林地的林木资源，多分布在交通不便的山区，散户农用车运输在远距离中属于不合理的运输方式。设置收购点可以很大程度上提高收集效率，降低收集成本。然而，收购点的额外运营与维护也使得单位原料成本增加。因此，收购点地址与设置数量的选择不仅要权衡不同区域点的资源分布密度和采收成本，还需要对运输成本的节约额与收购点运营费用的增加额进行比较，进而达到收购点数量和规模的优化设置。

5.2.3 能源林供应模式

　　能源林供应模式是指由林木生物质能源生产企业或成立专门的燃料供应公司建立能源林基地，实现能源林种植、采收、初加工处理和运输一体化经营。能源林具有一次造林，多次采伐，多年利用，且单位面积林木生物质资源量高的特点。充分利用我国现有大量宜林地的优势发展能源林基地，实行能源林的集约化经营，将为林木生物质发电提供更加可靠的原料供应保障，有效减少原材料供应的季节变化与价格水平波动带来的风险。能源林规划建设可以根据项目所在的位置，进行合理的规划，从而大大减少原料运输成本。而且，能源林采伐作业采取的是更为先进的机械化的联合收割与加工处理，这种大规模的集约型经营模式主要表现在收割、整理、打捆等环节的机械化，相关设备投入增加，而劳动力投入相对减少，生产效率提高。这使得原料收集成本降低，从而使得总成本下降。

　　另外，能源林属于林业生产项目，具有投资周期长、施业面积广、对自然条件依赖性较强等特点。在能源林建设初期需要投入大量资金，投资完全回收需要一个较长的时期，这部分投资如果完全分配到原料中去，也会使成本相应地提高。对我国现有部分地区能源林示范项目的调查表明，现阶段能源林项目经营受自然因素、人为因素及种植技术因素影响较大，使得项目经营处于较高的风险水平。项目经营企业应采取积极的防御措施，应对各种不确定因素带来的风险，增加原料供应的稳定性和可靠性。

5.2.4 原料供应模式比较

　　综上所述，设置收购点和散户直接收购模式适用于林地分散下的原料资源收集；能源林供应模式作为完善的原料采集和收购系统，是未来的主要发展方向。3种供应模式各自具有一定的优势，但也存在一定的不足，适应于不同的产业发展时期（表5-2）。

表5-2　3种供应模式比较

原料供应模式	经济性	稳定性	适用阶段
直接收购模式	采收成本低，远程运输成本高	不稳定	项目示范阶段
收购点供应模式	收购点运营费用增加，远程运输成本较低	较稳定	产业初期
能源林供应模式	实现规模经济，成本低，但投资大	稳定	产业成熟期

由于林木生物质能源生产属于能源密集型产业，对原料资源需求量大，三种供应模式之间形成优势互补。散户直接收购模式可以实现近距离资源的低成本收购；收购点的设置可以扩大收集范围，实现对资源的相对集约化利用；能源林模式可以平衡原料来源，实现低成本、规模化供应。在产业初期，林木生物质资源供应系统受到自然条件、收集范围、经济成本和采集方式等多因素的影响，采取多路径的供应模式是减少原料供应风险的合理选择。

5.3　木本油料能源原料供应模式

5.3.1　木本油料能源林经营模式

油料能源林作为生物柴油的上游原料供应产业，其资源发展需与国家重点林业生态工程建设相结合；通过国家、地方政府、国有石化企业、行业主管部门等多方力量投入，采取企业与地方政府联合管理，引导民众积极参与的经营模式，推进油料能源林的集约化和规模化发展。当前油料能源林经营主要包括以下四种模式：

（1）股份制经营合作模式。油料能源林的营造与管护费用由经营公司出资承担，农民或林户则以土地使用权进行入股，双方实行合作经营和按股份比例进行分红，如公司股份占 90%，农民占 10%；同时经营公司对能源林种植、管护、果实采收、初步加工和销售等实行统一经营管理，农民被雇佣参与生产活动并获得劳务费，期间农民在林地也可实施间种绿肥、药材和间作育苗等获得一些收入。

（2）市场收购合作模式。农民或林户自主经营种植，木本油料公司给予技术指导或有偿服务，并按照周边市场价收购油料果实（种子）；收购价格主要由市场交易行为和供需均衡形成，也有一些地方政府对收购价格做出最低保护价规定，如 1.6 元/kg，以保护种植农民的收益。

（3）租赁土地经营合作模式。油料能源林经营公司与村集体合作，租赁农民自留林地或承包的宜林荒山地，向农民支付租金 $225\sim300$ 元/(hm^2·年）。附近农民被雇佣参加油料能源林生产活动。

（4）政府扶持投资发展模式。当地政府结合林业生态工程项目建设出资支持农民营造油料能源林，聘请技术人员进行种植技术指导，对形成种植规模成活率达到规定比例，如 90% 以上，进行投资补助 300 元/hm^2；同时政府相关部门开展招商引资，吸引投资商在此建立生物柴油加工企业。

5.3.2   木本油料能源原料供应技术路线

根据对相关企业和林业部门的调查研究，木本油料作为生物柴油产业的主要原材料，其生产供应链主要由油料能源林建设、油料果实(种子)采收、原料初级加工、原料储藏、运输等环节组成(图5-14)。

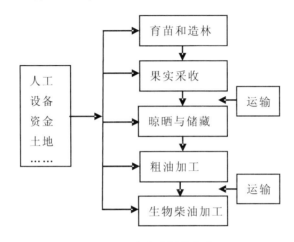

图 5-14   木本油料供应链

5.3.2.1   油料能源林建设

我国木本油料资源虽然相对比较丰富，但现有资源并没有得到充分开发利用，它们存在野生、低产、分布零散的问题。需结合林业特点，大面积种植油料能源林，逐步建立其完善的资源培育系统才能实现生物柴油原料资源供应的充足性，满足生产需求的可持续性。在油料能源林种植中，也要充分吸收传统农林种植的成熟技术，规范种植程序，降低种植成本，提高项目经济效益。面对野生树种种子含油量低、不饱满、产量低的问题，须通过引进高科技含量的种苗选育和种植技术，引入先进的科学经营理念，进而达到油料能源林高效高产的目的。现阶段油料能源林生产活动包括项目前期基本设施建设、土地平整、育苗、造林、抚育及其他林地经营活动等；建设工作包括对现有低产低效林的更新改造、良种繁育基地建设和示范能源林基地建设。具体内容包括：①通过补植、去杂、扩穴施肥、整形修剪、嫁接更新品种等手段提高对现有资源的经营管理水平。②通过种质资源保护、优良类型选育、选优、引种、杂交育种实施资源优选，并不断培育含油率高、丰产、抗逆性强、便于采摘、易于储藏和提炼的良种。③通过良种集中连片和矮化密植、果园化经营管理和应用丰产栽培技术实现规模化营造油料能源林。

5.3.2.2　油料果实(种子)采收

油料果实采收是指根据不同区域的气候条件、树种的自然特征，在最佳采收时期(果实含油率最高的时期)随着果实的成熟进度进行采摘和收集。在不同的发展时期和不同的规模种植区，可采用不同的采收方式，主要由资源集中程度和采收成本决定。现阶段油料资源规模较小，以小面积林地经营为主分布，不适宜机械化作业，可充分利用农村劳动力资源丰富的优势，进行人工采集。随着能源林种植规模的扩大，实行机械化采收作业，进行采集、去杂、去皮的一体化处理成为更加经济有效的方式。

5.3.2.3　油料果实(种子)处理与储藏

为了提高油料果实(种子)应对气候变化的能力和储藏周期，对采收后的果实(或种子)根据其生物特性进行科学处理也非常重要，包括去皮、去杂和干燥等处理环节。如对于采集的果实一般不宜在日光下暴晒，应堆放于通风干燥的室内，待果实全部开裂后，分批抖出种子，筛去果壳和杂质，获得炼油的种子。在其储藏阶段，宜将其置于日光下暴晒或专门干燥，将含水率控制在一定范围内，待进一步加工。为保证原料加工前的含油率和含水率要求，油料存储要进行专管专护，原料处理和储藏场地宜选在粗油加工企业、油料收购点或油料能源林基地进行集中处理和储藏。

5.3.2.4　木本油料资源运输

由于木本油料属于低密度型资源，且地理分布不均匀，资源运输受林地地势、道路建设和运输工具配套情况影响较大。需因地制宜、充分利用现有运输资源，确定合理的收集半径，合理安排运输作业，实现运输费用最小化。油料资源运输包括林地油料果实(种子)运输和初加工粗油的运输。对于地势复杂的林地运输，以当地农用车为主，农户分散运输比较经济合理；对于有粗油加工点至生物柴油生产企业的运输，需通过大型的封闭集装车进行运输(汽车运输或铁路专线运输)，进而保证运输过程的安全性，也有利于控制运输成本。

5.3.3　木本油料能源原料收购模式

原料价格高和供应不稳定是利用木本油料进行生物柴油生产的主要障碍，组建经济合理的原料供应模式是解决该问题的有效途径。根据前期实践调查结果，这里提出三种原料收购模式，即直接收购、设置收购点和油料能源林直供模式。在不同的产业发展时期，实行不同的原料收购模式，可以有效提高资源利用效率，降低原料供应成本，增强原料供应的稳定性。这里对不同的原料供应模式进行逐一分析。

5.3.3.1　直接收购模式

直接收购模式是指企业不直接参与木本油料采收和运输活动，由当地农民或林户自发进行木本油料种植、收集和初级处理，并运送到生物柴油加工企业，它可以是单一农户或林户行为，也可以是多个农户或林户自发组成的小型合作组织。原料收集包括能源油料果实采摘、收集整理和分散运输等环节，采收和初级处理以人工作业为主，辅以各种小型的辅助作业工具，运输工具以农户自有农用车为主。原料收购由林木质液体燃料生产企业在厂址附近集中进行收购，价格以周边地区市场价为准，由散户收集成本和同类产品市场竞争共同作用形成，不受合同或其他协议的约束。

在林木质液体燃料产业初始阶段，多以示范项目进行零星生产，生产规模小，原料供应主要源于对原有半野生油料能源树种资源和小面积人工种植油料资源的利用，分布比较分散，单株果实产量也较少，因此，直接向零散农户进行收购是这一阶段较为经济的一种收集模式。在前期调研中了解到，部分地区农户自有农用车 10km 范围内平均运费 1 元/(t·km)，10km 以上的平均运费达到 2 元/(t·km) 以上。从成本约束下，该模式仅适用于运输距离短且资源相对集中的地区。另外，由于油料能源树种资源供应受自然资源和季节性影响较大，在直接收购模式下，农林散户与生物柴油生产企业之间的连接完全取决于市场行为，遇到恶劣天气或非采摘季节，原料供应量必然会锐减或供应不及时、不连续，从而导致原料价格的大幅上涨，这种自由交易的直接收购模式会给生产企业的原料供应带来极大的不确定性。因此，在产业初期，直接收购模式虽然可以作为原料收购模式之一，但需要与其他多种收购模式相结合，才能实现原料供应的稳定性和可持续性。

5.3.3.2 设置收购点收购模式

设置收购点收购模式是指生物柴油生产企业根据当地资源分布情况确定一定的收集范围，以村级或镇级为单位设置木本油料收购点，同时作为原料供给的中转站和仓储点进行油料果实初级处理(去皮去杂、干燥处理)。推行"星"状分布的收购点模式，它不仅可以实现多途径的原料收集与供给，而且可以弥补原料供应和需求的时间差，是提高原料供应稳定性的一种有效模式。以年生产能力 1 万 t 的生物柴油加工企业为例，油料果实年需求量约 3 万 t，而对于现阶段的半野生状态的油料资源分布和产出水平来计算，即每公顷产出果实 0.3t，其原料源辐射面积达 10 万 hm² 以上，且多分布在交通不便的山区，而散户农用车在远距离中实属昂贵的运输方式。若生物柴油加工企业可在一定收集半径内的村镇设置收购点，将其作为原料供给的中转站和仓储点，可以很大程度上提高收集效率，降低油料收集成本。然而，收购点的额外运营与维护也使得单位原料总成本增加。进行收购点地址与设置数量的选择不仅要权衡不同区域点的资源分布密度和采收成本，还需要对运输成本的节约额与收购点运营费用增加额进行比较，进而达到原料供应规模最优化。

5.3.3.3　油料能源林供应模式

油料能源林供应模式是指由能源林公司建立油料能源林基地，实现能源林种植、果实采摘、收集、初加工处理和运输的一体化经营。它不仅可以降低生物柴油生产原料成本，还可以提高油料果实的加工质量，减少油料资源受季节变化与价格水平波动带来的风险，进而增强原料来源的可靠性。积极发展油料能源林，是实现木本油料资源规模化、低成本化、可持续化供应的关键。油料能源林属于林业生产项目，具有投资周期长、施业面积广、对自然条件依赖性较强等特点。在其发展初期，受到自然因素、人为因素及种植技术因素影响较大，使得项目经营处于较高的风险水平。

综上所述，设置收购点和散户直接收购模式适用于以半野生性或小面积人工种植为主的原料资源分散形态，适用于试验研究与小型示范项目推广阶段。从生物柴油产业化趋势来看，采取以油料能源林为主的供应模式，建立完善的油料采收和收购系统，是保证原料资源供应的充足性和可持续性的必然途径。在产业初期，木本油料供应系统受到自然条件、油料种植规模、经济成本和采集方式等多因素的影响，采取多路径的供应模式也是减少原料风险的有效选择。

5.4　林木生物质能源资源获取经济分析模型

5.4.1　能源林生物量与面积、成本关系模型

通过建立能源林树种生物量与面积、成本的数学关系模型，实现对以下问题的研究：其一，分析我国能源林不同树种的单位面积生物量与生产单位标准煤热值的生物量所需土地面积两者之间的关系；其二，分析我国能源林不同树种的单位面积生物量与其成本之间的关系，从而使林木生物质能源成本与传统能源之间具有可比性。这里将林木生物质能源的热值转化为标准煤的热值，即 7000kcal/kg，将其与煤炭能源进行经济成本的比较分析。

5.4.1.1　单位面积生物量与林地面积的关系模型

对于单位面积林木生物量与生产单位标准煤热值所需林地面积的关系式可以初步表述为：

$$y = \frac{a}{x_2 x_3} = \frac{7000}{x_1 x_2 x_3} = \frac{7000}{x_1 d}（其中 d = x_2 x_3 \text{ 表示每公顷土地的生物量}） \tag{5-1}$$

式中：

a 表示拥有单位标准煤热值生物量的质量；

x_1 表示某树种的燃烧值(kcal/kg)；

x_2 表示某树种每棵采集的生物量(kg)；

x_3 表示某树种单位面积的种植棵树(棵/hm^2)。

由以上关系模型看出，生产单位标准煤热值的林木生物质能源所需土地面积 y 与单位面积生物量 d 成反比，与树种的热值 x_1 也成反比。

例：计算生产 1 单位标准煤热值的林木生物质能源的所需的土地面积为多少？（已知柠条锦鸡儿的单位热值为 4707kcal/kg）。

解：$y = \dfrac{7000}{x_1 d} = \dfrac{7000}{4707 \times 2000} = 0.744 \times 10^{-3}$ hm^2，即为表 5-3 中面积一栏的数值。

由上可知，单位面积林地生物量 d 越高，生产单位标准煤热值的林木生物质能源所需能源林土地面积越小。尽管不同树种的热值不同，但影响不太大。总体趋势是随着单位面积生物量的增加，所需土地面积减小。

表 5-3 中国林木生物质能源主要能源树种及其特性

特征 树种	热值 x_1 (kcal/kg)	产量 d (t/hm^2)	计算所得面积($\times 10^{-3}$ hm^2)
小叶栎	4742	2.00	0.738
柠条锦鸡儿	4707	2.00	0.744
山杏	4708	2.67	0.556
梭梭	4400	3.00	0.530
胡枝子	4700	3.50	0.426
花棒	4500	4.50	0.346
甘蒙柽柳	4277	4.95	0.330
紫穗槐	4060	5.25	0.328
细枝柳	4327	5.30	0.305
马桑	4000	5.80	0.302
马尾松	4940	5.88	0.241
沙棘	4534	6.05	0.255
小叶锦鸡儿	4770	7.94	0.185
蒿柳	4500	8.00	0.194
刺槐	4544	8.36	0.184
短序松江柳	4439	8.50	0.186

（续）

特征　　　树种	热值 x_1（kcal/kg）	产量 d（t/hm²）	计算所得面积（×10⁻³ hm²）
晚松	4810	9.00	0.162
头状沙拐枣	4234	9.38	0.176
麻栎	4681	10.00	0.150
枫香	4600	10.00	0.152
火炬树	3890	10.00	0.18
刺栲	4257	10.68	0.154
旱柳	4376	11.25	0.142
石栎	4241	11.50	0.144
荆条	4575	13.00	0.118
木荷	4231	14.00	0.118
多枝柽柳	4206	15.00	0.111
沙枣	4400	18.35	0.087
桤木	4200	18.70	0.089
雷林 1 号桉	4777	19.00	0.077
银合欢	4473	20.00	0.078
刚果 12 号桉	4673	20.60	0.073
厚荚相思	4992	25.30	0.055
东江沙拐枣	4000	26.25	0.067
大叶相思	4800	38.00	0.038
绢毛相思	4670	39.72	0.038
窿缘桉	4822	40.85	0.036
巨桉	4948	42.38	0.033
纹荚相思	5514	50.40	0.025
翅荚木	4211	56.25	0.03
黑荆树	4616	90.00	0.017
马占相思	4950	95.20	0.015
柠檬桉	4886	95.88	0.015
木麻黄	4950	98.90	0.014
铁刀木	4326	130.00	0.012

资料来源：《中国能源树种研究》。

5.4.1.2　单位面积生物量与生产成本的关系模型

林木生物质能源的原料成本由造林成本、育林成本、收集成本、运输成本、储存成本和加工成本构成。

因此，可以初步得出生产单位标准煤热值的林木生物质能源所需生产总成本 C：

$$C = x \left[\frac{1}{d} (C_1 + C_2) + C_3 + C_4 + C_5 \right]$$

$$= \frac{7000}{x_1} \left[\frac{1}{d} (C_1 + C_2) + C_3 + C_4 + C_5 \right] \tag{5-2}$$

式中：

C 表示单位标准煤热值的林木生物质能源生产总成本；

x 表示具有单位标准煤热值的生物量(kg)；$x = \dfrac{7000}{x_1}$（其中 x_1 表示某树种每千克生物量的燃烧值）；

C_1 表示单位面积林地造林成本(元/hm^2)；

C_2 表示单位面积林地育林成本(元/hm^2)；

C_3 表示收集单位生物量所需费用(元/kg)；

C_4 表示运输单位生物量所需费用(元/kg)；

C_5 表示加工单位林木生物质成型燃料所需成本(元/kg)。

从上述模型可以看出，单位面积生物量产量越高，具有标准煤热值的林木生物质能源的总成本越低；不同树种的热值不同，个别树种尽管单位面积生物量高，但由于树种热值低也会造成产生单位标准煤热值的成本偏高。

这里仍以柠条锦鸡儿能源林生产单位标准煤热值的林木生物质能源——林木质成型燃料的计算为例。

根据2005年对内蒙古通辽地区的实地调查数据，各分项成本取值为：

构成成本	C_1	C_2	C_3	C_4	C_5
单位	元/hm^2	元/hm^2	元/kg	元/kg	元/kg
取值	187.5	450	0.06	0.02	0.257

注：在 C_1 造林成本计算中，总造林投资3000~3750元/hm^2，这里取数值上限，按20年生产期进行直线摊销，即187.5元/(hm^2·年)；C_4 运输成本是指5~10km范围以内，大于10km则与距离有明显的关系。

根据公式(5-2)，

$$C = \frac{7000}{x_1} \left[\frac{1}{d} (C_1 + C_2) + C_3 + C_4 + C_5 \right]$$

$$= \frac{7000}{4707} \left[\frac{1}{2000} (187.5 + 450) + 0.06 + 0.02 + 0.257 \right]$$

$$= 0.975 (\text{元/kg})$$

5.4.2　林木生物质能源资源收集半径模型

5.4.2.1　资源量与资源收集半径的关系

资源的分布和数量对于资源收集半径有着重要的影响。若一地区的能量密度越高，表明这一区域内的能源资源越丰富，在原料资源收购量一定的情况下，林木生物质资源收集半径也就越小。

$$ 能量密度 = \frac{林木生物质资源在某一区域总资源量}{区域面积} $$

当资源量分别取理论蕴藏量、可获得量和可利用量时，对应有理论能量密度、可获得资源能量密度和可利用资源能量密度。

（1）理论蕴藏量：指理论上地区每年可能拥有的可再生能源资源量。生物质能源资源的理论蕴藏量的计算见表5-4。

表5-4　生物质能源资源的理论蕴藏量

能源种类	理论蕴藏量	主要参数
秸秆	为 $\sum_{i=1}^{n} Qr_i$，n 为区域内作物秸秆种类，Q 为第 i 种作物的产量，r_i 为第 i 种作物的草谷比	实物量
薪材	林木种植面积×单位面积产材量	
粪便	年人畜数量×单位人畜年排泄量	

（2）可获得量：指通过现有技术条件可以转化为有用能的可再生能源资源数量，因此，可获得量是一个与技术密切相关的实物量指标。同一种可再生能源资源因转换的技术路线不同而有不同的可获得量。可用资源最大可获得量和技术基准可获得量两个指标来反映技术对资源利用的制约。

$$ 资源最大可获得量 = \frac{满足现有能最大限度转换资源技术参数要求的理论资源量}{} \times 收集系数 $$

$$ 技术基准可获得量 = \frac{满足某一技术路线的基本参数要求的理论资源量}{} \times 收集系数 $$

以上，技术基准可获得量与资源利用的具体技术路线密切相关，反映的是某一技术对资源的利用能力。与技术基准可获得量不同，资源最大可获得量反映的是已有技术对资源的最大利用。应当说明的是，这里所说的能够最大限度转换资源的技术是指可以使用相对劣等资源进行生产的技术。生物质资源的收集系数与收集半径有关。

(3)可利用量：指实际可以用来进行能源生产的可再生能源资源量。

$$可利用量 = 可获得量 \times 可利用系数$$

可利用系数是一系列对能源生产的非技术性约束的综合表述，通常包括地区该种可再生资源的能源用途份额和环境生态制约因子等。

所以，只有充分了解我国林木生物质资源的理论蕴藏量、可获得量和可利用量，才能合理地将林木生物质资源用于林木生物质能源。根据林木生物质资源量，运用资源收集半径模型，指导生产。

5.4.2.2 资源收集半径经济模型的建立

5.4.2.2.1 林木生物质资源收集半径模型的假设条件

目前，我国林木剩余物种类多，不同树种的林木生物质资源之间的能量密度大不相同，而且资源分散、不集中，这些特点决定了必须针对不同的资源类型建立收集半径模型。从林木生物质能源生产加工企业的角度出发，以其对林木剩余物资源的年需求量为出发点，分析和研究资源收集半径模型。

拟将林木生物质资源的收集活动是存在于这样一个环境之中：第一，林木生物质能源资源的分布满足以下特征：一是广泛性；二是均匀性，即同种林木剩余物类型的资源分布是均匀的，疏密程度相同；三是周期性，即林木剩余物的平茬、复壮根据不同林种各具有一定的周期性。第二，林木生物质资源收集活动的主体为各林场，由企业统一收购，收集距离为收集半径。第三，该区域内具有足够的运输能力和充足的劳动力完成收集任务。

为建立林木生物质资源收集半径模型作出以下假设：

(1)以木质燃料生产企业作为林木生物质资源收集中心，其年木材消耗量为 Mt；

(2)该区域具有所有林地类型：林分、散生木和四旁树、经济林、竹林和灌木林，假设这些林地占该区域面积的比例分别为 α_1，α_2，α_3，…；

(3)木材剩余物用于能源的比例为 β；

(4)各类林地每公顷土地所产出的生物量分别为 M_{01}，M_{02}，M_{03}，…；

(5)若该地区有木材加工厂，木材加工剩余物数量 W_H。

5.4.2.2.2 资源收集半径计算模型

林木剩余物作为林木生物质资源之一，其主要由木材加工剩余物(M_H)、中幼林抚育修枝剩余物(M_1)、森林采伐剩余物(M_2)、灌木林平茬(M_3)、经济林、竹林剩余物(M_4)五部分组成。

$$\begin{array}{l} 某一区域林木 \\ 剩余物年收集总量\,M \end{array} = \begin{array}{l} 木材加工 \\ 剩余物量\,M_H \end{array} + \begin{array}{l} 中幼林抚育 \\ 修枝剩余物量\,M_1 \end{array} + \begin{array}{l} 森林采伐 \\ 剩余物量\,M_2 \end{array} +$$

$$\dfrac{灌木林平茬}{生物量 M_3} + \dfrac{经济林、竹林剩}{余物量 M_4}$$

通常情况下，某一产品生产企业从一个原料厂家收购原材料的收集距离是一定的，由林木生物质资源分布的特殊性以及林木剩余物资源种类的不同决定了不同林木剩余物的收集量和收集距离都是动态变化的。考虑到处于收集区域不同位置的林木剩余物资源的收集距离不同，在年收集总量一定的情况下，出于收集时运输费用最小化的考虑，林木剩余物收集过程中将优先选择距离企业近的林木资源，在距离企业近的林木资源收集完毕后才会根据需要进一步向更远处扩大收集范围，故收集区域最终形态应该是以生产企业为中心的圆形区域。

该地区具有所有的森林剩余物的资源类型，A、B、C 和 D 分别代表各种类型的林木剩余物，且每一剩余物资源类型在其自身的小范围内资源分布均匀，如图 5-15。

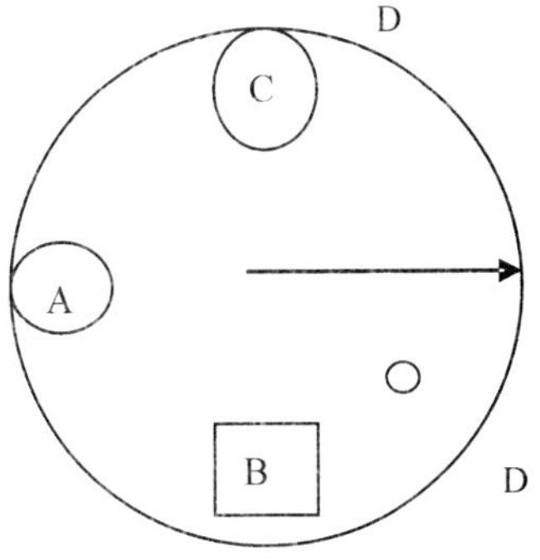

图 5-15　资源收集半径的计算

对于现有林地剩余物中的中幼林抚育修枝、森林采伐、灌木林平茬、经济林和竹林的修枝，它们的剩余物产量与收集半径存在一定关系。

收集半径（R）与收集量（M）之间存在的关系是：

$$收集量 = 收集面积 \times \dfrac{林地面积占区域}{面积的比例} \times \dfrac{单位面积林地}{产出的生物量} \times \dfrac{林木生物量用于}{能源的比例}$$

表 5-5　参数设置

参数名称	代号	参数名称	代号
木材剩余物用于能源的比例（%）	β	单位重量木材剩余物收购价格（元/kg）	C_g
林地占用该地区土地的比例（%）	α	单位重量木材剩余物运输费率[元/（kg·km）]	t_0
平均收集半径（km）	R	装卸费用（元/kg）	W_1
合理平均资源收集半径（km）	R_H	劳动力费用（元/kg）	W_2
年资源收集总量（t/年）	M	林木生物质储藏费用（元/kg）	K
单位土地林木剩余物年产量[kg/（hm²·年）]	M_0	单位标煤价格（元/t）	P
木材剩余物收集总成本（元）	C_Z	国家补贴单价（元/t）	P_0
木材剩余物运输成本（元）	C_J	企业生产木质燃料的成本（元）	C_S
木材剩余物收购费用（元）	C_G	企业生产单位重量木质燃料的成本（元）	C_s
其他费用（元）	C_T	单位重量木材的热值（kJ/kg）	x
其他费用与木材剩余物总成本的比例（%）	γ		

（1）木材加工剩余物资源收集模型：由于木材加工剩余物的资源量与该区域的面积大小不存在关系，它只与木材加工厂年木材消耗量有关。根据对通辽调查点木材加工厂的调查和其他地区的资料，木材加工剩余物数量为原木的 34.4%，其中：板条、板皮、刨花等占全部剩余物的 71%，锯末占 29%。

设木材加工厂剩余物数量为 W_1：

$$W_1 = JQ_1$$

设木材加工厂的资源收集量为 M_H：

$$M_H = JQ_1\rho \tag{5-3}$$

式中：Q_1 为木材加工厂原木产量（m^3）；

J 为木材加工剩余物数量占原木的百分比；

ρ 为木材的密度（kg/m^3）。

（2）中幼林抚育修枝剩余物收集半径的计算公式：

① 枝丫数量 W_{r_1}：$\qquad W_{r_1} = U_1 Q_2$

式中：Q_2 为抚育伐商品材产量（m^3）；

U_1 为枝丫占抚育商品材百分比。

② 小杆数量 W_{r_2}：$\qquad W_{r_2} = U_2 Q_2$

式中：U_2 为小杆占抚育伐商品材百分比。

③ 枯倒木数量 W_{r_3}：$\qquad W_{r_3} = U_3 Q_2$

式中：U_3 为枯倒木占抚育伐商品材百分比。

④ 中幼林抚育剩余物 W_r：$\qquad W_r = W_{r_1} + W_{r_2} + W_{r_3}$

那么，假设 $x hm^2$ 林地有抚育伐商品材产量 Q_2，则中幼林抚育修枝的资源收集半径的公式为：

$$R = \sqrt{\frac{M \times 10^3}{(W_{R1} + W_{R2} + W_{R3}) \times \rho \times \alpha \times \beta \times \pi}} = \sqrt{\frac{M \times 10^3}{\alpha \times \beta \times \pi \times (U_1 + U_2 + U_3) \times \rho \times Q_2/x}}$$

$$\tag{5-4}$$

式中：ρ 为主伐商品材平均密度（kg/m^3）。

（3）森林采伐剩余物收集半径的计算公式：

① 枝丫数量 W_{E_1}：$\qquad W_{E_1} = E_1 Q_3$

式中：W_{E_1} 为枝丫含量（m^3）；

Q_3 为年主伐商品材产量（m^3），$Q_3 = Q(1 + e)$，Q 为除去生产过程中消耗量的主伐商品材产量（m^3）。

② 枯倒木数量 W_{E_2}：

$$W_{E_2} = V_2 F_1$$

式中：V_2 为枯倒木含量；

　　　F_1 为主伐面积。

③ 伐区遗弃材数量 W_{E_3}：

$$W_{E_3} = V_3 F_1$$

式中：V_3 为伐区遗弃材含量。

④ 主伐剩余物总量 W_E：

$$W_E = W_{E_1} + W_{E_2} + W_{E_3}$$

那么，假设 $x \, hm^2$ 地有主伐商品材产量 Q_3，则森林采伐剩余物资源收集半径的计算公式：

$$R = \sqrt{\frac{M \times 10^3}{\beta \times \pi \times (V_1 \alpha_{01} Q_3 / x + V_2 \alpha_{02} + V_3 \alpha_{03}) \times \rho}} \tag{5-5}$$

式中：ρ 为主伐商品材平均密度（kg/m^3）。

（4）灌木林剩余物收集半径的计算公式：

设灌木数量 W_c，则其计算公式为：

$$W_c = V_1 F_1$$

式中：V_1 为单位面积灌木含量；

　　　F_1 为主伐面积。

那么，灌木林剩余物收集半径的计算公式为：

$$R = \sqrt{\frac{M \times 10^3}{\beta \times \pi \times V_1 \times F_1 \times \rho \times \alpha_{03}}} \tag{5-6}$$

式中：ρ 为主伐商品材平均密度（kg/m^3）

5.4.2.3　平均资源合理收集半径确定

5.4.2.3.1　平均资源合理收集半径

对于平均资源合理收集半径（用 R 表示平均资源收集半径，R_H 表示合理平均资源收集半径）是指在其他条件满足的前提下，能够保证单位木材剩余物收集费用低到使生产林木生物质能源的费用与当前化石能源价格（这里指煤炭价格）相当或更低的平均资源收集半径。这样的木材剩余物收集半径才符合林木生物质能源加工企业生产与运营的基本要求。上面对每一种林木生物质剩余物资源的收集半径的计算，需在经济约束条件下进一步获得合理的平均资源收集半径。

根据上面的定义，R 是可以调节的。就目前林木生物质能源的开发利用现状来看，木材剩余物用于生产木质成型燃料成本高于煤炭价格，因此，国家对于可再生能源的利用有价格补贴政策，设单位补贴价格为P_0。在既定条件下，确定或者调整R的值，使得单位林木剩余物收集费用低到使得生产木质成型燃料的费用与国家补贴之和低于目前煤炭的价格，用数学语言可概括地表达为：

$$C_{\Sigma} = f(R) + P_0 < P \tag{5-7}$$

5.4.2.3.2　平均资源收集半径(R)与各因子及费用相关关系分析

平均木材剩余物资源收集半径(R)与木材剩余物收集中许多因子和费用之间存在密切联系，这种联系使得R的大小对木材剩余物收集费用的高低有直接或间接影响，所以，通过调整R，求得木材剩余物收集各项费用最佳组合，达到$C_{\Sigma} < P$之目的。事实上，调整R确有"牵一发而动全身"的作用。下面就从R变动出发，以费用表达式为归宿，就几个主要因素及其费用，分析R与它们的关系。

（1）每千克木材剩余物收购费用(C_g)。可以根据具体的调查数据来确定，这里的收购费用是指在木材剩余物被运输到生产厂家之前从林户或林场收购的价格。

收购成本与年收集量和收购价格有关，可以这样计算：

收购成本 = 年收集量 × 收购价格

即：

$$C_G = MC_g \tag{5-8}$$

（2）木材剩余物运输费用(C_J)。由于林木生物质资源的分布特点决定运输费用——收集量和运输距离都是动态变化，所以可以在圆形的收集区域运用定积分相关知识进行计算：

设收集半径r为积分变量，积分区间为$[0，R]$，求出微元：

$$dC_J = 2\pi r^2 dr \cdot \alpha_i \beta M_{0i} t_0$$

相应地，其积分公式：

$$C_J = \int_0^R 2\pi \alpha_i \beta r^2 t_0 M_{0i} dr = \frac{2\pi \alpha_i \beta t_0 M_{0i}}{3} R^3 \tag{5-9}$$

其中：$i = 1，2，3，4$。

（3）其他费用C_T。C_T为木材剩余物的劳动力费用、装卸费用及林木生物质能源产品储藏费用之和，即：

$$C_T = M(W_1 + W_2 + K) \tag{5-10}$$

其他费用与林木生物质资源的收集量的关系为：木材剩余物其他费用(C_t)与年收集量(M)成正比，而木材剩余物总成本也与收集量成正比关系，所以其他费用与木材剩余物总成本存在固定比例的关系，其值设为γ，即：

$$C_T = \gamma \cdot C_Z \tag{5-11}$$

（4）林木剩余物收集总成本 C_Z。C_Z 为收购价、运输费用及其他费用之和，即：

$$C_Z = C_G + C_J + C_T \tag{5-12}$$

将公式（5-8）–（5-11）联立：

$$C_Z = MC_g + \frac{2\pi\alpha_i\beta M_{0i}t_0}{3}R^3 + \gamma C_Z$$

$$C_Z = \pi\alpha_i\beta M_{0i}R^2 C_g + \frac{2\pi\alpha_i\beta M_{0i}t_0}{3}R^3 + \gamma C_Z$$

$$(1 - \gamma)C_Z = \pi\alpha_i\beta M_{0i}R^2(C_g + \frac{2t_0}{3}R)$$

可求得用 R 表示的 C_Z：

$$C_Z = \frac{\alpha_{0i}\beta M_i\pi R^2}{1 - \gamma}(C_g + \frac{2t_0}{3}R) \tag{5-13}$$

每千克质量的木材剩余物的收集总成本的计算公式为：

$$C_z = \frac{\alpha_{0i}\beta}{1 - \gamma}(C_g + \frac{2t_0}{3}R) \tag{5-14}$$

5.4.2.3.3　合理平均资源收集半径的确定

为了确定林木剩余物平均资源的合理收集半径（R_H），对林木生物质能源的总成本进行约束。木材剩余物用于生产林木生物质能源的方式很多，可压缩成木质成型燃料、木油复合燃料、将木材进行热化学处理，如：生物质气化以及生物质液化等方式。此处仅以林木剩余物资源生产木质成型燃料的利用方式为例，木质成型燃料与煤炭具有替代关系，即将木质成型燃料总成本与煤炭价格进行比较，以此确定 R_H（其他能源利用方式与此并无实质上的区别）。

木质成型燃料总成本与煤炭价格两者之间的关系：

单位标准煤热值的木质成型燃料总成本 + 国家补贴价格 ≤ 单位标准煤价格：

$$\frac{29400}{x}(C_z + C_s) + P_0 \leqslant P$$

从而得出：

$$R_H \leqslant \frac{3}{2t_0}\left\{\frac{1 - \gamma}{\alpha_{0i}\beta}\left[\frac{x}{29400}(P - P_0) - C_s\right] - C_g\right\} \tag{5-15}$$

公式（5-15）是对于单一林种木材剩余物求得的合理平均资源收集半径。对于有四种林种木材剩余物收集总成本为：

$$\sum C_z = \sum \frac{\alpha_{0i}\beta}{1 - \gamma}(C_g + \frac{2t_0}{3}R_H) = \frac{(\alpha_{01} + \alpha_{02} + \alpha_{03} + \alpha_{04})}{1 - \gamma}\beta(C_g + \frac{2t_0}{3}R_H)$$

因此，四种林木剩余物的合理平均资源收集半径约束公式为：

$$R_H \leq \frac{3}{2t_0}\left\{\frac{1-\gamma}{(\alpha_{01}+\alpha_{02}+\alpha_{03}+\alpha_{04})\beta}\left[\frac{x}{29400}(P+P_0)-C_s\right]-C_g\right\} \tag{5-16}$$

5.4.2.4 未来能源林资源收集半径与收集成本的关系模型

5.4.2.4.1 能源林模式原料资源收集模型基本假设

一般来说，为林木生物质能源生产提供原料资源的能源林分布具有如下特征：

（1）广泛性。能源林种植面积无限大，相应的林木生物质分布也无限大，足以满足林木生物质能源企业对林木生物质资源量的需求。

（2）单一性。能源林林木品种单一，木材单位面积的产量相等，不考虑树木品种不同、种植条件不同等因素带来得产量差异。

（3）均匀性。林木生物质资源在该地域内分布均匀，疏密程度相同，即林木生物质资源占用土地的比例、密度在整个区域内是相同的。

（4）周期性。能源林的生长周期为一定年数，能源林长成后每年砍伐部分林木，以保证年年有林木种植，年年有林木砍伐，故相应的林木生物质资源的收集周期为一年。

结合上述能源林特征，在以能源林为主的原料资源供应模式下可对其作出以下假设：第一，林木生物质能源的原料资源收集活动的主体为企业自身，收集距离为收集半径；第二，该区域内具有足够的运输能力和充足的劳动力完成收集任务；第三，忽略其他风险因素（如气候变化、自然灾害等）对能源林资源收集的影响。

由于涉及林木生物质资源收集的各种环境参数的取值问题，这些参数均是已知常量，考虑到通用性问题，这里对相关参数设置见表5-6。

表5-6 参数设置

参数名称	代号
单位面积林木的产量（kg/m²）	M_0
收购价格（元/kg）	c_0
运输费率［元/（kg·km）］	t_0
林地面积占土地面积的比例	k_1，$k_1 \in [0, 1]$
木材收集系数	k_2，$k_2 \in [0, 1]$
木材可利用系数	k_3，$k_3 \in [0, 1]$
综合系数	k，$k = k_1 k_2 k_3$
收集总成本（元）	G
收购成本（元）	C_G

（续）

参数名称	代号
运输费用(元)	C_J
其他费用(元)	C_T
收集半径(m)	R
单位质量木材收集成本(元/kg)	g
收集量(kg)	M
其他费用占收集成本的比例	γ

5.4.2.4.2　资源收集成本与收集半径的关系模型

（1）资源收集总成本的主要构成。

收购成本（C_G）：指林木生物质能源加工企业向能源林经营企业收购林木生物质资源所要支付的成本。

运输费用（C_J）：运输费用指将购买到的林木生物质资源运输至加工企业所形成的费用。

其他费用（C_T）：除了收购成本和运输费用外的其他费用，包括装卸费用、劳动力费用、原料储存费用等。

所以，林木生物质资源的收集成本可以这样计算：收集成本 = 收购成本 + 运输费用 + 其他费用，即：

$$G = C_G + C_J + C_T \tag{5-17}$$

（2）收集成本的计算。收购成本仅与收集量和收购价格有关，可以这样计算：

收购成本 = 收集量 × 收购价格

即：

$$C_G = Mc_0 \tag{5-18}$$

一般情况下，运输费用可以这样得到：运输费用 = 运输量 × 运输距离 = 收集量 × 运输距离。收集量和运输距离都是动态变化的，故运输费用计算需要通过其他途径进行。考虑到收集区域不同位置的林木生物质资源的运输距离不同，在收集量一定的情况下，处于运输费用最小化的考虑，林木生物质资源收集过程中将优先选择距离企业近的能源林，在距离企业近的林木生物质资源全部收集完毕后才会根据需要，进一步向更远处扩大收集范围，故收集区域最终形态应为圆形，如图 5-16。在运输量一定的情况下，运输费用与运输距离呈线性递增关系，而且，考虑到收集区域具有圆形的规则几何形态，我们可以用定积分中的相应知识加以解决。

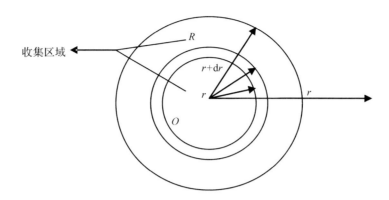

图5-16　运输费用的计算

在具体推算运输费用之前，现有参数间已有以下关系：

收集半径 R 与收集量 M 之间存在如下关系：

$$收集量 = 收集面积 \times \frac{林地面积占}{土地面积的比例} \times \frac{单位面积}{木材产量} \times \frac{木材收集}{系数} \times \frac{木材可}{利用系数}$$

故有，$(k_1\pi R^2)M_0 k_2 k_3 = M$

由综合系数 $k = k_1 k_2 k_3$

得出：

$$kM_0\pi R^2 = M \tag{5-19}$$

距圆心距离为 $r\,m$ 处的林木生物质资源的运输价格为：$t = kM_0 t_0 r$ 元 $/\mathrm{m}^2$。此为单位面积林木生物质资源运输价格的表达式，其实质是运输费率的另外一种表达方式，作用在于方便后续的运算过程。

在此，利用定积分微元分析法计算运输费用。

设收集半径 r 为积分变量，积分区间为 $[0, R]$；

求出微元 $\mathrm{d}Y$，在 $[r, r+\mathrm{d}r]$ 上，$\mathrm{d}Y = 2\pi r \cdot \mathrm{d}r \cdot kM_0 t_0 r = 2\pi kM_0 t_0 r^2 \mathrm{d}r$

积分得：

$$Y = \int_0^R 2\pi kM_0 t_0 r^2 \mathrm{d}r = \frac{2\pi kM_0 t_0}{3}R^3 \tag{5-20}$$

式(5-20)为运输费用的表达式。

此外，还需要计算其他费用。由于其他费用中所包含的装卸费用、劳动力费用、生物质储存费用等均与收集量呈正比关系，同时收集成本也与收集量呈正比关系，故其他费用与收集成本存在固定的比例关系，其值为 γ，故存在：

$$C_t = \gamma G \tag{5-21}$$

由此，可根据以上计算收集成本。

收集总成本(G)计算在求出收购成本、运输费用和其他费用之后，即可计算收集成本。

将 G 表示为 R 的函数关系为：

$$G = \frac{k\pi M_0 R^2}{1-\gamma}\Big[c_0 + \frac{2t_0}{3}R\Big] \tag{5-22}$$

将 G 表示为 M 的函数关系为：

$$G = (1-\gamma)^{-1}\Big[Mc_0 + \frac{2t_0}{3}(\pi k M_0)^{-\frac{1}{2}}M^{\frac{3}{2}}\Big] \tag{5-23}$$

(3)单位质量林木生物质资源收集成本的计算。收集成本计算出来之后，即可进一步计算单位质量林木生物质资源收集成本。

由式(5-22)得：

$$g = \frac{G}{M} = \frac{1}{1-\gamma}\Big[c_0 + \frac{2t_0}{3}R\Big] \tag{5-24}$$

由式(5-23)得：

$$g = \frac{G}{M} = (1-\gamma)^{-1}\Big[c_0 + \frac{2t_0}{3}\Big(\frac{M}{\pi k M_0}\Big)^{-\frac{1}{2}}\Big] \tag{5-25}$$

5.5　阿尔山林木质热电联产项目原料供应方案

5.5.1　阿尔山林木质资源量概述

阿尔山市位于内蒙古自治区兴安盟西北部，处于蒙古、锡林郭勒、科尔沁、呼伦贝尔四大草原交汇处，是兴安盟林区的政治、经济、文化中心。

阿尔山市地区森林资源极为丰富，森林面积46.4 万 hm²，人工林10.3 万 hm²，森林覆盖率为64%，活立木蓄积量3288 万 m³，主要由白狼林业局、阿尔山林业局、五岔沟林业局和阿尔山市区林业局管辖。林相以寒温带针阔叶混交林为主，树种以兴安落叶松、樟子松、山杨、白桦、蒙古栎、红柳为主。

作为典型的林区，阿尔山地区林木质资源剩余物非常丰富。四大林业局每年都有大量的采伐、抚育伐、卫生伐等作业，产生大量的剩余物和枝丫材堆积。由于收集成本的问题，只能任由其在山林中自然腐烂，既造成资源的浪费也不利于森林的健康生长。阿尔山地区还有丰富的灌木林资源，包括纯灌木林地和天然次生林下木，这些灌木林具有热值高、收集和运输方便、自身生长复壮能力强、轮伐期短等优点。阿尔山地区 1997 年和 2003 年发生两次森林大火，受资金的限制，这些火烧木未能被及时清理，至今仍被丢弃在林地中。此外，遍布在阿尔山林区附近大大小小的林木加工场，加工过程中产生的板皮和锯末等剩余物数量也十分巨大。

综上所述，阿尔山地区现有林木质资源剩余物主要由火烧木、采伐剩余物、木材加工剩余物、天然次生林下木、灌木林平茬、卫生伐及枝丫材六部分构成。如何将这部分资源收集起来，并加以合理开发利用，使这些废弃闲置资源变废为宝无疑具有十分重要的意义。

5.5.2　阿尔山林木质热电联产项目简介

为了更好地利用阿尔山地区丰富的林木质资源剩余物，世界银行决定在阿尔山地区建立 $2 \times 12MW$ 林木质直燃热电联产项目，项目总投资 3 亿元，占地 $45hm^2$。生产线拟布置两台 75t 的炉排锅炉，两台 12MW 气炉机，抽气凝气机组。两台炉每小时消耗量 26.5t 削片，日消耗量约 600t，年消耗量达到 18 万 t 以上（按照 300 天计算）。

该项目的建成无疑将给阿尔山地区的经济建设注入强大的活力，但是项目建设也面临着巨大的挑战，因为对于任何一个生产性企业来说，原料的可持续供应对于维持其正常运营起着关键作用。林木生物质资源收集模式的研究属于创新性研究，在国内尚属摸索阶段，没有现成的可供参考的典籍和案例。林木质原材料分布比较分散，给收集工作带来了很大的难度，同时收集成本也比较高，所以研究收集模式，建立起一套完整的原材料供给方案不仅可以保证电厂正常生产所需原料的持续供应，还可以节约成本，提高原料利用率。

5.5.3　阿尔山林木质热电联产项目原料供应方案

根据阿尔山地区林木质资源分布现状和电厂对林木质原料的需求特点，经综合评价表明，在大面积能源林尚未建立起来之前，"收购点 + 电厂直接收购"模式可作为"阿尔山林木质热电联产项目"前期原料供应方案。

选择这一方案是由于阿尔山地区林木生物质原料类型多样，资源分散，且多存在于地势复杂的原始森林中，收集运输不便，所以非常有必要在资源供应地区合理地建立若干个多类型收购站，把分散的不同类型的原料由集材道首先运往收购站点进行集中，再组织成规模的批量汽车运输运往电厂。在阿尔山地区，采伐季节多在冬春季节，故原料的采集也主要在冬春秋三季，存在着原料供应和需求的时间差，为了保证原料的持续供应，必须建立收购站点对原料进行适当的储存和备用；另外，由于原料的类型不同，为了方便运输和充分的炉内燃烧，可以在收购站对收集的原料进行初加工，比如进行削片或者打捆作业。

因此，在方案的原料供应和收集模式中，设计了以设置收购点供应原料为主，以近距离直接输送为辅的模式。拟建立的收购站将作为原料供给的中转站和仓储点，不仅可以弥补原料供应和需求的时间差，保证原料的持续供应，还可以在收购站对收集的原料进行削片加工和炉前干燥等预处理。

收购站的建立要考虑很多因素，包括建立收购站的地势要平缓，周边资源状况要好，要临近公路、铁路，各种硬件设施要完善，防火条件好，等等。在实地调查研究的基础上，结合专家的建议和计算，确定了白狼林业局 33 号林班、白狼林业局 36 号林班、阿尔山林业局金江沟林场 2 号三个中心收购站，收集半径设置是以收购点为中心，分别选取 10km、20km、30km 收集范围。

三个收购站情况各异，而且周围林木质剩余物资源量各不相同，收集运输成本存在差异，如何在保证电厂原材料供给的基础上，实现原材料总供给成本的最小化是一个十分关键的问题。这就涉及三大收购点供给原材料如何分配的问题，下面将借助运筹学里面的线性规划法来实现这一问题的求解。

5.5.4　收购点原料派送量分配

设置收购点是林木生物质能源产业初期原料供应的主要方式之一，对于各收购点原料派送量如何分配问题，此处借助了当今运筹学广泛应用的线性规划方程。

5.5.4.1　线性规划模型的建立

白狼林业局 33 号林班收购点为电厂所提供的林木质资源剩余物供给量为 x。其中 10km 以内为电厂所提供的林木质资源剩余物供给量为 x_1；10～20km 以内为电厂所提供的林木质资源剩余物供给量为 x_2；20～30km 以内为电厂所提供的林木质资源剩余物供给量为 x_3。对应第 i 个收集半径范围内所提供的火烧木、加工剩余物、采伐剩余物、卫生伐及枝丫材、灌木林、天然次生林下木的资源量为 x_{i1}、x_{i2}、x_{i3}、x_{i4}、x_{i5}、x_{i6}，其中 $i=1,2,3$。

白狼林业局 36 号林班收购点为电厂所提供的林木质资源剩余物供给量为 y。其中 10km 以内为电厂所提供的林木质资源剩余物供给量为 y_1；10～20km 以内为电厂所提供的林木质资源剩余物供给量为 y_2；20～30km 以内为电厂所提供的林木质资源剩余物供给量为 y_3。对应第 i 个收集半径范围内所提供的火烧木、加工剩余物、采伐剩余物、卫生伐及枝丫材、灌木林、天然次生林下木的资源量为 y_{i1}、y_{i2}、y_{i3}、y_{i4}、y_{i5}、y_{i6}。其中 $i=1,2,3$。

阿尔山林业局金江沟林场 2 号林班收购点为电厂所提供的林木质资源剩余物供给量为 z。其中 10km 以内为电厂所提供的林木质资源剩余物供给量为 z_1；10～20km 以内为电厂所提供的林木质资源剩余物供给量为 z_2；20～30km 以内为电厂所提供的林木质资源剩余物供给量为 z_3。对应第 i 个收集半径范围内所提供的火烧木、加工剩余物、采伐剩余物、卫生伐及枝丫材、灌木林、天然次生林下木的资源量为 z_{i1}、z_{i2}、z_{i3}、z_{i4}、z_{i5}、z_{i6}。其中 $i=1$，2，3。

则，目标方程为：

$$\text{Min } Q = \sum_{i=1}^{3} \sum_{j=1}^{6} (C_x L_x + c_{ij}) x_{ij} + \sum_{i=1}^{3} \sum_{j=1}^{6} (C_y L_y + c_{ij}) y_{ij} + \sum_{i=1}^{3} \sum_{j=1}^{6} (C_z L_z + c_{ij}) z_{ij}$$

(5-26)

式中：Q——电厂原材料收集总成本；

C_x、C_y、C_z——三大收购点各自的单位运输成本；

L_x、L_y、L_z——三大收购点各自距离电厂的距离；

c_{ij}——第 i 种收集半径下第 j 种资源类型单位收购成本；

x_{ij}——白狼林业局 33 号林班收购点为电厂所提供的第 i 种收集半径下第 j 种资源类型的资源量；

y_{ij}——白狼林业局 36 号林班收购点为电厂所提供的第 i 种收集半径下第 j 种资源类型的资源量；

z_{ij}——阿尔山林业局金江沟林场 2 号林班收购点为电厂所提供的第 i 种收集半径下第 j 种资源类型的资源量。

约束条件：

$$\sum_{i=1}^{3} \sum_{j=1}^{6} x_{ij} + \sum_{i=1}^{3} \sum_{j=1}^{6} y_{ij} + \sum_{i=1}^{3} \sum_{j=1}^{6} z_{ij} = W$$

(5-27)

$$x_{ij} \leqslant V_{ij}$$

$$y_{ij} \leqslant H_{ij}$$

$$z_{ij} \leqslant N_{ij}$$

$$x_{ij}, \ y_{ij}, \ z_{ij} \geqslant 0$$

式中：W——三大收购点所需要为电厂供给的所有林木质资源剩余物供给总量；

V_{ij}——白狼林业局 33 号林班收购点所能获得的第 i 种收集半径下第 j 种资源类型的资源量；

H_{ij}——白狼林业局 36 号林班收购点所能获得的第 i 种收集半径下第 j 种资源类型的资源量；

N_{ij}——阿尔山林业局金江沟林场 2 号林班收购点所能获得的第 i 种收集半径下第 j 种资源类型的资源量。

5.5.4.2　模型可测系数的确定

线性规划模型建立之后，需要对目标方程及约束条件中可以测定的诸如成本、路程等一些系数进行计算，而这些系数的计算精确与否直接关系着模型最后求解过程的正确性。

（1）资源可供量与需求量确定。三大收购点为电厂所提供的原料总量 W：电厂每年林木生物质原材料需求量为 18 万 t，按照"收购点 + 电厂直接收购"模式，电厂原料除了三大收购点供给外，还有一部分由距离电厂非常近的阿尔山林场、伊尔施林场直接供给电厂，因此必须扣除上述两个林场的供给量，才可得到三大收购点为电厂所提供的原料总量。经过计算可知阿尔山林场、伊尔施林场的林木剩余物资源可获得量分别为 30219t 和 26407t。

三大收购点为电厂所提供的原料总量 W = 电厂需求总量 - 阿尔山林场供给量 - 伊尔施林场供给量 = 180000 - 26407 - 30219 = 123374t。

三大收购点在 30km 半径范围内包括的林场范围：洮儿河林场、光顶山林场、小莫儿根河林场、望远山林场、古尔班林场、立新林场和金江沟林场，这 7 个林场在 30km 收集半径内各种资源量合计为：

$$\sum_{i=1}^{3}\sum_{j=1}^{6}V_{ij} + \sum_{i=1}^{3}\sum_{j=1}^{6}H_{ij} + \sum_{i=1}^{3}\sum_{j=1}^{6}N_{ij} = 39183 + 48109 + 40470 = 127762 > W$$

（5-28）

由上可知，三大收购点 30km 内的林木剩余物总量可以满足供给电厂原料的需求。

（2）各类成本可测系数确定。三大收购点单位汽车运输成本 C_x、C_y、C_z：白狼林业局 33 号林班收购点单位汽车运输成本 C_x 为 0.5 元/(t·km)；白狼林业局 36 号林班收购点单位汽车运输成本 C_y 为 0.6 元/(t·km)；阿尔山林业局金江沟林场 2 号林班收购点单位汽车运输成本 C_z 为 0.4 元/(t·km)。

三大收购点各自距离电厂的距离 L_x、L_y、L_z：白狼林业局 33 号林班收购点距离电厂 L_x 为 42km；白狼林业局 36 号林班收购点距离电厂 L_y 为 16km；阿尔山林业局金江沟林场 2 号林班收购点距离电厂 L_z 为 58km。

第 i 种收集半径范围内第 j 种资源类型单位收购成本 c_{ij}：收购点对各类资源的收购价格和进炉前预处理成本的确定主要根据前期对各林业局的实地调查和调整后的经济数据结果进行估算。收购点的林木剩余物原料成本包括收集成本、打捆整理成本、削片加工成本、场地租金、仓储费用等。收购点原料的收集成本和收集数量都将随着采集范围的增加而增加，表 5-7 结合对阿尔山地区经济状况的调查，对以收购点为中心的 10km、20km 和 30km 采集范围内的原料成本进行了估算。

表 5-7　林木资源单位收购成本 c_{ij}

收集半径 i ＼ 资源类型 j	1	2	3	4	5	6
1	162	134	154	154	159	159
2	181	144	171	171	177	177
3	196	154	186	186	191	191

5.5.4.3　运用 Excel 软件求出模型最优解

把上述 5.5.4.2 中计算的各类可测系数代入目标方程（5-26）和约束方程（5-27），进行规划求解计算即可得到最优解：

电厂总收集成本 Q 最小为 23673485 元。

在最小收集成本下，三大收购点 10～30km 收集半径范围内为电厂供给的各种类型林木剩余物资源量分别见表 5-8 至表 5-10。

表 5-8　收购点 1 的林木剩余物资源供应量（t）

范围 ＼ 类型	火烧木	加工剩余物	采伐剩余物	卫生伐及枝丫材	灌木	天然次生林下木	供应总量
10km 以内	4376	220	0	4700	584	3181	13061
≥10～20km	4375	220	0	4700	584	3181	13060
≥20～30km	4210	220	0	4599	451	3048	12528
小计	12961	660	0	13999	1619	9410	38649

表 5-9　收购点 2 的林木剩余物资源供应量（t）

范围 ＼ 类型	火烧木	加工剩余物	采伐剩余物	卫生伐及枝丫材	灌木	天然次生林下木	供应总量
10km 以内	9148	124	227	2793	1854	1890	16036
≥10～20km	7691	124	227	2793	1854	1890	14580
≥20～30km	7593	124	201	2767	1796	1831	14312
小计	24433	371	656	8352	5504	5612	44928

表5-10　收购点3的林木剩余物资源供应量(t)

范围 ＼ 类型	火烧木	加工剩余物	采伐剩余物	卫生伐及枝丫材	灌木	天然次生林下木	供应总量
10km以内	0	0	1265	5885	232	6108	13490
≥10~20km	0	0	1248	5868	175	6051	13343
≥20~30km	0	0	1150	5770	84	5960	12964
小计	0	0	3663	17524	491	18119	39797

这里，根据收购点周围资源分布特点，充分考虑其周边森林资源量及收集运输成本的差异性，在保证林木生物质能源生产企业原料需求量的基础上，以实现原材料总供给成本的最小化，进而实现各收购点原料派送量的合理分配。线性规划方法在该解决问题中的应用，使得原料供给方案制定科学化、定量化、具体化。对于拟建模型的求解过程不需选用对数学基础要求较高的运筹专业软件进行求解，而是运用广泛普及的 Microsoft Excel 2003 软件即可计算求解，简便易学，有利于该方法在林业系统的推广。

第6章　生物质液体燃料

生物质液体燃料是重要的石油替代产品，不仅具有较好的可再生性，而且在环境保护方面普遍具有优良特性。传统的化石能源中提炼出的液态燃料多数都可以用生物质液体燃料加以替代，包括燃料乙醇替代汽油、生物柴油替代石化柴油等。燃料乙醇和生物柴油是我国《可再生能源中长期发展规划》中的重点发展领域。

我国人口数量庞大，土地资源有限，在确保粮油战略安全前提下，合理利用非粮油生物质原料制取液体燃料，是我国生物质液体燃料发展的基本原则。我国森林资源丰富，且开发潜力巨大，利用丰富的森林生物量剩余物开发液体燃料具有重要的现实意义和战略意义。

6.1　生物质液体燃料概述

生物质液体燃料是由生物质资源生产而来的液体燃料，其适用性强，可作为汽油、柴油等传统燃料的替代品，广泛应用于移动或非移动内燃机及其燃油系统，也可广泛应用于锅炉和其他加热设备。在过去的几年中，世界生物质液体燃料以惊人的速度发展，2008 年产量为 657 亿 L，2009 年达到 740 亿 L，2011 年增长到 846 亿 L；生物柴油 2008 年产量为 160 亿 L，2009 年为 170 亿 L，2011 年增长到 214 亿 L。

巴西和美国是生物燃料乙醇生产大国，2012 年，两国的燃料乙醇产量分别达到 234 亿 L 和 508 亿 L（表 6-1）。欧洲是世界生物柴油发展最快的地区，主要以菜籽油为原料，自 2000 年以来，年增长率约为 28.22%。我国已开始在交通燃料中使用燃料乙醇，以粮食为原料的燃料乙醇年生产能力为 102 万 t；以非粮原料生产燃料乙醇的技术已初步具备商业化发展条件；以餐饮业废油、榨油厂油渣等为原料的生物柴油生产能力达到年产 5 万 t。

受石油价格上涨和全球气候变化的影响，生物质液体燃料的开发和利用日益受到国际社会的重视，许多国家提出明确的发展目标，制定支持生物质液体燃料发展的法规和政策，使其技术水平不断提高，产业化规模逐渐扩大。

表 6-1　2012 年世界生物燃料产量前几位的国家及欧盟产量

国家	生物燃料乙醇(×10亿L)	生物柴油(×10亿L)
巴西	23.4	2.7
加拿大	1.9	0.2
中国	2.5	0.9
印度	0.3	0.1
印度尼西亚	0	2.2
马来西亚	0	1.7
美国	50.8	3.7
欧盟	4	10

数据来源：U.S. Energy Information Administration 网站中 International Energy Statistics。

　　生物质液体燃料主要用于交通动力用能，国际上很多机构，如国际能源机构(International Energy Association)和欧洲生物质协会(European Biomass Association)在其发表的部分报告中，将生物质液体燃料称为"交通用生物质燃料"(transportation biofuels)。交通用生物质燃料包含液态和气态两种形式。本章重点介绍的液态生物质燃料——生物柴油(biodiesel)和燃料乙醇(fuel ethanol)。

6.2　生物柴油开发与利用

6.2.1　生物柴油及其一般特性

　　生物柴油是以生物质为原料生产的，由脂肪酸单烷基酯的混合物构成的液体燃料，又可称为燃料甲酯、生物甲酯或脂化油脂。我国 2007 年颁布的《柴油机燃料调和用生物柴油标准(BD100)》(GB/T 20828—2007)中所指的生物柴油，是指由动植物油脂与醇(例如甲醇或乙醇)经酯交换反应制得的脂肪酸单烷基酯(最典型的为脂肪酸甲酯，以 BD100 表示)。

　　生物柴油于 1988 年由德国聂尔公司发明，相关技术的大规模研究始于 20 世纪 50 年代末 60 年代初，发展于 20 世纪 70 年代，20 世纪 80 年代以后迅速发展。目前，世界生物柴油年产量已超过 2000 万 t，2012 年，更是达到 2400 多万 t。欧洲是目前世界最大的生物柴油生产地区，2012 年欧盟生物柴油的产量为 940 万 t。德国的生物柴油生产在欧盟处于领先地位，产业发展迅速，2004 年产量达 193 万 t，2005 年产量约为

167 万 t，2010 年产量达 800 万 ~1000 万 t。

世界生产生物柴油的主要国家和地区，见表 6-2。

表 6-2　生产生物柴油的主要国家和地区

国家和地区	原料	生物柴油使用比例	2005 年产量（万 t）
欧盟	主要是油菜籽	B5-B20，B100	452
美国	主要是油菜籽	B5-B30	125
印度尼西亚	主要是棕榈油	B10-B20	30
马来西亚	主要是棕榈油	B20-B100	24
巴西	主要是大豆油	B10-B20	17

数据来源：FAO, the state of food and agriculture, biofuels; prospects, risk and opportunities(2008)。

制取生物柴油的原料来源广泛，目前较为常见的是地沟油、酸化油等垃圾油、大豆油和菜籽油等作物油脂。以小桐子和黄连木等油料、林木果实为原料制取生物柴油具有较好的发展前景，包括我国在内的许多国家都在进行相关的技术研发和推广。

纯态的生物柴油（B100）和与石化柴油相混配的生物柴油都可以直接在车辆及其他燃油设备上使用。不同的车型适合的混配比例不同，生物柴油的混配比例从 5% ~ 100% 不等，通常混配的比例有 B2（含 2% 的生物柴油）、B5（含 5% 的生物柴油）以及 B20（含 20% 的生物柴油）等。B2 和 B5 在多数柴油机当中皆可安全使用，使用超过 5% 的混合燃料目前还不普遍。与石化柴油相比，生物柴油具有很多优点，见表 6-3。

表 6-3　生物柴油与石化柴油主要性能比较

指标	优势	劣势
可获得性	原料来源广泛，各种废弃动植物油脂和可大规模种植的油料作物和油料林木果实都可以作为原料，且具有可再生性	
燃烧性能	十六烷值较高，大于 45（石油化柴油为 45），点火性能佳，抗爆性能优，含氧量高，可达 11%，燃烧更充分，在燃烧过程中所需的氧气量较少	
环保特性	较少的空气污染和温室气体排放 硫含量低，二氧化硫和硫化物的排放低 氧含量高，燃烧时排烟少，一氧化碳的排放少 不含对环境会造成污染的芳香族烷烃，产生的废气对人体损害低 生物降解性高	氮氧化合物排放量较多

（续）

指标	优势	劣势
能耗特性		燃料所含能量少，燃料的动力性较差
通用性	可以在大多数的柴油发动机上使用，尤其是新型的；无须改动柴油机，可直接添加使用，同时无须另添设加油设备。闪点高，有利于安全运输、储存和使用	超过 5% 混配的仍然没有得到汽车生产商认可

6.2.2　生物柴油生产技术

生物柴油的制取要经过原料油制取和最终产品制取两个阶段。

原料油制取通常采用的方法为压榨法和浸出法。浸出法制油是应用萃取的原理，选用能够溶解油脂的有机溶剂，经过对油料的接触——浸泡或喷淋，使油料中油脂被萃取出来，在我国已被普遍采用。用压榨、浸出法制取得到的未经精制的油脂称为毛油。毛油的主要成分为甘油三酸酯，其余成分统称为杂质，可以通过精炼过程加以清除。

以生物柴油原料油为原料可以制成生物柴油。生物柴油的制备方法主要有物理法和化学法，物理法包括直接混合法和微乳液法，化学法主要为酯交换法。

酯交换法包括化学催化法、生物酶催化法和超临界法等技术，是目前生产生物柴油的主要方法。该方法利用动物和植物油脂与甲醇或乙醇等低碳醇在催化剂存在下进行转酯化反应，生成相应的脂肪酸甲酯或乙酯，再经洗涤干燥即得生物柴油。

生物柴油几种生产技术的比较，见表 6-4。

表 6-4　生物柴油几种生产技术的比较

变量	酸水解	碱水解	酶水解	超临界
反应温度（℃）	55～80	60～70	30～40	239～385
原料中的游离脂肪酸	酯	皂化产物	甲酯	酯
原料中的水分	干扰反应	干扰反应	没影响	
甲酯产量	正常	正常	相对较高	好
甘油回收	困难	困难	容易	
甲酯净化	反复洗涤	反复洗涤	无	
催化剂成本	便宜	便宜	相对较贵	中等

数据来源：J. M. Marchetti，V. U. Miguel，A. F. Errazu. Possible methods for biodiesel production. Renewable and Sustainable Energy Reviews 11. (2007)：1300～1311。

6.2.2.1 化学催化法

化学催化法(简称化学法)是用动物和植物油脂与甲醇或乙醇等低碳醇在酸或碱性催化剂和高温(230~250℃)下进行转酯化反应,生成相应的脂肪酸甲酯或乙酯。化学法酯交换制备生物柴油包括均相化学催化法和非均相化学催化法。均相催化法有碱催化法和酸催化法,采用的催化剂一般为 NaOH,KOH,H_2SO_4 或 HCl 等。非均相催化法使用 ZnO,$ZnCO_3$,$MgCO_3$ 等催化剂。

根据酸碱催化剂的相态,化学催化法又可以分为液体酸碱催化剂法和固体酸碱催化剂法。德国鲁奇(Lurgi)公司、德国斯科特(Sket)公司和 Connemann 公司、德国汉高(Henkel)公司和加拿大多伦多大学都开发出了液体酸碱为催化剂的连续化醇解工艺,法国石油研究院(IFP)重点开发了以固体酸碱为催化剂的醇解工艺。

化学法是生物柴油生产中较为常用的方法,但其后处理工序较为复杂,能耗高,生产过程有废碱液排放等问题,为此,许多国家都在开展生物酶法合成生物柴油技术的研究。

6.2.2.2 生物酶催化法

生物酶法是利用动植物油脂和低碳醇通过脂肪酶进行转酯化反应的生物柴油制备技术。用于催化合成生物柴油的脂肪酶主要有酵母脂肪酶、根霉脂肪酶、毛霉脂肪酶、猪胰脂肪酶等。与传统的化学法相比较,酶法合成生物柴油具有条件温和、转化效率高、无污染物排放等优点,酶法合成生物柴油的关键步骤是酶的固定化。它可以通过酶的回收和重复使用,降低生产成本。混在反应物中的游离脂肪酸和水对酶的催化效应无影响。反应液静置后,脂肪酸甲酯即可与甘油分离,从而可获取较为纯净的柴油。

生物酶法生物柴油制备目前有固定化酶法,全细胞法和液体酶法。

6.2.2.3 超临界法制备生物柴油

用植物油和与超临界甲醇反应制备生物柴油的原理与化学法相同,都是基于酯交换反应。但超临界状态下,甲醇和油脂成为均相,均相反应的速率常数较大,所以反应时间短。日本住友化学公司已成功开发了超临界制造生物柴油技术,该技术转化费用较传统方法低约6%。

除以上三种技术外,目前国内外正在攻克以纤维素为原料,气化后经费—托合成生物柴油的技术和通过热裂解或催化裂解得到生物柴油的技术。

1923 年,德国 Fischer 和 Tropsch 发现在铁催化剂上一氧化碳和氢的合成气可制取液体烃燃料,后来被称为费—托合成法。目前,这种技术已经成为生物合成燃料技术的一大研究热点,发展前景良好。德国 CHOREN 公司在 1999 年就成功开发了合成柴油的生产技术，技术较为成熟，其产品 Sunfuel 性能优良，可直接以任意比例用于现有柴油机。

高温热裂解法生产生物柴油是在高温下进行，需要常规的化学催化剂，反应物难以控制，设备较为昂贵。1993 年，Pioch 等对植物油经催化裂解生产生物柴油进行了研究，裂解得到的产物分为气液固三相，其中液相的成分为生物汽油和生物柴油。分析表明，该生物柴油与普通柴油的性质非常接近。

6.2.3　生物柴油技术评价

生物燃料技术作为保障能源安全，尤其是降低石油进口依存度方面所能发挥的作用已经越来越受到国际社会的关注和认可。同时，生物燃料与化石燃料相比，其燃烧过程中较低的温室气体排放使之成为各国减排的重要举措之一。

对生物柴油技术进行评价时，不能仅仅局限于生物柴油作为动力燃料在交通工具的使用上，而是要考虑由生物质原料的种植，收集，预处理到生物柴油制取，运输和使用一系列过程所构成的生态循环整体的能量效率和环境负荷。因此，对生物柴油等生物燃料类技术的评估是一件较为复杂的工作，世界许多国家的研究人员都对此进行了大量的试验研究。

为了全面评价不同燃料的技术情况，很多研究机构在对生物燃料技术进行研究时普遍采用了全生命周期评价方法(life cycle analysis，LCA)。LCA 评价方法的一般步骤为：定义系统边界、全生命周期库存分析、全生命周期影响评估和全生命周期成本评估四部分。该方法需要从生物质原材料的种植到最终作为燃料燃烧有一个全面的认识和综合评价，包括化学品生产和运输；原材料种植和收获、果实收获；原料运输；原料油生产、运输；生物柴油生产；燃料输配及燃烧/车辆使用等阶段。针对车用燃料研究的特殊性，美国能源部阿冈国家实验室(Argonne National Laboratory)提出了"从矿井到车轮"(well-to-wheel)的燃料系统评价体系。这个体系分成燃料生产(well-to-tank)和机动车使用(tank-to-wheel)两个阶段，研究机动车燃料整个生产和使用过程中的能源消费、燃料经济性、相关的污染物排放和温室气体排放。

生物柴油生产效率、能源效率与温室气体减排效果综述，见表6-5。

表 6-5　生物柴油生产效率、能源效率与温室气体减排效果综述

文献	原料	生产效率 （L/t 原料）	燃烧过程 能源效率	全生命周期温室气体减排比例 （每千米行程）
GM，et al.，2002	油菜	n/a	0.33	49%
Levington，2000	油菜	151	0.4	58%
Levelton，1999	油菜	n/a	n/a	51%
Altener，1996	油菜 – a	1.13	0.55	56%
Alterner，1996	油菜 – b	1.32	0.41	66%
ETSU，1996	油菜	1.18	0.82	56%
Levy，1993	油菜 – a	1.18	0.57	44%
Levy，1993	油菜 – b	1.37	0.52	48%
Levelton，1999	大豆	n/a	n/a	63%

数据来源：IEA，2006。

6.2.3.1　资源影响评价

　　许多研究人员对生物柴油资源和能源消耗特性进行了实验分析，但是由于他们所选择的原料作物不同，产地不同，所选择的系统边界不尽相同，研究结果也不太相同。不过从总体趋势上来看，生物柴油在能源消耗和温室气体减排方面具有比化石柴油优良的特点。

　　除了能源资源和作物资源外，土地资源的使用以及土地使用的变化对生物燃料技术的评价是十分重要的。生物质燃料是清洁能源，具有明显的减排功效，但是大面积种植新的物种对当地生态的影响性不能忽视。如果用来种植能源作物的土地可以成为森林，就有可能会显著增加温室气体的排放。Dellucci(2004)考虑了土地变化后的温室气体排放。他的初步研究成果表明，用于种植能源作物所带来的温室气体减排量取决于之前土地的利用状况。考虑能源安全的保障，生物柴油作为一种可以替代石油的交通燃料，被认为可以在很大程度上替代车用柴油燃料。但是，也有很多研究学者的观点认为因为种植面积所限，单位面积油料作物和林木的产量有限，生物柴油不可能在数量上大规模替代传统柴油。

6.2.3.2　环境影响评价

　　城市交通机动车排放污染物主要有一氧化碳(CO)、氮氧化物(NO_x)，碳氢化合物(HC)，悬浮颗粒物和少量的二氧化硫(SO_2)，醛类($RCHO$)等，从而造成臭氧、颗粒物、酸雨、有害物、降低能见度、大气沉降，最终导致气候变化。根据城市大气污

染物来源的分类统计，在主要大城市中，已有 80% 左右的大气污染来源于交通废气。从生物柴油作为燃料使用过程的现有评价结果来看，采用生物柴油可以有效降低尾气中的 SO_x 的排放量，减少约 30% 的二氧化硫和硫化物的排放量。美国密歇根技术大学对生物柴油在引擎中燃烧后排出尾气中的固体颗粒的粒径分步进行了分析测试，结果表明，生物柴油燃烧后产生的颗粒物的粒径集中在 0.12 ~ 0.15μm 之间，略小于矿物柴油燃烧后产生的颗粒物。但是使用生物柴油所形成的 TPM 质量浓度小很多，约为 2 号柴油的 30% ~ 34%。1998 年，美国能源部和农业部联合进行了生物柴油的研究，结果表明，与普通石油系柴油相比，CO_2 排放降低 78%，颗粒物和 HC 的排放也相应降低。

不同比例生物柴油的减排量，见表 6-6。

表 6-6　不同比例生物柴油的减排量

排放类型	B100	B20	B2
未燃碳氢化合物	-67%	-20%	-2.2%
一氧化碳	-48%	-12%	-1.3%
颗粒物	-47%	-12%	-1.3%
氮氧化物	10%	2%	0.2%

数据来源：Richard Nelson. http：//www.igert.ksu.edu/biodiesel.ppt。

生物柴油是唯一通过美国环保局（EPA）有关排放指标和潜在的健康影响评价的可替代燃料。生物柴油还是第一个满足"1990 清洁空气法案"的健康测试要求替代燃料品种。根据美国国家生物柴油委员会（NBB）的结论，"在常规发动机中使用生物柴油可明显降低未燃尽烃、一氧化碳和颗粒物含量"。

生物柴油对环境的影响是否利大于弊的问题仍在争论之中，尽管绝大多数研究表明生物柴油在使用中具有良好的环保性能，但是在其全生命周期中，特别是原料种植阶段是否同样具有环保性仍然是一个备受争议的问题。比如有研究表明，大面积种植油菜籽，将会增加空气中的氮氧化物含量。

6.2.3.3　生物柴油技术经济性评价

生物柴油自身特性优良，在填补能源供需缺口的同时还有利于缓解环境危机，表现出很好的发展潜力。然而较高的生物柴油成本导致从销售价格上生物柴油还不能与传统石化柴油形成竞争。在以植物油为原料的生物柴油生产中，植物油价格占到成本的 70% ~ 80%。即使原油价格达到 100 美元/桶，石油柴油价格为 6000 元/t，则生物柴油仍不具有价格竞争力。因此，目前生物柴油在全球的市场尚不及石化柴油，成本问题是限制生物柴油使用的最主要问题，只有降低成本，才能实现生物柴油的市场化推广和商业化应用。从长期来看，由于石油的不可再生性，石化柴油的生产市场价格长期面临着上扬的趋势。这也为生物柴油的发展提供了市场空间，间接提高了生物柴油的市场竞争能力。

目前，生物柴油的生产的直接成本达 4000 元/t（丁夫先，2006），因此，采用廉价原料及提高转化从而降低成本是生物柴油能否实用化的关键。美国已开始通过基因工程方法研究高油含量的植物，日本采用工业废油和废煎炸油，欧洲是在不适合种植粮食的土地上种植富油脂农作物。受原料价格的影响，我国目前可以采用的原料非常有限。价格高于 4500 元/t 的菜籽油、棉籽油、大豆油等原料油基本不在考虑范围之内。酸化油、地沟油等废弃油目前的价格能维持在 3000 元/t 左右，是我国制备生物柴油的主要来源。而林木质植物的大规模种植以及果实的收集目前还存在一定困难，成本较高需要一段时间培育和发展。

6.2.4　我国生物柴油产业现状

我国柴油消费逐年增加，柴油在成品油消费中比重不断上升，2000 年的柴汽比为1.92，2005 年达到了 2.26。在国家宏观调控政策的指导下，我国生物液体燃料的产业结构在发展中不断调整，在调整中不断优化，在生产原料，投资主体，产品种类等各方面都不断丰富。生物柴油产业发展具有以下特点。

6.2.4.1　产业起步较晚但充满活力

我国生物柴油产业由国内民营企业发起，技术水平相对落后，生产能力有限，生产原料长期以废动植物油脂为主。与欧美国家相比，我国在发展生物柴油产业方面还有相当大的差距。由于经济和技术的原因，真正实现生物柴油工业化生产的企业为数较少。在《可再生能源法》颁布以后，作为可再生能源开发利用形式之一的生物柴油得到较快发展，目前全国共有 20 多家生物柴油加工厂，生产能力 30 万 t/年，一批龙头企业崭露头角，涌现出四川古杉油脂化学有限公司、海南正和生物能源公司、福建龙岩卓越新能源开发有限公司、湖南海纳百川生物工程有限公司、湖南天源生物清洁能源有限公司等一批拥有自主知识产权技术，生物柴油产能超万吨的民营生产企业（任东明，2007）。

6.2.4.2　市场保障机制有待完善但市场体系已日臻健全

据不完全统计，我国年产生物柴油 7 万~8 万 t，主要应用于油炉、工具车及柴油机等场合，车辆用生物柴油还是个空白。生物柴油原料市场体系、生物柴油市场准入制度、价格引导机制、生物柴油适用工程化技术体系和高效应用技术体系等产业化发展规范体系仍然急需建立。但是随着《可再生能源法》的颁布，《关于发展生物能源和生物化工财税扶持政策的实施意见》的发布和《可再生能源中长期发展规划》的制定，将在合理引导生物柴油产业发展的基础上，为生物柴油产业的健康发展提供有力的保障。为进一步促进生物柴油产业健康有序发展，为生物柴油的生产和应用提供依据，2007 年由石油化工科学研究院负责起草的《柴油机燃料调合用生物柴油（BD100）国家标准》正式发布。

柴油的供需平衡是我国成品油市场的严峻问题。我国柴油消耗量大大高于汽油，近几年来，尽管炼化企业通过持续的技术改造，生产柴汽比不断提高，但仍不能满足消费柴汽比的要求。我国柴油市场缺口很大，不仅需要大量进口原油，而且需要进口成品柴油，用以平衡市场的供需矛盾。生物柴油作为可再生并已经商品化的柴油机液体燃料，是化石柴油的最佳替代品，具有广阔的市场和良好的产业发展前景。目前，国有大型企业和外资企业也逐渐加入生物柴油的生产行列。

6.2.4.3　技术工艺较为落后但已逐步成为研发热点

我国生物柴油的研究与开发起步较晚，"十五"期间，科技部将生物柴油技术发展列入国家 863 计划和科技攻关计划；中国石油化工科学研究院、中国农业科学院、中国农业工程研究设计院、清华大学、北京化工大学、四川大学、石油大学和北京理工大学等机构开展了生物柴油的研究。海南正和生物能源公司、四川古杉油脂化工公司和福建卓越新能源发展公司等都已开发出拥有自主知识产权的技术。

按照生产原料的研发现状来讲，我国生物柴油原料供应现状为：①以地沟油、酸化油等低价垃圾油为主体原料参差不齐，供应混乱；②具有一定种植规模的油脂，如菜籽油、棉籽油、大豆油，由于价格过高原因，无法成为生物柴油当前主要原料；③具有发展前途的木本油料如小桐子油、黄连木油还处于试点培育期，未能成为生物柴油主要原料；④部分老生物柴油企业的原料来源依赖棕榈油等的进口。在原料培育和种植方面，国际社会已开始寻求更为先进的技术。20 世纪 90 年代中期以来，以转基因技术为核心的农业生物技术产业取得突飞猛进的发展，这也为油料作物的改良提供了契机。目前，在油菜改良方面已成功应用了基因转移技术。

四川省林业厅直属的重点大型国有森工企业长江造林局，结合实施天然林资源保护工程，在建设国家生态公益林的同时，积极探索新型林业产业发展途径。几年来，与四川省林业科学院合作开展小桐子良种选育和栽培技术试验示范，与四川大学对小桐子生物柴油进行合作开发，通过产、学、研相结合，搭建了小桐子生物种植和生物柴油技术创新平台。在国内率先对小桐子生物柴油加工工艺进行研究，取得知识产权，建成了年产 200t 麻疯树油柴油混合燃料的中试车间，采用微乳化复合添加剂合成

B20 型麻疯树生物柴油,并在成都公共交通公司的柴油公交汽车实际运行中取得成功(丁夫先,2006)。

按照技术工艺的发展脉络来讲,我国现行生物柴油制备技术以间歇式釜式催化反应为主,设备投资少,但重复性大,见效快。酸价低于 10 的油品,采用固体碱一步法酯交换反应,得率高,具有一定的环境污染,酸价高于 10 的油品,采用酸催化酯化、碱催化酯交换法。生物柴油技术发展的主要特点:间歇式向连续式转化,釜式反应向塔式及管道式反应转化,酯化与酯交换二步法向一步法转化,催化剂向绿色化转化,生产向高效低能耗转化,反应过程向清洁无污染转化,应用技术向高效、精细化转化(聂小安,2006)。

海南正合生物能源公司经过多年探索和努力,于 2001 年 9 月在河北武安市建成了我国第一个生物柴油生产装置,以餐饮废油、榨油废渣和林木油果为原料。福建龙岩卓越新能源发展有限公司是一家从事生物柴油等环保新能源产品研发、生产及经营的高科技企业。该公司利用自主开发的新型催化剂,实现废油中脂肪酸三甘酯的醇解和脂肪酸的酯化反应同时连续进行,使 95% 以上废弃动植物油经一步反应转化为脂肪酸甲酯,经过进一步加工后得到生物柴油产品。公司 2002 年年底建成年产 1 万 t 生物柴油生产线,在国内率先实现生物柴油工业化生产。目前,生物柴油生产基地有龙岩公司本部年产 5 万 t 和卓越生物质能源有限公司年产 5 万 t,是中国生物柴油龙头企业。

6.3 生物燃料乙醇开发与利用

6.3.1 生物燃料乙醇及其一般特性

乙醇是分子式为 C_2H_5OH 或 CH_3CH_2OH 的无色、透明液体。乙醇用途广泛,可用于化学工业、农业和医药工业等,作为动力燃料使用时称为生物燃料乙醇。根据国家《变性生物燃料乙醇》(GB18350—2001)标准定义,生物燃料乙醇(fuel ethanol)是未加变性剂的、可作为燃料用的无水乙醇。乙醇含量达到 92.1% 即可作为燃料使用。从生产工艺的角度看,凡是含有可发酵糖或可变为发酵糖的物质,都可以作为酒精生产的原料。常用的原料主要有:谷物原料(玉米、小麦、高粱、水稻),薯类原料(甘薯、木薯和马铃薯等)和糖质原料(甘蔗、甜菜、糖蜜),而具有潜在能力纤维质原料(农作物秸秆、甘蔗渣)现在正广为国际社会关注。

生物燃料乙醇与汽油的优劣比例，见表 6-7。

表 6-7　生物燃料乙醇与汽油比较

指标	优势	劣势
可获得性	原料来源广泛，主要是含糖量高的农作物，以纤维素为原料的技术正在研发中	
燃烧性能	含氧量高，促进燃料充分燃烧	
环保特性	较少的空气污染和温室气体排放：一氧化碳的排放低；二氧化硫排放低；二氧化碳排放低 燃烧乙醇汽油放出的有害气体比汽油少，减少30%～50%	汽车悬浮微粒的排放增加；E10 汽油的乙醛排放会加倍；挥发性强，夏季高温下，挥发性有机化合物排放会增加 汽油添加剂 MTBE（甲基叔丁基醚）有很强的致癌性和毒性
能耗特性		燃料的经济性和动力性较差
通用性	可以在大多数的汽油发动机上使用，尤其是新型的	

在石油供需矛盾日益严重的情况下，世界生物燃料乙醇消费量近几年呈现大幅增加的态势（图 6-1）。据有关专家预测 10 年内生物燃料乙醇消费量仍将大幅增加。从产业投资情况来看，2006 年用于乙醇生产设备的新投资达 20 亿美元，美国和加拿大有 45 家工厂正在筹建中，巴西启动一项在 2009 年将产量提升 50% 的重点项目。截至 2008 年，巴西、加拿大、法国、美国等国家宣告建设的乙醇生产设备投资总额超过 60

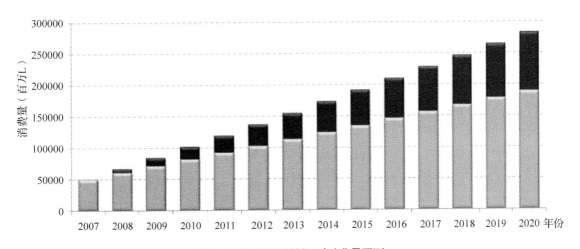

图 6-1　世界生物燃料乙醇消费量预测

数据来源：http://abercade.ru/en/materials/analytics/157.html

亿美元。2005 年，美国和欧洲的乙醇工业得到了长足发展。2006 年美国和欧洲的生物柴油生产能力几乎翻一番（Eric Martinot，2007）。

6.3.2 生物燃料乙醇生产技术

乙醇的生产方法分为以生物质为原料的发酵法和以化石产品为原料的化学合成法。20 世纪 50 年代以前，主要依靠生物发酵法生产。这种生产方式在世界范围内历史悠久，随着石油的大规模、低成本开发，应用空间逐渐压缩。可以作为动力燃料的生物质乙醇研究始于 20 世纪初叶，在经历过一段曲折发展历史后，作为重要的可再生能源已被很多国家认可和接受。目前其生产方法以发酵法为主，与作为食品用的酒精生产工艺非常相近。

按生产生物燃料乙醇所用原料的不同，可以分为淀粉质原料生产乙醇、糖质原料生产乙醇、纤维素原料生产乙醇以及工厂废液等技术路线。不同原材料生产的生物燃料乙醇产品功能相同，却对应完全不同的工艺过程，技术难度有本质区别。

生产生物燃料乙醇所用不同原料类型的生产工艺路线，如图 6-2。

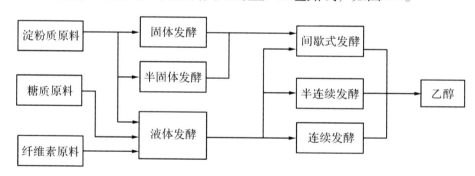

图 6-2　不同原料类型生产工艺路线图

使用小麦和玉米等粮食作物生产乙醇的技术早在 20 世纪 80 年代基本成熟；使用红高粱、木薯、红薯等非主粮生产乙醇的技术处于从试验到商业阶段过渡的时期；纤维素乙醇虽然自 1910 年 Heinerch 等利用木材酸水解制成以来，经历了近 100 年的发展，但是受各种因素，尤其是石油供应充分的影响，许多技术难题并未解决，成本居高不下。最近，由于各国日益关注能源安全和减缓温室气体排放的问题，纤维素乙醇又回到了人们的视野。

淀粉质原料酒精发酵是以含淀粉的农副产品为原料，利用淀粉酶和糖化酶将淀粉转化为葡萄糖，再利用酵母菌产生的酒化酶等将糖转变为酒精和二氧化碳的生物化学过程（王革华，2006）。主要的淀粉质原料包括谷物、薯类和农副产品类。谷物原料有小麦、玉米、高粱等；薯类原料有甘薯、木薯、马铃薯等；农副产品原料主要是粮食加工的副产品，比如淀粉渣等。美国主要以玉米为原料生产生物燃料乙醇。根据玉米预处理过程的不同，乙醇转化过程大体可分为干法工艺（dry miling）和湿法（wet miling）工艺。

干法工艺以生产乙醇为主，不回收玉米的其他组成部分，其工艺流程如图 6-3。

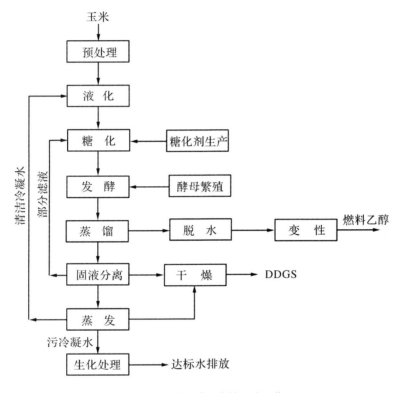

图 6-3　玉米乙醇生产的干法工艺

资料来源：张治山. 玉米生物燃料乙醇生命周期系统的热力学分析. 天津大学，2005

采用湿法工艺获得的产物相对较为丰富，生物燃料乙醇只是其中的产品之一，其工艺流程如图 6-4。

用糖质原料生产乙醇要比用淀粉质原料简单而直接，常用的糖质原料包括甘蔗、甜菜，还有糖蜜等。巴西是世界上生物燃料乙醇生产第一大国，其原料就是以甘蔗为主。

纤维素生物燃料乙醇的生产较为复杂，常用的纤维素原料包括农作物秸秆、森林采伐和木材加工剩余物等，纤维素乙醇的生产方法主要为水解法（cellulolytic method），水解的工艺路线包括酸水解和酶水解两种。国际上不同研发机构开发出不同的工艺过

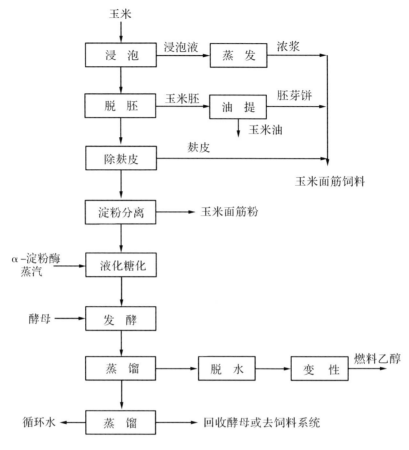

图 6-4　玉米生物燃料乙醇生产的湿法工艺

资料来源：张治山. 玉米生物燃料乙醇生命周期系统的热力学分析. 天津大学, 2005

程将玉米秸秆、麦秆和稻草等纤维质原料用于制取乙醇，工艺过程较为多样化，而主要的工艺过程又都需要一项关键技术——生物酶。因此，逐渐形成了以工艺提供者和酶制剂提供者为主要节点的创新网络结构。按照 Wikipedia 对纤维素乙醇的分类，年产量在 100 万加仑以下的为试点规模（pilot scale），100 万加仑以上但小于 1000 万加仑的为商业示范（commercial demonstration），而产量大于 1000 万加仑的是真正的商业规模（commercial scale）。按照这一分类标准，国际上主要的生物燃料乙醇生产厂近几年产量规模都在快速推进。秸秆乙醇生产的关键技术包括秸秆原料预处理技术，纤维素酶的生产技术和五、六碳糖同时发酵的菌株与工艺。原料预处理技术包括酸法处理工艺、碱法处理工艺和膨化处理工艺。酸法处理工艺是秸秆经粉碎、稀酸处理后，使半纤维素水解，压榨过滤得到水解木糖液和木质纤维渣；木糖液脱毒纯化后发酵生产乙醇，木质纤维渣进入酶解工艺。

此外，美国科学家还发明了用生物质热解合成气乙醇发酵的工艺，先采用生物质合成工艺生成合成气，再由微生物发酵生产乙醇。

6.3.3 生物燃料乙醇技术评价

多数研究表明，生物燃料乙醇属于可再生能源，不仅可以替代传统能源作为交通燃料使用，而且具有优良的环保特性，如果燃烧充分，能够大大降低汽车尾气中一氧化碳及 HC 化合物的排放率，有利于改善大气环境。生产 1 单位乙醇需要大约 0.6 ~ 0.8 单位化石能源，其中，Shapouri 等(2002)估计生产一单位生物燃料乙醇需要0.12 ~ 0.15 单位石油基燃料。根据科尔尼(2007)预测，若 2010 年乙醇产量达到 500 万 t，将减少 230 万 t 的汽油消耗，2020 年乙醇产量 1500 万 t 将减少 800 万 t 汽油消耗。根据现有的石油工业从原油到汽油的转换率，这意味着 2010 年生物燃料乙醇将降低原油进口比例3.3%，而 2020 年更将降低原油进口比例达 8%。

6.3.3.1 采用不同原料的技术评价效果不同

关于使用粮食类作物生产生物燃料乙醇的净能源平衡问题，在学术界备受争议。一些研究者认为生产 1L 生物燃料乙醇所投入的能量(包括种植、收获、储运、生产等)要比其产出的能量还要多。美国能源部对生物燃料乙醇方面的文献进行综述，研究发现在近十年关于生物燃料乙醇净能源的研究中，生物燃料乙醇的净能源比例有正有负，而近期的一些研究都显示为正。

从各种原料路线看，甘蔗乙醇的全生命周期能量转换系数是最高的，为 1:8，即采用先进工艺的甘蔗乙醇用 1 份能量输入能得到 8 份输出(主要是甘蔗渣可以用于燃料)；其次是甜菜，为 1:1.9；再次是玉米，美国工艺为 1:1.5，中国工艺为 1:1.2，甚至更少。

不同原料生物燃料乙醇的生产效率、能源效率与温室气体减排效果，见表 6-8、表 6-9。

表 6-8 不同原料生物燃料乙醇的生产效率、能源效率与温室气体减排效果

原料	生产效率(L/t 原料)	能源效率(能源投入/输出)	温室气体减排(每千米行程与汽油相比减少百分比)
玉米	366.4 ~ 470	0.5 ~ 1.65	30% ~ 38%
小麦	346.5 ~ 385.4	0.81 ~ 1.03	19% ~ 49%
甜菜	54.1 ~ 101.3	0.56 ~ 0.84	35% ~ 56%
纤维素	288 ~ 390	1.00 ~ 1.90	51% ~ 107%

资料来源：http://www.iea.org/。

表6-9 乙醇燃料全生命周期温室气体减排(单位距离行程)

原料	文献	E10	E85	E100
玉米	Wang et al. 1999	1%	14%~19%	
玉米	Wang et al. 1999	2%	24%~26%	
玉米	(S & P)Consultants Inc. 2003	4.80%		
玉米	Sagar, 1995			37%~52%
玉米	Levelton Engineering	3.90%		
玉米	Ltd, 2000	4.60%		
小麦	Cheminfo, 2000	3.6%~4%		45%~62.5%
小麦	(S&P)Consultants Inc. 2003	4.30%		
小麦	(S&P)Consultants Inc. 2003	5.00%		
纤维素	Sagar, 1995			85%
纤维素	Wang et al. 1999	6%~9%	68%~102%	

6.3.3.2 不同混配比例效果不同

使用不同的混配比例的生物燃料乙醇与汽油混合燃料,在能耗环保和经济性方面都会有所差异。

6.3.3.3 不同国家和地区资源优势不同,生物燃料乙醇发展水平不同

不同国家和地区生产生物燃料乙醇的资源消耗不同。Blottnitz 等(2007)对生物燃料乙醇的相关文献进行综述,得出以下比较数据:在所有可能的生物燃料乙醇原料当中,糖类作物在替代化石能源方面是最具土地效率的(单位土地的生物燃料产出)。热带甘蔗在这方面的性能要远远优于温带的甜菜。淀粉类作物,如玉米、马铃薯、小麦和黑麦的效率就差很多。

美国是玉米生产大国,以玉米做原料生产生物燃料乙醇,1加仑生产成本为0.9~1.3美元,在整个生产成本构成中,原料占据了一大半,其次为生产过程的能耗成本。巴西盛产甘蔗,其生物燃料乙醇生产成本是各个国家中最低的,为每加仑0.75~0.8美元。随着技术的进步,美国的玉米和巴西的甘蔗的种植成本和生物燃料乙醇的生产成本都将有所降低。美国1990年的每英亩玉米产量为119蒲式耳,到2005年增加到148蒲式耳,据美国农业部预测,到2015年,每英亩的产出可达到164蒲式耳(科尔尼,2007)。

我国在生物燃料乙醇的生产方面不具有资源优势,所以,目前我国生物燃料生产成本相对较高。以粮食为原料的生物燃料乙醇平均生产成本为每吨4702.5元,甜高粱

茎秆生产生物燃料乙醇每吨成本目前可达到4400元。此外，生物作物种植需要消耗大量的水资源。在国际上，1t干玉米约消耗水资源350t水，1t干小麦耗水500t。而我国灌溉条件下，1t干玉米要消耗500t水，1t干小麦要消耗1000t水。可见，以粮食为原料的生物燃料乙醇路径在我国是行不通的，只有发展以纤维素为原料的生物燃料乙醇才是可持续发展之路。尽管从安徽丰原年产量为5万t的秸秆生物燃料乙醇示范工程数据来看，目前我国纤维素乙醇生产成本仍然较高，约为5900元，但是通过不断的技术合作和技术创新，可以不断改善。新型纤维素酶已于2004年在美国开发应用成功，以纤维素为原料制取乙醇的成本在未来将有大幅度降低(图6-5)。

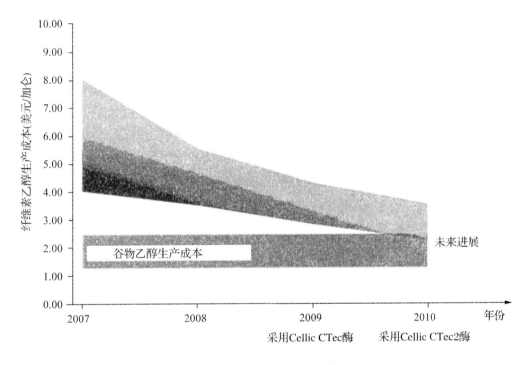

图6-5 纤维素乙醇成本构成

资料来源: http://newenergy.in-en.com/html/newenergy-1059105982576884.html

6.3.4 我国生物燃料乙醇产业现状

我国生物燃料乙醇起步较晚，但是发展迅速，已成为继巴西、美国之后世界第三大生物燃料乙醇生产国。变性生物燃料乙醇是我国"十五"期间的一项重要战略举措。2001年4月2日和4月15日，国家分别颁布了《变性生物燃料乙醇》和《车用乙醇汽油》两项强制性标准，为我国乙醇汽油的推广提供了技术保证。

"十五"期间，国家先后批准建立了河南天冠(年产量30万t)、中粮生化(肇东)

[年产量 10 万 t(黑龙江华润)]、吉林生物燃料乙醇(一期年产量 30 万 t)和安徽丰原(年产量 30 万 t)4 家企业加工生物燃料乙醇,其中除河南天冠使用部分小麦,中粮肇东使用部分陈化水稻为原料生产生物燃料乙醇外,其余全部使用玉米。目前,我国生物燃料乙醇已经过了 5 年的系统试点,产业迅速成长,试点范围逐渐扩大,产出量和产业投资规模都有大幅增长。以陈化粮为原料的生物燃料乙醇的产量从 2003 年的 7 万 t 一路飙升,在扩大试点后的 2005 年达到 75 万 t,2011 年我国开始转向研究非粮燃料乙醇的发展,到 2013 年,我国燃料乙醇产量达 208 万 t,是仅次于巴西和美国的全球第三大生物燃料乙醇的生产国。

我国生物燃料乙醇产业兴盛的原因,归纳起来大致有以下几点:

(1) 供应链基本顺畅。产品本身不需要太多改动就可以替代汽油,较容易被市场接受,且与现有的车用燃料销售渠道整合性好,在定点销售推广的政策支持下,从生产到销售到最终用户的供应链条较为顺畅。2002~2003 年试点期间,为了保障试点工作的顺利进行,我国对变性生物燃料乙醇和车用乙醇汽油的生产、供应实行指定经营。河南省试点指定由天冠集团公司供应变性生物燃料乙醇,由中国石化集团公司(以下简称中石化)所属炼油厂供应车用乙醇汽油调和组分油,由中石化车用乙醇汽油调配中心统一调配供应车用乙醇汽油。黑龙江省试点指定由黑龙江省金玉集团公司供应变性生物燃料乙醇,由中国石油天然气集团公司(以下简称中石油)所属炼油厂供应车用乙醇汽油调和组分油,由中石油车用乙醇汽油调配中心统一调配供应车用乙醇汽油指定。同时,中石化负责郑州、洛阳和南阳三个城市的混配和供应工作,中石油负责哈尔滨和肇东两市的混配和供应工作。在进一步扩大试点后,变性生物燃料乙醇由国家批准的企业负责生产供应,车用乙醇汽油也是指定中石油和中石化两大公司负责。

(2)技术壁垒较低。用粮食发酵制取生物燃料乙醇的技术已经基本成熟,容易形成产业化规模也容易吸引技术投资者,而且酒精行业竞争日益激烈,除了政策因素外,实际的市场进入壁垒较小。2006 年以来,各地积极要求发展生物燃料乙醇产业,建设生物燃料乙醇项目的热情空前高涨。据国家发改委统计,截至 2006 年,以生物燃料乙醇或非粮生物液体燃料等名目提出的建设生产能力已超过千万吨。

(3)国家政策优惠。2002~2003 年试点期间,国家对生物燃料乙醇生产企业给予了优厚的政策支持。主要的财税政策包括:免征生产调配车用乙醇汽油用变性生物燃料乙醇 5% 的消费税;增值税实行先征后返;所使用的陈化粮享受陈化粮补贴政策;车用乙醇汽油的销售价格执行与同标号普通汽油一致的价格;在调配、销售过程中发生的亏损,由国家按保本微利的原则给予补贴。扩大试点后,变性生物燃料乙醇生产和变性生物燃料乙醇在调配、销售过程中发生的亏损，由目前对生产企业按保本微利据实结算改为实行定额补贴。

（4）副产品可以营利。虽然玉米生产生物燃料乙醇相对其他原料价格较高，但是从总的成本收益合计，选择玉米对于企业来说相对比较划算。玉米乙醇的副产品蛋白质饲料有比较高的价值，1t 可以卖到 1000 多元。3.2t 的玉米可加工 1t 生物燃料乙醇、副产 1t 左右的蛋白质饲料，而且比较好加工。另外，玉米胚芽还可以加工成玉米油，得到的副产品总的价值都比较高。

河南天冠采用小麦制粉，分离麸皮、谷朊粉工艺与 1/3 杂粮（玉米、薯类）相结合的工艺路线生产变性生物燃料乙醇。生物燃料乙醇的生产过程中，几乎每一道工艺都会生产出价值可观的下游产品，如小麦分离出的麸皮、谷朊粉；酒精糟液经离心分离固形物，制成全价干燥蛋白饲料等，同时还可利用废弃物生产沼气供应 10 万多户居民使用。该公司提供的统计资料显示，生产 30 万 t 生物燃料乙醇，同时可生产副产品小麦谷朊粉 4.5 万 t、高纯度低压液体二氧化碳 2 万 t、小麦麸皮 20.3 万 t、小麦胚芽 2032t、DDS 蛋白饲料 12 万 t。其中，谷朊粉出口价格达 8000 元/t，一直处于供不应求状态，可以说丰富的下游产品已经成为企业效益的重要支撑。

2006 年 12 月 14 日，国家发改委、财政部联合下发了《关于加强生物燃料乙醇项目建设管理，促进产业健康发展的通知》。通知中称，一些地区存在着产业过热倾向和盲目发展势头，要求严格市场准入标准与政策，严格燃料乙醇项目建设管理与核准。2007 年伊始，生物燃料乙醇产业进入了一个关键的转折发展时期。第二代燃料乙醇技术，主要是纤维素乙醇技术的研发与应用成为该时期产业成长的重要支柱。

从"八五"时期起，我国就陆续开展了纤维素制取乙醇及相关技术的研发课题，不断加大资金支持，通过多年的研究开发，取得了一批技术成果。

中粮集团采用连续汽爆技术建造了年产 500t 的纤维素乙醇试验装置，于 2006 年 11 月 22 日一次投料试车成功，1t 乙醇消耗 7t 玉米秸秆。该装置采用纤维素酶解技术生产乙醇，其中酶制剂由中粮集团与丹麦诺维信公司合作。

2006 年 6 月 26 日，河南天冠集团建成投产了我国首条秸秆乙醇中试生产线，标志着我国在生物质能源利用领域跻身世界行列。2007 年年产 300t 乙醇的中试生产线已建成投产，6t 麦秸可变成 1t 乙醇。此外，天冠集团还成功开发了新型乙醇发酵设备，可明显缩短发酵周期，从根本上解决了纤维乙醇发酵后乙醇浓度过低的难题，使利用秸秆原料生产乙醇的工业化有了可能。据了解，天冠集团将在稳定中试生产线的基础上，通过优化工艺，于 2007 年再建一条 1000t 级纤维乙醇生产线，"十一五"期间，该集团以秸秆生产乙醇的成本可望与粮食生产乙醇基本持平。河南天冠企业集团于 2007

年就开始建设国内第一条年产量 3000t 的纤维乙醇生产线。

2005 年，上海华东理工大学能源化工系承担国家 863 项目的"农林废弃物制取燃料乙醇技术"研究，现已进入工业性试验阶段。该 863 项目国家拨款 1700 万元，专用于"生物质废弃物制取燃料乙醇"技术项目的工业性试验，已建成年产燃料乙醇 600t 的示范工厂，在上海奉贤完成。按照现在的技术，每吨燃料乙醇的生产成本在 5500 元左右，如果国家不补贴，就没有多少市场竞争力。因此，还必须在降低成本上下工夫。由于上海的秸秆资源较少，今后将以上海为研发中心和设备生产基地，帮助秸秆资源丰富的地区建设工厂。在"十一五"期间将进一步扩大规模，达到年产燃料乙醇 3000～6000t。同时，还将围绕降低成本和规模化生产展开研究，使其在经济上更具有竞争力。黑龙江肇东金玉乙醇有限公司已进行了 300t/年的玉米秸秆制乙醇的中试。

吉林轻工业设计研究院（内有联合国援华玉米深加工研究中心）吉林沱牌农产品开发公司与丹麦瑞速国家实验室合作研究"玉米秸秆湿氧化预处理生产乙醇"，2003 年开始，2005 年阶段性鉴定，规模为 10L 发酵罐，阶段性试验结果为：在实验室条件下，玉米秆经湿氧化预处理后纤维素得率 78.2%～83.6%；酶水解后酶解率 86.4%；糖转化为乙醇产率 48.2%。在只利用六碳糖的情况下（即五碳糖尚未利用），7.88t 玉米秆产 1t 乙醇。10L 全自动发酵罐发酵乙醇，发酵时间为 62h，乙醇度 6.2% Vol，2006 年在此基础上进行了改进创新，并自主创新建成具有国际先进水平的实验室纤维质原料预处理装置。

河北农业大学食品科技学院实验室研究用 CO_2 爆破法对纤维物质预处理后用稀酸水解半纤维素，然后用酶法水解纤维素转化为单糖，发酵乙醇。江南大学生物工程系实验室试验：以玉米芯先浓酸后稀酸水解得糖率为 81%，石灰中和后，接种酵母发酵生产乙醇，题为"酸两步水解法"。山东大学微生物技术国家重点实验室开展"纤维素原料转化乙醇关键技术"研究。对预处理方法试验：酸水解工艺、蒸汽爆破、低温氨爆破等方法，对纤维素酶高产菌的筛选和诱变育种、用基因手段提高产酶量或改进酶系组成、纤维素酶生产技术、天然废物利用策略等研究。

安徽丰原集团全力拓展燃料乙醇生产所需原料和相关技术的创新，创造性地提出了秸秆原料生产乙醇先分离后发酵的工艺路线，并与国内相关高校和科研院所合作进行系统工程研究。经过协同攻关，丰原集团发酵技术国家工程中心已成功突破秸秆利用的两项重大技术瓶颈——纤维素水解酶的系列开发以及用于五碳糖发酵技术工程的菌株开发。

丰原集团作为国内农产品深加工企业，与丰原发酵技术国家工程研究中心一起创造性地提出了秸秆原料生产乙醇先分离后发酵的工艺路线。目前，实验已取得阶段性成果，结果显示，利用秸秆转化燃料乙醇的成本应在 4000 ~ 4300 元/t，比玉米生产乙醇的成本低 300 ~ 500 元/t。秸秆按 300 ~ 400 元/t 计算，农民每亩地可多获利不低于 300 元。丰原发酵技术国家工程研究中心与丰原集团计划 2006 年建成年产 300t 秸秆生产燃料乙醇的中试项目。如进展顺利，将于 2007 年推广，实现产业化。目前，丰原集团用秸秆等植物纤维生产乙醇，已到中试阶段，约 6t 秸秆可生产 1t 乙醇，其成本和玉米充分综合利用后分摊的成本相当，成本极其低廉。据了解，我国每年产生的秸秆为 6 亿 ~ 7 亿 t，其中约有 2 亿 t 未利用。

6.3.5　生物燃料乙醇产业案例

6.3.5.1　甜高粱制取燃料乙醇

为了扩大燃料乙醇原料来源，我国已自主开发了以甜高粱茎秆为原料生产燃料乙醇的技术，并已在黑龙江桦川、新疆乌鲁木齐、山东安丘、内蒙古呼和浩特、辽宁朝阳等地都开展了甜高粱种植及燃料乙醇生产试点。根据我国《可再生能源中长期发展规划》，在 2010 年前，我国将重点在东北以及山东等地，建设若干个以甜高粱为原料的燃料乙醇试点项目。

自 1996 年至今，我国进行了甜高粱多个品种选育，种植以及甜高粱茎秆酿制原酒和酒精蒸馏的试验研究，取得了大量技术成果。"能源作物甜高粱优良品种培育及其茎秆制取乙醇技术"获联合国工发组织颁发 2005 年"全球可再生能源领域最具投资价值的十大领先技术""蓝天奖"证书。

甜高粱茎秆制取乙醇技术包括：甜高粱育种与栽培技术和燃料乙醇生产技术。"十五"期间，科技部将目"能源作物甜高粱培育及能量转换技术"列入国家高科技研究发展计划，即国家 863 计划，国内有很多企业进行了种植和生产方面的探索。比如北京绿恒益能源技术开发中心就培育完成了"醇甜系列"2 号杂交甜高粱良种。

用甜高粱制取燃料乙醇(图 6-6)，目前可以采用两种工艺，一种是甜高粱茎秆制取乙醇固体发酵工艺，一种是甜高粱茎秆汁液制取乙醇液体发酵工艺。甜高粱茎秆生产燃料乙醇的工艺流程为：原料粉碎—固态发酵—填料蒸馏—原酒精馏。黑龙江桦川四益乙醇有限公司的示范项目就是采用该工艺。甜高粱茎秆汁液制取乙醇液体发酵工艺的关键技术是固定化酵母流化床工艺技术，国外较先进的生产企业采用该项技术，国内还仅处于实验室和小试阶段。目前，国家"863 计划"项目的甜高粱茎秆汁液发酵工艺装备的生产性中试已经完成，条件成熟即可投入产业建设。

我国拥有数千万公顷的盐碱地，以甜高粱为原料，生产燃料乙醇是一个现实的选择方向，具备一定的技术经济性。

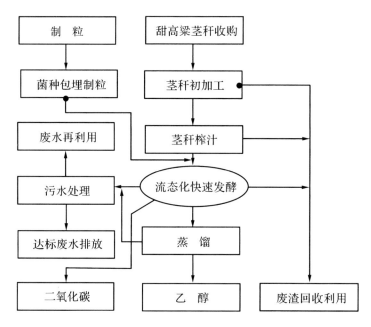

图6-6　液体发酵工艺流程

资料来源：肖明松，王孟杰，冯俊. 甜高粱茎秆汁液体发酵工艺生产流程

甜高粱种植生产燃料乙醇的技术经济分析，见表6-10。

表6-10　甜高粱种植生产燃料乙醇的技术经济分析

项目	数量
可种植甜高粱土地资源量	555 万亩（大庆地区，山东鲁北地区和苏北地区可种植甜高粱盐碱地）
甜高粱茎秆产量	$60 \sim 100t/hm^2$
每吨燃料乙醇需甜高粱茎秆	16t（锤度 18%）
每产 2t 燃料乙醇的甜高粱茎秆废渣可制取	合成液体燃料 1t 或干饲料 8t；或发电 8000kW·h 或制浆造纸 6 ~ 8t
甜高粱茎秆生产燃料乙醇成本	每吨 4400 元
建年产 2 万 t 燃料乙醇厂投资	7000 万元
年产 2 万 t 燃料乙醇 CO_2 减排	6 万 t

资料来源：王孟杰，2006。

6.3.5.2　南京林业大学燃料乙醇中试生产线

木质纤维素因其原料丰富和廉价，已成为很多燃料乙醇研发机构和生产企业的重要选择。纤维素生产乙醇规模化生产的主要瓶颈是纤维素原料的预处理以及降解纤维素为葡萄糖的纤维素酶的生产成本过高。目前来讲，从林木生物质原料生产液体燃料的成本仍然很高。我国自 20 世纪 50 年代起，就开始了纤维素制取燃料乙醇的研究，并建成了南岔水解示范厂，利用木材加工剩余物作为原料。"十五"期间，我国开发出了利用纤维素废弃物制取乙醇的技术工艺，已进入年产 600t 规模的中试阶段。

南京林业大学从 20 世纪 80 年代中期开始对植物纤维资源生物转化制取乙醇的基础理论和应用开发进行系统的研究。1998 年，在黑龙江建立了完整的中试生产线，工艺流程图如图 6-7。

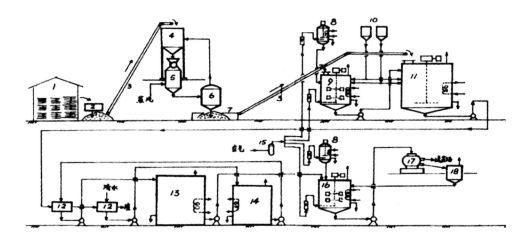

图 6-7   燃料乙醇中试生产线工艺流程图

资料来源：余世袁. 植物纤维制备乙醇的关键技术. 生物质化学工程，2006

该工艺流程以农林废弃物植物纤维为原料，采用高压蒸汽喷放预处理、纤维素酶制备、纤维素和半纤维素同步酶降解、己糖戊糖同步乙醇发酵，然后常规技术蒸馏合脱水的技术路线。中试结果表明，农林植物纤维经预处理后，纤维素、半纤维素和木质素实现了较好的分离，6 ~ 7t 原料可生产 1t 乙醇，乙醇生产成本约为 4000 元（余世袁，2006）。

6.4   我国木本生物质液体燃料——小桐子生物柴油开发案例

6.4.1   我国小桐子生物柴油发展概述

我国现有植物中富油大科有 6 个，含油量在 20% 以上的植物发现 197 种。其中木本植物占60%以上。在我国云南、四川、贵州、广东、广西、福建、海南等省份自然分布的小桐子（麻疯树）资源是一种耐干旱贫瘠，含油量较高，且具有多种用途的重要的生物质能源资源。据测定，小桐子种仁含油量可高达70%以上，种子含油量一般为30%～40%。小桐子原油以不饱和脂肪酸为主，亚油酸和亚麻酸含量可达70%左右，流动性好，是加工生物柴油的优质原料。据石油产品质量检验部门测试，利用小桐子油加工生产的生物柴油在各项性能指标（如闪点、凝固点、十六烷值、硫含量、热值、黏度等）均符合、甚至优于国家的生物柴油标准（GB/T20828—2007），多数指标达到欧盟标准 III（表6-11）。

表6-11　小桐子开发生物柴油技术指标

技术指标名称		标准规定技术指标值（GB/T20828—2007）	小桐子生物柴油实际技术指标值	判定
90%回收温度(℃)	不高于	360	345	合格
硫含量,%(m/m)	不大于	0.05	0.02	合格
10%蒸余物残碳,%(m/m)	不大于	0.3	0.018	合格
硫酸盐灰分,%(m/m)	不大于	0.020	0.0041	合格
水分,%(V/V)	不大于		无	
运动黏度(40℃)(mm²/s)		1.9～6.0	4.429	合格
铜片腐蚀(50℃,3h)，级	不大于	1	1	合格
机械杂质		无	无	合格
冷滤点(℃)	不高于	报告	0	
闭口闪点(℃)	不低于	130	162	合格
十六烷指数	不小于		47	
密度(20℃)(kg/m³)		820～900	876.2	合格
酸值/(mgKOH/g)	不大于	0.80	0.12	合格

近些年来，小桐子产业得到国际社会和产业界的广泛关注，1998 年联合国《生物多样性公约》中专门提出"小桐子油可作极好的柴油替代品"，应当大力推广。我国《可再生能源中长期发展规划》中明确提出，在 2010 年前，重点在四川、贵州、云南、河北等省份建设若干个以小桐子、黄连木、油桐等油料植物为原料的生物柴油试点项目。中国石油公司，中海油公司，美国贝克公司，英国阳光集团等都投资巨额资金在云省、贵州、四川等地大力开展小桐子的种植。

我国在小桐子育种与栽培技术，小桐子生物柴油的制备和小桐子综合利用方面都有了一定的研究和产业积累。

在育种与栽培方面，四川大学完成了小桐子等油脂植物的分布、选择、培育、遗传改良及加工工艺研究，取得较好进展。贵州大学对小桐子的良种繁育技术进行了初步研究。国家发改委、科技部分别将贵州小油桐生物柴油项目列为中德高技术合作示范项目和中德机动车清洁能源合作项目。根据国家林业局的调研结果，条件适当的情况下，小桐子当年即可开花结果，5 年进入丰产期，生产周期长达 40 年，栽培成本较低。亩产干籽 500~1000kg，按 0.5 元/kg 算，亩产值 1000~2000 元，亩可产生物柴油 150~250kg。

在生物柴油生产技术方面，四川省长江造林局的小桐子生物柴油的生产采用先进的两步酯交换法和微乳化法技术，用小桐子种仁生产出的毛油，通过两步酯交换完成提炼过程，应用高科技手段再添加一定量的添加剂混合，微乳化而成小桐子生物柴油（丁夫先，2006）。

云南神宇新能源有限公司对麻疯树产业化模式进行了有益的探索，围绕干热河谷地区独特的自然条件，充分利用现有技术，构建循环经济建设模式。旨在建成大规模麻疯树种苗繁育基地。培育大规模原料高效生产基地，保证加工厂的原料供应（公司自建基地＋辐射带动农户），创建麻疯树资源与技术创新平台（与科研单位合作），建设加工厂，构建完整产业链。该公司麻疯树生物能源产业化建设一期工程是在云南省楚雄州建设 30 万亩麻疯树生物能源原料高效生产基地建设及产业化示范工程。目前，该工程已在在双柏、永仁两县建设 30 万亩原料生产基地，进入盛产期，可年产干果 15 万 t；建成 400 亩（双柏 300 亩、永仁 100 亩）云南麻疯树种苗繁育基地；建初级粗加工厂 1 座，可年产麻疯树原料油 6.0 万 t，有机复合肥 6.0 万 t，活性炭原料（种壳）7.0 万 t。年销售收入（平均）达到 24230.29 万元，年均利润额（税前）达到 2003.50 万元。采用粗加工和后期精加工两种方式（苟平，2006）。

但是，利用小桐子生产生物柴油刚刚起步，涉及多方利益主体，要实现小桐子的规模化种植，逐步形成一个成熟的产业，必须调动相关各方的积极性，特别是农户的参与（林宝，2007）。

6.4.2 小桐子油料能源林项目的经济性评价

在我国，小桐子主要分布在四川、云南、贵州等地的干热河谷地区，与同类油料能源树种相比具有抗旱、易成活、含油率高、单位产量高、造林成本低的优点。根据前期对油料能源树种资源的调查结果，在我国适宜油料能源树种的土地资源分布中，适宜小桐子树种发展的土地资源占到 200 万 hm^2（包括 100 万 hm^2 宜林地），果实产量规模可达到 1200 万 t，占到油料能源果实可供应总量的 20% 以上。且已有研究表明，以多种草本作物和木本油料作物为原料制取生物柴油的成本测试实验中，以小桐子最低。

根据小桐子的分布特点、生长习性、天然更新情况，该树种是贵州省南北盘江、红河水干热河谷地带造林的首选树种，根据对贵州省罗甸县的可利用土地资源现状的调查，该县拟建小桐子能源林工程，包括种质资源保存库 250 亩和小桐子能源原料基地 39 万亩，项目的经济性评价根据当地造林区的社会经济情况和实际投入进行投资测算和经济效益分析。

6.4.2.1   造林工程投资估算

罗甸县总体规划在"十一五"期间将建成小桐子种质资源 250 亩，其中无性繁殖圃 50 亩，扩繁圃 200 亩，年培育良种 100 万 t，培育壮苗 600 万株，提供优良家系穗条 30 万条；建设小桐子能源原料基地 39 万亩，其中 2007～2010 年完成 19 万亩，2011～2015 年完成 20 万亩，2015 年后，原料林基地实现年产原材料资源量 7.8 万 t。对于该工程的投资估算源于当地的市场参考价格。项目建设总投资 14648 万元，其中种苗工程投资 140 万元，原料林建设投资 14508 万元，单位规模能源林基地建设项目的投资约 376 元/亩。种苗基地每亩投资成本为 5600 元，造林基地每亩投资为 372 元，具体投资构成分别见表 6-12、表 6-13。

表 6-12   小桐子苗圃建设单位投资构成表(元)

序号	项目	数量	单位	单价	亩投资	备注
1	苗圃用地投资	600	600			
2	种子采购	70	kg	9	630	
3	用工投资	89	工时		2225	
3.1	整地	10	工时	25	250	
3.2	作床	8	工时	25	200	
3.3	播种	6	工时	25	150	
3.4	浇水	20	工时	25	500	
3.5	除草	18	工时	25	450	
3.6	施肥	6	工时	25	150	
3.7	喷药	6	工时	25	150	
3.8	苗木出圃	15	工时	25	375	
4	材料费用				1545	
4.1	农家肥	2	t	300	600	
4.2	复合肥	100	kg	1	100	
4.3	农药	4	kg	2080		
4.4	其他				765	围栏用材、皮管等
5	其他	600				管理费、水电费等
6	投资合计				5600	

表6-13　小桐子能源林建设单位投资构成(元/亩)

序号	项目	第一年	第二年	第三年	第四年	建设期用工量(工时)
1	材料费用	28.9	23.2	21.2	21.2	
1.1	种苗	20	2			
1.2	肥料	7.8	20	20	20	
1.3	农药	1.1	1.2	1.2	1.2	
2	劳务费用	119.5	32	32	32	8.6
2.1	林地清理	12.5				0.5
2.2	整地	75				3
2.3	栽植	25				1
2.4	抚育		25	25	25	3
2.5	管护	3	3	3	3	0.5
2.6	病虫害防治	4	4	4	4	0.6
3	间接费用	22	11	11	8	
3.1	设计费	3				
3.2	管理费	3				
3.3	检查验收	1	1	1	1	
3.4	科研培训费	15	10	10	7	
4	不可预见费	3	3	3	1	
5	投资小计	173.4	69.2	67.2	62.2	8.6
6	每亩造林投资	372				

6.4.2.2　项目经济效益分析

在本项目中，充分考虑小桐子树种的存活率和生效时间，采用20年作为经济效益计算器，据此推算出项目的经济效益为：

良种繁育基地：其中育苗基地每年产小桐子苗600万株，单价按0.25元/株计算，年产值150万元，连续育苗20年，累计创造产值3000万元。

小桐子造林基地：从第2年开始投产，第20年达到设计生产能力，在正常生产能力年份，年产小桐子干籽7.8万t，单价按1600元/t计算，年新增产值12480万元。

以上两项合计，在20年经营期内累计产值达到184709.9万元，累计利润69772.9万元，按照贴现率IC=12%计算，净现值NPV=11671.05万元，内部收益率IRR=22.95%，静态投资回收期$T=9$年。

6.4.2.3　不确定性分析

目前我国在小桐子栽培技术、丰产技术、病虫害、加工工艺等方面均不太成熟，还没有形成完全的技术支撑，这为木本油料能源林基地的运营带来很大的不确定性。我们从产量、价格、生产成本的角度对其进行经济收益的不确定性分析（表6-14）。

表6-14　不确定性分析结果

指标值	净现值（NPV）（万元）	内部收益率（IRR）（%）	静态回收期 T（年）
原始值	11671.1	22.95	9
产量下降20%，价格下降20%，成本不变	674.6	13	10.9
产量不变，价格下降20%，成本提高20%	2195.8	14	10.5
产量不变，价格不变，成本提高20%	6380.0	18	9.4

从上述分析结果可以看出，该类项目对油料果实产量和价格的同时变化最为敏感，这两个因素主要由外界影响所导致，如销售价格主要由原料市场行情和林木质液体燃料生产企业所控制，产量受培育技术和自然条件的双重影响，在实际运营中，不可控影响因素大，且项目在价格和产量方面抵御风险的能力相对较差。另外，生产成本的不利变动将给项目的经济收益带来较大的影响。

通过前期对部分小桐子能源林建设项目的调查，并根据当地造林区的社会经济情况和实际投入进行投资测算和经济效益分析，目前小桐子油料能源林项目具有一定的经济可行性。

6.5　我国生物质液体燃料产业前景展望

在未来石油需求继续增大的情况下，开发液体替代燃料，改善液体燃料消费结构对我国来说具有战略意义。根据我国的国情，从目前看，我国规模化替代石油的主要途径有两种——煤基液体燃料和生物质基液体燃料。据专家估计，2050年煤基液体燃料有可能形成上亿t的产量，生物质基液体燃料可以形成数千万吨的产量。这将极大地缓解液体燃料短缺和能源安全的问题。

在生物质液体燃料的制备过程中，用传统工艺制备燃料乙醇已相当成熟，但是根据我国《可再生能源发展中长期规划》，不再增加以粮食为原料的燃料乙醇生产能力，合理利用非粮食生物质原料生产燃料乙醇，下一步的技术发展方向必然是采用以纤维素为原料制备乙醇的相关技术。我国规划近期重点发展以木薯、甘薯、甜高粱等为原料的燃料乙醇技术，以及在 2010 年前，重点在东北以及山东等地建设若干个以甜高粱为原料的燃料乙醇试点项目，在广西、重庆、四川等地建设若干个以薯类作物为原料的燃料乙醇试点项目。到 2010 年，增加非粮原料燃料乙醇年利用量 200 万 t，到 2020 年生物燃料乙醇年利用量达到 1000 万 t。

生物柴油的合成理论与工艺技术较为成熟，目前我国生物柴油产业正处于开发初期与小规模试产阶段，主要以餐饮等行业的废油回收或以小桐子、黄连木等为原料。近几年，海南、四川、福建的多家企业先后涉足生物柴油开发生产。对于本行业企业来说，原料供应依然是亟须解决的重大问题，即未来可大规模生产的小桐子、黄连木、油桐、棉籽等油料作物的种植和收集是限制其发展的关键环节。因此，加快具有发展前途的木本油料植物的培育和开发，建立木本油料作物原料基地是当务之急。我国计划在四川、贵州、云南、河北等地建设若干个以小桐子、黄连木、油桐等油料植物为原料的生物柴油试点项目，到 2010 年，生物柴油年利用量达到 20 万 t，到 2020 年，预计生物柴油年利用量达到 200 万 t。

关于生物燃料的发展前景，尽管仍然有很多值得探讨和研究的地方，但是越来越多的研究表明，生物燃料的效率是毋庸置疑的。在生物燃料制取阶段，许多学者提出了"生物精炼"的新概念，提倡以生物质为基础的化学工业要吸收现代石油化工的成功经验，把复杂底物中的每一种组分都分别变成不同的产品，最大限度地开拓产品总价值，从而实现保证原料充分利用和土地利用效率的最大化。这一理念的提出和不断完善，为生物液体燃料的发展注入了一针强心剂，美国能源部 2007～2012 年的项目规划（Multi Year Program Plan）和欧盟生物燃料远景规划（Biofuels in the European Union-A Vision For 2030 and Beyond）都将发展"生物精炼厂"作为重要理念，生物液体燃料在未来人类社会的发展中必将占有一席之地。

第7章 生物质固体燃料

7.1 生物质固体燃料开发与利用概述

7.1.1 生物质固体燃料概述

生物质压缩固体成型是指在一定温度与压力作用下，将各类原来分散的、没有一定形状的密度低的生物质废弃物压制成具有一定形状的、密度较高的各种固体成型燃料的过程。

生物质材料中含有木质素，木质素属于非晶体，当温度达到 70～110℃ 时，木质素软化黏接力增加，在超过 160℃ 的条件下，木质素熔融，此时加以一定的压力使其与纤维素紧密黏结，内部相邻生物质颗粒相互啮接，外部析出焦油或焦化，冷却后即可固体成型且不会散开。

生物质固体成型燃料属于高密度生物质燃料，密度在 0.8～1.4 之间不等，可有效克服原始状态生物质能量密度小、存放体积大、运输不便等缺点，有利于生物质燃料的运输和储存保管。更重要的是在燃烧时较好控制挥发缓慢释放，可以极大改善燃烧状态，燃烧更为高效。

这些生物质废弃物经过设备加工和压缩固体成型后成为清洁环保、燃烧高效、不松散、能长期存放的所谓生物质固体成型燃料。固体成型燃料按照形状可分为颗粒状、棒状、块状和球状等。有掺入胶粘剂（或添加剂）和不掺胶粘剂两种。

7.1.2 国外生物质固体燃料开发与利用现状

目前，国外生物质能固体成型燃料技术及设备的研发已经趋于成熟，相关标准体系也比较完善，形成了从原料收集、预处理到生物质固体成型燃料生产、配送、应用整个产业链的成熟体系和模式。

2005 年，世界生物质固体成型燃料产量已经超过了 420 万 t，其中美洲地区 110

万 t，欧洲地区 300 万 t。2007 年总产量超过 500 万 t。欧洲现有生物质固体燃料成型厂70 余家。仅瑞典就有生物质颗粒加工厂 10 余家，单个企业的年生产能力达到了 20 多万 t。

　　欧盟固体生物质燃料标准化工作始于 2000 年。按照欧盟的要求，由欧盟标准化委员会（CEN）组织生物质固体燃料研讨会识别并挑选了一系列需要建立的固体生物质燃料技术规范。欧盟标准化委员会准备了 30 个技术规范分为术语：规格、分类和质量保证、取样和样品准备、物理（或机械）试验、化学试验等 5 个方面。技术规范的初始有效期限制为 3 年，在 2 年以后 CEN 成员国需要提交对标准的意见，特别是可否转成欧盟标准。

　　生物质固体燃料开发和利用在过去五年经历了大幅度增长。其中木质颗粒燃料市场尤为突出。2006 年全球木质颗粒的产量在 600 万～700 万 t（不包括亚洲、拉丁美洲以及澳大利亚），如图 7-1。2010 年，全球木质颗粒产量达到 1430 万 t，其中包括亚洲、拉丁美洲以及澳大利亚，而木质颗粒的消费量接近 1350 万 t，相比 2006 年增长幅度超过 110%。

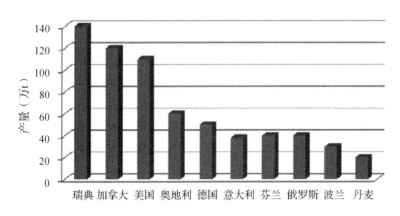

图 7-1　2006 年各国木质颗粒产量

数据来源：Policy Drivers, Market Status and Raw Material (2007) www.bioenergytrade.org

　　在世界范围内，木质颗粒的生产能力在不断地增加（图 7-2）。在 2009～2010 年之间，全球木质颗粒的产能增长了 22%，达 2800 万 t 以上。2011 年产能将达到 3000万 t。

　　欧盟一直是林木生物质消费的主要市场，并且在未来几年仍将持续。在 2008～2010 年之间，欧盟的木质颗粒生产增加了 20.5%，2010 年达到 920 万 t，相等于全球总产量的 61%。在同一时期，欧盟木质颗粒的消费量增加了 43.5%，2010 年达到 1140万 t 以上，相当于全球木质颗粒需求的 85%。欧盟生产和消费之间的差距已经从 2008

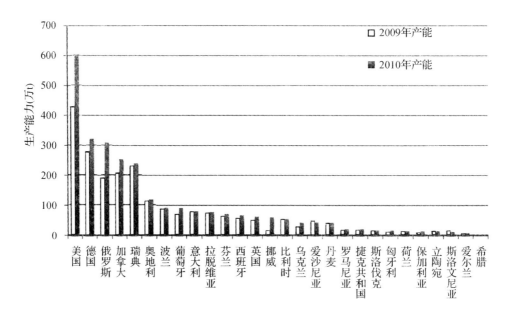

图 7-2　世界各国木质颗粒生产能力

数据来源：Global Wood Pellet Industry Market and Trade Study（IEA, 2011）

年的 269649t 增长到 2010 年的 2148010t，超过 8 倍的增长，如图 7-3。

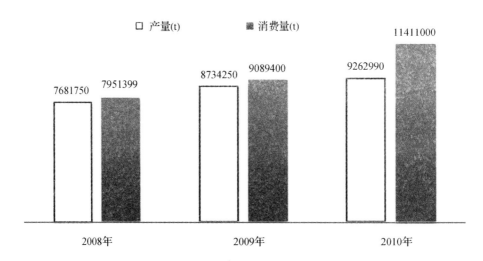

图 7-3　欧盟木质颗粒的产量和消费量

数据来源：Global Wood Pellet Industry Market and Trade Study（IEA, 2011）

　　在欧盟内部，如德国、奥地利、波兰、芬兰等国家，对用于住宅供暖需求上升是推动欧盟成员国内部之间的贸易的重要原因。同时，对于工业木质颗粒混烧，热电联产和区域供热的需求刺激着欧盟从其他国家的木质颗粒进口量不断增长。根据欧盟统计局官方统计，2010 年，欧盟木质颗粒进口量超过 260 万 t，在欧盟成员国之间的贸易往来超过 400 万 t。

总而言之，随着社会经济与科技的发展，人们对环境质量要求不断提升，林木生物质的生产和利用都在不断地发展，不仅是在发达国家，如今在发展中国家也越来越重视林木生物质的生产和开发，消费量也在逐年增长，由此可以看出，林木生物质在未来还会有更大大的发展空间。

7.1.3　我国生物质固体燃料开发与利用现状

中国生物质固体成型技术的研究开发已有 20 多年的历史，20 世纪 90 年代主要集中在螺旋挤压成型机上，但存在着成型筒及螺旋轴磨损严重、寿命较短、电耗大、成型工艺过于简单等缺点，导致综合生产成本较高，发展停滞不前。进入 2000 年以来，生物质固体成型技术取得明显的进展，成型设备的生产和应用已初步形成了一定的规模，大部分为饲料设备生产厂转型而来；生物质固体成型燃料目前处于试点示范阶段。

当前，随着环境污染和能源危机等全球问题的不断升级，开发清洁能源已成为国家和民众的共识。开发固体成型燃料具有较强的市场需求和较好的经济效益。其成本主要取决于原料收集和运输价格，若原料到厂成本在 200 元/t 以内，固体成型燃料的生产成本可以控制在 350 元/t 以内，产品价格已低于现行煤价，具备大面积推广的条件，可以进行产业化生产，具有一定经济效益。若在林场加工生产，原料价格较低，成本可大大降低，控制在 300 元/t。经测算，建立一个 2~4 台固体成型设备组成的固体成型燃料加工厂，年生产能力在 1 万~2 万 t，产品售价在 400 元/t，年收益在 100 万元以上。若用于高档住宅小区供热和炊事，替代煤炭消耗，可以节约集中供暖、供气的各项费用，效益更加可观。

7.2　生物质固体燃料成型技术与设备

7.2.1　生物质固体成型技术原理

生物质原料中含有纤维素、半纤维素、木素、树脂和蜡等物质。一般在阔叶木、针叶木中，木素含量为 27%~32%（绝干原料）、禾草类中含量为 14%~25%。木质素是具有芳香族特性的结构，单体为苯基丙烷型的立体结构高分子化合物，不同种类的植物质都含有木质素，而其组成、结构不完全一样。由于植物生理方面的原因，生物质原料的结构通常都比较疏松，密度较小。这些质地松散的生物质原料在受到一定的外部压力后，原料颗粒先后经历重新排列位置关系、颗粒机械变形和塑性流变等阶段。一般成型过程为：进料、预压和成型过程。

进料：物料自料斗加入后，随着螺旋的旋转，被输送到预压缸内。螺旋的作用近似于一个输送装置，物料在这一过程中主要受到物料对料槽的摩擦阻力；物料对螺旋板的摩擦阻力；物料搅拌和破碎的阻力等。由于输送距离短，这些阻力值相对较小。

预压：被螺旋输送过来的物料，松散地落在预压缸内，此时柱塞向下运动，排出部分空气，缩小体积，使物料密度比自然状态下的密度有所增加。柱塞运动到下止点位置时，物料正好位于主推进器前端，等待被其推到"成型模"中压缩成型。

经过预压以后，物料的密度有所增加，在主推进器的推力作用下，向前移动，当接触到成型模的外部端面（因采用闭式压缩方式）时，推力逐渐增大，物料迅速靠紧，溢出空气，这一阶段物料主要发生弹性变形，同时产生少量塑性变形。随着柱塞的前移，主推进器压力急剧增大，进一步排出物料间的气体，物料发生塑性变形，相互贴紧，堆砌和镶嵌黏结，形成压块，密度也达到最大。到达设定的压力值后，柱塞撤回。此过程对物料施压的主要目的：一是破坏物料原来的物相结构，使其组成新的物相结构。二是加固分子间的凝聚力，使物料更致密均实，以增强成型块的强度和刚度。三是为物料在模具内成型及推进提供了动力。

成型后的物料随着"成型模"移动到另一侧，在下一个工作循环时，被副推进器经由保形区推出，而主推进器同时在成型模内挤压物料。在保形区内，物料主要受到成型模径向力、成型模和压块轴向摩擦力等。同时开始不断回弹，释放弹性能量，被推出保形区外部后，还要进行轴向和径向松弛恢复，直到几天之后，才能保持恒定的塑性变形。在保形区内，成型块主要是弹性变形，基本没有塑性变形。

成型压制过程主要可分为进料、预压、压缩和挤出四部分（图7-4）。

另外，碳化处理也是成型技术之一，但是与上述挤压成型技术相比，碳化成型有本质的区别，碳化虽不是生物质固化成型技术不可或缺的，但在很多情况下却是十分重要的辅助手段。碳化的方式有连续内热式干馏法、外热间歇式干馏法和烧炭法。连续内热式适于大规模连续化生产，烧炭法适于小规模经营，外热间歇式则适于各种情况。木屑、刨花等原料生产的成型燃料更适合碳化，秸秆、稻壳等原料由于灰分大，除特殊情况外均不碳化。成型温度对成型过程、产品质量、产量都有一定的影响。过低的温度（<200℃）传入出料筒内的热量很少，不足以使原料中木素塑化，加大原料

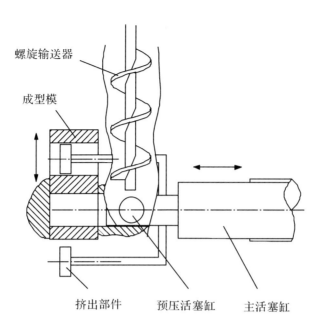

图7-4　成型机成型部分原理图

与出料筒之间的摩擦，造成出料筒堵塞，无法成型；过高的温度(>280℃)致使原料分解严重，输送过快，不能形成有效的压力，也无法成型。总之，不同物料所需成型温度相差不大，一般控制在240~260℃之间。成型的设备包括粉碎机、干燥设备、成型机、碳化釜等。由于成型螺杆的工作环境极端恶劣，使得螺杆使用寿命很短。

7.2.2　生物质固体成型技术工艺

固体成型燃料工艺流程：生物质收集、粉碎、干燥、高压固体成型包装。压缩比重达到 $1.00~1.39g/cm^3$，故与普通薪材燃料相比，它具有密度高，强度大，便于运输和装卸；形状和性质均一；燃烧性能好；热值高；适应性强；燃料操作控制方便等特点。可用于锅炉和煤气发生炉，也可做工业、家庭取暖和农业园林暖房的燃料。世界各国普遍认为，它是一种极有竞争力的燃料。

目前，生物质压缩固体成型技术主要有螺旋挤压固体成型技术、活塞冲压固体成型技术和压辊式固体成型技术三种，相应的成套设备为螺旋挤压固体成型机系列、活塞冲压固体成型机系列和压辊固体成型机系列。

7.2.2.1　螺旋挤压式固体成型机

螺旋挤压式固体成型机是最早研制生产的生物质热压固体成型设备。这类固体成型机以其运行平稳、生产连续、所产固体成型棒易燃(由于其空心结构以及表面的炭化层）等特性在固体成型机市场中一直占据着主导地位，尤其是在印度、泰国、马来西亚等东南亚国家和我国。利用加热使生物质中的木质素软化产生黏接作用的热压固体成型工艺在生物质致密固体成型中占主要地位，已研制成功的棒状固体成型设备主要有螺旋挤压式固体成型机（图 7-5）和活塞冲压式固体成型机。

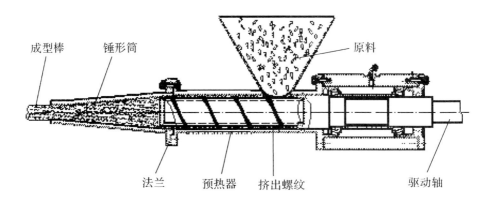

成型棒　锤形筒　　　　　　　　　　　　　原料

法兰　　预热器　挤出螺纹　　　　　　驱动轴

图 7-5　螺旋挤压式固体成型部件结构示意图

螺旋挤压式固体成型根据螺杆的多少可分为单螺杆式和双螺杆式。单螺杆式是最常用的。双螺杆式固体成型机采用的是两个相互啮合的变螺距螺杆，固体成型套为"8"字型结构。根据螺杆螺距的变化可分为等螺距螺杆式和变螺距螺杆式。应用变螺距螺杆，可以缩短压缩套筒的长度。但是这种螺杆制造工艺复杂，制造成本高。

挤压机的型号虽然很多，但是所有挤压机的结构都相似（图 7-6），都由 5 个部分组成：供料装置、螺杆及其传动装置、内槽壳套（通称螺套或者螺筒）、料流阻限器（通称模头）以及料流截断装置（也可称为截料装置）。挤压机的供料部件，有水平型和垂直型两种形式，它们都配有一个料斗，用来接收和暂存待挤压的原料，并将其运送至螺杆。料斗内配装搅拌机，这样是为了让原料能流畅运动和避免产生堆积，或者采用宽大的出料口，有助于该机构保持不间断地均匀供料。对于生产压缩燃料而言，供料机构保持均匀供料极为重要。因为，要保证挤压机具有恰当的功能作用，不间断的均匀供料是挤压机正常工作必不可少的前提条件。

螺杆是挤压机最重要的部件，它决定最终成品的质量。不同的螺杆，有不同的挤压功能。螺杆的挤压功能，决定于螺杆的设计参数。在螺杆连续地混合和运送物料的过程中，螺杆产生机械摩擦作用和热量，从而让物料熔化。在螺套的终端，通常配装具有各种形状孔眼的模压盘，一般被称之谓模头。模头具有两个功能：一是将挤压料模压成所要求的形状；二是用作为阻流器，以增大挤压机熟化作用区段内的压力。确定模头孔眼的几何形状，对于挤压产品外形及质量有很重要的作用。目前，已开发应

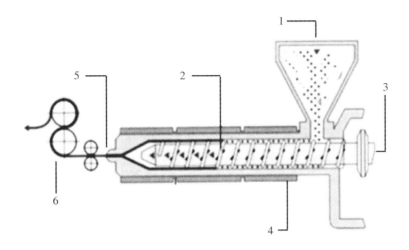

图 7-6　典型螺旋挤压机的构造示意图

1. 进料装置；2. 螺杆；3. 动力装置；4. 螺筒；5. 模头；6. 截料装置

用多种孔眼形式的单程模压模头，例如圆筒形孔眼模头，狭槽形孔眼模头，环状形孔眼模头。

　　模压后的挤压料的固体成型，必须装配截料装置。对截料装置功能的要求是能够将模压之后的挤压料，按规定的长度要求，均匀地切断成整齐表面的制品。截断料的长度，取决于切刀转速；切刀转速越快，截断料长度越短。截断料的整齐度，在很大程度上取决于切刀与模头的间隙距离，该间隙距离应小于 0.2mm，借以确保整齐地切断挤压料；但应大于 0.05mm，以免刀刃与模头之间形成高的摩擦阻力。常用的截料机构，有垂直切刀和水平切刀两种型式。

　　(1) 双螺杆挤压固体成型。采用 2 个相互啮合的变螺距螺杆，固体成型套为 8 字行结构。在压缩过程中，由于摩擦生热使得生物质在机器内干燥，生成的蒸汽从蒸汽溢出口散出。因此该固体成型机对原料的预处理要求不严格，原料粒度可在 30 ~ 80mm 之间变动，水分含量可高达 30%。可省去干燥装置。根据原料的种类不同，生产率可达 2800 ~ 3600kg/h，但由于物料干燥需要由机械压缩来完成，所以与压缩干物料相比需要大型的电机，能耗较高，此外，双螺杆挤压机有两套推力轴承和密封装置以及一个复杂的齿轮传动装置需要维护，增加了成本。

　　(2) 锥形螺杆挤压固体成型。生物质原料被旋转的锥形螺杆压入压缩室，然后被螺杆挤压头挤入模具，模具也可以是单孔的 (直径 98mm) 或者多孔的 (直径 28mm)。切刀将成品切成一定长度的固体成型棒。固体成型压力为 60 ~ 100MPa，固体成型棒的密度为 1200 ~ 1400kg/m³，生产能力为 600 ~ 1000kg/h，能耗为 0.055 ~ 0.075kW/kg，而同样生产能力的活塞式压缩机为 0.075kW/kg。该型的缺点是螺旋头和模具的严重磨损，不得不采用硬质合金，即便如此，如果以花生壳为原料时锥形螺杆的寿命为100h，稻壳为300h，维修费用高昂。

(3)外部加热的螺旋式固体成型。特点是将生物质压入横截面为方形、六边形或者八边形的模具内，模具通常采用外部电加热的方式，成品为具有中心孔的燃料棒。

该型的基本结构为驱动机、传动部件、进料机构、压缩螺杆、固体成型套管和电气控制等部分组成。固体成型管外绕有电热丝，可让筒温保持在 250～300℃。该型号机工作过程为：将粉碎的原料经过干燥后，从料斗连续加入，经过进料口进入螺杆套筒压缩。生物质物料通过机体内壁和转动螺杆(600r/min)表面的摩擦作用不断向前输送。由于强烈的剪切混合搅拌和摩擦作用产生大量热量，使生物质温度逐渐升高。在到达压缩区前，生物质被部分压缩，密度增加，被消耗的能量用于克服微粒的摩擦。在压缩区生物质在较高温度 200～250℃变得柔软，水分在这时候蒸发并有助于生物质的湿润，由于失去弹性，在压力的作用下，颗粒间的接触面积增加，形成架桥和联锁，物料开始黏结。在锥形的模具区，生物质被进一步压缩(280℃)固体成型。中空的固体成型棒出固体成型筒后经导向槽，由切断机切成50cm左右的短棒。

在固体成型过程中，生物质原料水分的快速气化会造成固体成型块的开裂和放炮现象，为了防止这种现象，就要求原料的含水量在8%～12%之间。成品的含水率在7%以下；固体成型压力的大小随原料和所要求固体成型块密度的不同而不同，一般在 49～127MPa，固体成型燃料的形状通常直径为 50～60mm 空心燃料棒，其密度通常介于 1.0～1.4kg/cm³。

由于压缩螺杆和固体成型套管运转的环境很严酷，在200～340℃高温和80MPa的高压下处于摩擦状态，这样使压缩螺杆和固体成型套管磨损严重。螺旋前部和固体成型筒的根部磨损极快。例如用普通碳钢加工的螺杆，一般只能工作 8～12h，就需要卸下修复。因此压缩螺杆和套筒是该型号机工作可靠性的关键。

目前，制约螺旋式固体成型机商业化利用的主要技术问题一个是固体成型部件，尤其是螺杆磨损严重，使用寿命短；另一个问题是单位产品能耗高。为了解决螺杆首端承磨面磨损严重这一问题，现在大多采用表面硬化方法对螺杆固体成型部位进行处理。如采用喷焊钨钴合金、采用堆焊 618 或碳化钨焊条堆焊、采用局部渗硼处理和振动堆焊等方法。通过这些方法进行处理后可使螺杆的使用寿命提高到100h 左右。另一种方法就是彻底改变这种固体成型工艺。活塞式固体成型机的研制成功在较大程度上解决了该固体成型方式所存在的固体成型件磨损严重、能耗高的问题。

7.2.2.2 活塞冲压固体成型技术

活塞冲压式固体成型机改变了固体成型部件(图7-7)与原料的作用方式,在大幅度提高固体成型部件使用寿命的同时,也显著降低了单位产品能耗,其产品是压缩块。生物质原料的致密固体成型是靠活塞的往复运动实现的。其进料、压缩和出料过程都是间歇式的,即活塞每工作一次可以形成一个压缩块。在压缩管内,前一块与后一块挤在一起,但有边界。当压块燃料从固体成型机的出口处被挤出时,在自重的作用下能自行分离。

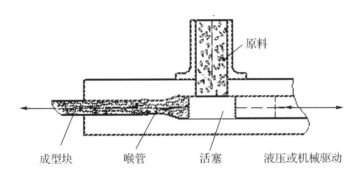

成型块　　　喉管　　　活塞　　　液压或机械驱动

图7-7　活塞冲压固体成型部件结构示意图

此类固体成型机按驱动方式不同有机械式和液压式两种。机械驱动活塞式固体成型机以电动机为动力,通过曲柄连杆机构带动冲杆做高速往返运动,产生冲压力将生物质压缩固体成型;液压驱动活塞式固体成型机是通过液压油缸推动活塞将生物质挤压固体成型。如瑞典 Bogma 公司生产的生产率为 $500 \sim 1000kg/h$ 的 M75 型固体成型机,美国 Hauamann 公司生产的 FH75/200 型固体成型机,Krupp 公司生产的 12.7cm 双向活塞型固体成型机,其生产率可达 $2000kg/h$。

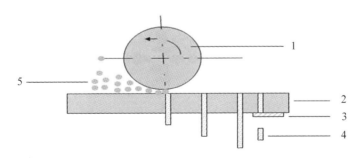

图7-8　压辊式颗粒成形机工作原理

1. 压辊; 2. 平模; 3. 切刀; 4. 固体成型颗粒; 5. 原料

7.2.2.3　压辊固体成型技术

与前两者区别在于固体成型模具直径较小(通常小于30mm)且在每个压模盘片上有很多固体成型孔,主要用于生产颗粒状固体成型燃料。其基本工作部件是压辊和压模(图7-8)。压辊可以绕自己的轴转动,压辊的外周一般加工成齿状或者槽状,让原料压紧而不至于打滑,根据压模的形状,压辊式固体成型机可分为平模固体成型机和环模固体成型机(图7-9)。

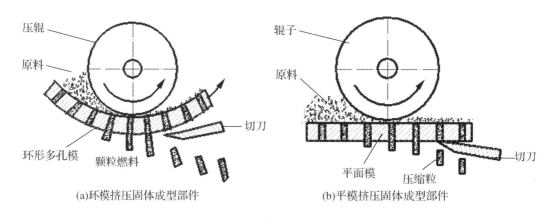

图7-9　压辊式固体成型部件结构示意图

就三种技术相比较而言,螺旋挤压机运行平稳,工作连续,燃料棒可燃性强,但是该机型单位产品耗能高,可达到100~125kW·h/t。同时机型部件使用寿命太短,螺旋杆的端部摩擦使温度升高,磨损速度加快,压缩区螺纹部分磨损严重,其平均寿命仅有60~80h。与螺旋固体成型机相比,活塞冲压式固体成型机由于改变了固体成型部件与原料的作用方式,在提高了固体成型部件使用寿命同时也降低了单位产品耗能,其部件模子可连续使用100~200h后才需要维修。而压辊式机主要用于生产颗粒固体成型燃料,其耗能较小一般在15~40kW·h/t。并且它对原料的含水率要求较宽为10%~40%,而螺旋挤压机要求原料含水率为8%~9%,活塞冲压式要求为10%~15%。

黑龙江省畜牧机械化研究所研发生产9KL-380型秸秆饲料固体成型机,就固体成型试验情况进行了分析,采用了3种压辊直径,通过电磁调速电机作为试验动力,以验证不同压辊直径对固体成型质量及生产率的影响,进而确定最佳结构参数,另外,对物料最佳固体成型水分含量进行了系统的试验,确定了固体成型时原料水分控制范围及操作程序。具体流程示意图如图7-10。

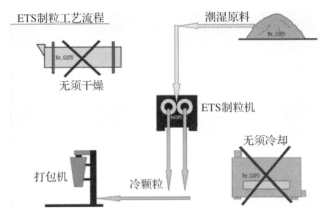

图7-10　成型燃料生产工艺流程示意图

7.2.3　成型原料粉碎技术与设备

到目前为止，世界上各个国家研究的重点还是集中在固体成型生物质燃料的制造技术(主要解决固体成型后生物燃料不松散、能长期存放的问题)和相应炉具(主要为了提高燃料效率)的开发上。

早在20世纪30年代，美国就开始研究压缩固体成型燃料技术，并研制了螺旋式固体成型机；50年代日本从国外引进技术后进行了改进，并发展成了日本压缩固体成型燃料的工业体系(刘圣勇，2002)。20世纪70年代后期，由于出现世界能源危机，石油价格上涨，欧洲许多国家如瑞典、芬兰、比利时、法国、德国(图7-11)、意大利(图7-12)等都十分重视固体成型燃料技术的研究和开发，目前已形成产业化生产，成效显著，如瑞典年生产固体成型燃料总量超过200万t，芬兰和德国在开发利用方面均走在世界先进行列。这些国家使用生物质固体成型颗粒燃料主要作为燃料用于热电联产生产，也有用于小型区域供暖和家庭采暖，还有用于提供工业生产能源，热效率可达到80%～90%。如：德国开发生产的颗粒燃料生产设备适用范围广，颗粒密度：0.8～1.4g/cm³，产量：0.4～3t/h，成套设备价格：80万～120万元。

相对而言，我国在这方面的研发和生产起步较晚。我国从20世纪80年代起开始致力于生物质压缩固体成型技术的研究，目前已初具规模。南京林化所在"七五"期间设立了对生物质压缩固体成型机及生物质固体成型理论的研究课题。湖南省衡阳市粮食机械厂为处理大量粮食加工谷壳，于1985年根据国外样机试制了第一台ZT-63型生物质压缩固体成型机。江苏省连云港东海粮食机械厂于1986年引进了一台OBM-88棒状燃料固体成型机。1998年年初，东南大学、江苏省科学技术情报研究所和国营9305

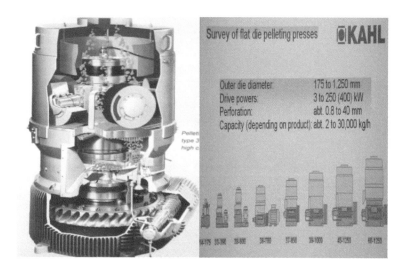

图 7-11　德国 KAHL 公司开发的颗粒燃料生产设备示意图

图 7-12　在 2006 年世界生物质能大会上意大利展出的大型颗粒生产设备

厂经过两年的共同努力，研制了"MD-55"型固体成型燃料固体成型机。1990 年前后，陕西武功轻工机械厂，河南巩义包装设备厂，湖南农村能源办公室以及河北正定县常宏木炭公司等单位先后研制和生产了几种不同规格的生物质固体成型机和碳化机组。1994 年湖南农大，中国农机能源动力所分别研究出 PB-1 型、CYJ-35 型机械冲压式固体成型机。1997 年河南农业大学又研制出 HPB-1 型液压驱动柱塞式固体成型机，现在 HPB-III 设备已应用于生产。因此，必须从技术上进一步加大研究力度、攻克难题，以利生物质压缩固体成型燃料技术的进一步推广应用。

　　近几年，随着国家对开发生物质能源的重视和煤炭价格不断上涨，各地在该领域的研究成果和生产能力十分突出。目前，比较定型的固体成型设备克服了上述问题，可以用林木枝丫和秸秆为原料，并已形成批量生产，比较适宜在中国农村和林区推广应用。

目前，我国秸秆固体成型的关键技术取得突破，特别是模辊挤压式颗粒成型技术，已经达到国际同类产品先进水平，有效地解决了功率大、生产效率低、成型部件磨损严重、寿命短等问题，并已实行商业化。全国秸秆固体成型设备的生产和应用初步形成了一定规模，固体成型燃料的年产量约 20 万 t，主要以锯末和秸秆为原料，用于农村居民生活用能、锅炉燃料和发电等。生物质炉具开发也取得一定的进展，开发了秸秆固体成型燃料炊事炉、炊事取暖两用炉、工业锅炉等专用炉具。目前我国生物质的利用方式中，直接燃烧占有非常大的比重，但是这种燃烧方式的热效率却很低，一般只有 10% ~20%。然而当生物质在制成颗粒，经过炉、灶等燃烧器的燃烧后，其热效率能达到 87% ~89%，比传统的直接燃烧热效率提高了 77% ~79%（姚向丽，肖波，邹先梅，2006），可节约大量能源。生物质高密度固体成型燃料不仅是居民用清洁燃料，也是工业锅炉掺烧生物质燃料的最佳燃料。

对生物质原料的破碎是固体成型前的基本处理，破碎质量的好坏直接影响成型机的性能发挥和产品质量。对生物质进行破碎多用的是机械式粉碎机。机械式粉碎机是以机械方式为主，对物料进行粉碎的机械，它又分为齿式粉碎机、锤式粉碎机、刀式粉碎机、涡轮式粉碎机、压磨式粉碎机和铣削式粉碎机等多种（孙德平，2004）。

(1) 齿式粉碎机：由固定齿圈与转动齿盘的高速相对运行，对物料进行粉碎（含冲击、剪切、碰撞、摩擦等）的机器。

(2) 锤式粉碎机：由高速旋转的活动锤击件与固定圈的相对运动，对物料进行粉碎（含锤击、碰撞、摩擦等）的机器。锤式粉碎机又分活动锤击件为片状件的锤片式粉碎机和活动锤击件为块状件的锤块式粉碎机。生物质破碎作业用得最多的是锤片式粉碎机。

(3) 刀式粉碎机：由高速旋转的刀板（块、片）与固定齿圈的相对运动对物料进行粉碎（含剪切、碰撞、摩擦等）的机器。

(4) 涡轮式粉碎机：由高速旋转的涡轮叶片与固定齿圈的相对运动，对物料进行粉碎（含剪切、碰撞、摩擦等）的机器。

(5) 压磨式粉碎机：由各种磨轮与固定磨面相对运动，对物料进行碾磨性粉碎的机器。

(6) 铣削式粉碎机：通过铣齿旋转运动，对物料进行粉碎的机器。

以下将对国内几种比较成熟的固体成型燃料加工设备进行介绍。

7.2.3.1　块状固体成型燃料加工设备

（1）HPB-Ⅲ液压驱动式块状固体成型机。该设备是河南农业大学2005年开发生产的设备，比较适合推广应用于林场。该生产线为液压式秸秆固体成型机，利用油缸的往复运动带动活塞冲杆在固体成型套筒内，将粉碎后较松散的生物质原料热压成具有一定密度的生物质棒块，通常密度可达0.95～1.1 g/cm³。固体成型块可用于取代煤作为生物质锅炉、壁炉、采暖炉及居民炊事燃料等。固体成型过程的耗能为70kW·h/t，生产率200～500kg/h。生产的固体成型燃料块直径在10～12cm，燃料燃烧后的灰分不超过原料10%（燃烧效率在70%以上）；往复活塞双向挤压固体成型机构具有创新性。生产试验和分析结果表明，该固体成型机可显著提高易损件的使用寿命，降低单位产品能耗，工作平稳，固体成型可靠，成本低，投入回收期短，经济效益和环保效益明显，生产以原料秸秆生物质为主，推广前景广阔。该设备加工燃料过程中属于热成型类。图7-13为HPB-Ⅲ生物质成型机系统原理示意图。

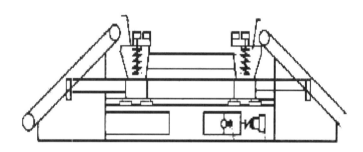

图7-13　HPB-Ⅲ生物质成型机系统原理示意图

（2）液压驱动RB110型压块机。该机械是北京林业大学从德国引进的技术，经改造的块状固体成型燃料加工设备。在德国，该类型机械主要对一些铜屑、铁屑、秸秆、林业加工剩余物等进行压缩。动力部分采用液压驱动，系统压力可调范围为预压缸50～250bar，主压缸100～600bar。固体成型模部分为"闭式"压缩，所谓"闭式"压缩，指的是用柱塞对装入一端封闭的压模内的物料进行压缩，压缩固体成型后再取出样品，它是一个完全封闭的压缩系统（可参见固体成型块固体成型过程分析章节）。本课题主要利用它做木质类和秸秆类的压缩固体成型实验，其设备如图7-14。

RB110型号压块机主要组成部分包括传动机构、进料机构、预压缸、主压缸、固体成型模、控制面板等。循环工作过程是：生物质原料从料斗1加入，被搅拌器正转或反转调匀，再由螺旋轴转适当圈数，将一定量的原料挤入预压缸内，经由纵向预压和横向主压两个过程，原料被推入固体成型模3内，达到预先设定的压力后由挤出推

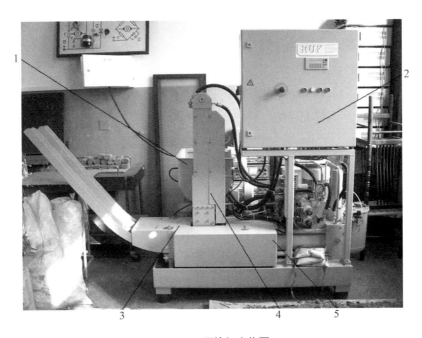

图7-14 压块机实物图

1. 料斗；2. 控制面板；3. 固体成型模；4. 预压缸；5. 主压缸

进器经保形区顶出。下一循环依此类推，但原料的颗粒和含水率等参数有一定的要求。压块机主要技术参数，见表7-1。

表7-1 压块机主要技术参数

压块能力(以木头为例)(kg/h)	110
物料湿度	<15%
马达功率(kW)	5.5
最小压力(N/cm²)	14200
压块尺寸(mm)	长度150，宽60，高度40~110可调
设备尺寸(mm)	1680×1500×1600
设备质量(kg)	1900
给料粒度最大长度(mm)	50

由于是在常温下成型，相对加热挤压固体成型而言具有如下优点：①能耗低。由于致密固体成型时无需加热，省却了加热部分的能耗，相对加热固体成型而言，常温致密固体成型的能耗(40kW·h/t)是加热致密固体成型能耗的56%~33%；对原料预处理的要求低。由于是常温致密固体成型，加工过程中不会发生加热致密固体成型过

程中由于原料含水率过高而发生"放炮"现象。从所进行的生物质块状燃料常温致密固体成型的试验研究表明，原料粉碎的颗粒度在20mm以下、含水率不大于15%便可固体成型。②固体成型模具磨损小。从生物质块状燃料常温致密固体成型的试验研究试验得到，挤压压力大于150kg/cm²便可压缩固体成型，其密度可达到1.0g/cm³以上。由于是常温固体成型，固体成型模具的强度和耐磨性都不会降低。相对而言固体成型模具的使用寿命更长。③固体成型燃料的热值等于原料的热值。生物质常温致密固体成型不破坏原料的分子结构，无化学反应和任何加热裂解分化的作用，因此固体成型燃料可以保持原物料的热值，几乎没有热量的损耗。

（3）BPF420块状成型设备。北京盛昌绿能科技有限公司开发的生物质BPF420块状燃料固体成型设备（图7-15）适用范围广，产量2~3t/h，块截面为2m×3m。在用于民用炊事、供暖炉具工业方面有较大优势，加工成本在300元/t以下。但是该设备加工耗能较大（120~160kW）。

图7-15 北京盛昌绿能科技有限公司成型燃料生产线和燃料产品

7.2.3.2 颗粒固体燃料加工设备

（1）颗粒机—SZLH系列。该系列设备是江苏溧阳机械设备厂引进美国技术生产的颗粒固体成型机械，生产能力可以达到1~2t/h（图7-16）。设备主传动采用高精度齿轮传动，环模采用快卸式抱箍型，产量比皮带传动型提高20%左右。同时，整机传动部分（包括电机）选用瑞士、日本高品质轴承，确保传动高效、稳定、噪音低。全不锈钢加大型强化喂料调质器，采用变频调速控制，确保颗粒高品质。另外，还采用国际先进的管路系统和进口调压阀。目前，生产的小型颗粒制造机SZLH30的生产能力为1~1.5t/h，耗能22/30kW，KYW32制粒机2t/h，耗能37kW。

（2）SKR-25型颗粒燃料固体成型机。该设备是由河南能源研究所开发的（图7-

图 7-16　江苏溧阳机械设备厂开发的颗粒燃料加工设备

17）。SKR-25 型颗粒燃料固体成型机设备采用的环模压辊原理，生产线的产量可达1～
1.5t/h，设备功率90kW，颗粒直径6～12mm，密度偏小，为 0.8～1.1 g/cm³，设备易
损件的损耗成本 20 元/t，制粒机价格 13.5 万元。

图 7-17　河南能源研究所开发的 SKR-25 型颗粒燃料固体成型机设备及加工厂

　　（3）环模压辊颗粒制造设备。该设备由原中南林学院开发研制（图 7-18）。设备采
用环模压辊原理，生产线的产量可达 2～3t/h，设备功率 95kW，颗粒直径6～10mm，
密度1.1～1.3g/cm³，易损件的损耗成本 5 元/t。设备制粒机价格 36 万元。设备的自
动化控制程度较高，生产线的布局合理，生产的颗粒和国外接近，虽然在国内的环模

式颗粒燃料生产设备中处于领先水平，但50万元以上的专利使用费使得大部分用户望而却步。

图7-18 原中南林学院开发的颗粒燃料生产设备

（4）平模式颗粒机（图7-19）。由吉林大学华光研究所研发，设备采用平模式原理，产量较小，最大为0.5~0.8t/h，功率30kW，颗粒直径6~12mm，密度1~1.3g/cm³，易损件的损耗成本15元/t，制粒机价格30万元，颗粒形状较好，制粒设备已进行生产测试。

图7-19 平模式颗粒机

7.2.4　生物质固体成型燃料应用

7.2.4.1　民用燃料炉具取暖与炊事

高效燃烧器具(锅炉或灶具)的利用可以明显提高燃烧效率，从而从根本上节约能源，是有效利用生物质燃料的关键。

有关高效燃烧锅炉或炉灶的研究，瑞典、挪威、新西兰、澳大利亚、德国等国家做的较早，截至 1998 年，一种家庭式燃烧生物颗粒燃料的供热锅炉热效率可达 80%，而生物质燃料的供应可以与加注燃油一样由颗粒生物燃料车通过管道加注到燃料仓内。另一种住宅小区、学校大面积供热可进行二次燃烧的节能高效锅炉的燃烧热效率可高达 90% 以上(许静，2004)。图 7-20 为国外成型颗粒燃料实践展示。

图 7-20　国外成型颗粒燃料送货专用车与输料示意图

我国在改进燃烧器具，提高热能方面做了一定的研究，一种新型的节能炉灶燃烧薪材的热效率达 20%~30%，与旧式传统炉灶相比可节省燃料 40%~50%，同时具有使用方便、卫生、安全等优点。截至 1996 年，全国已有 1.77 亿用户使用这种节能灶，占总农户的 76%(张无敌，2000)。下面简单介绍两种改进的炉型。

(1)专用颗粒固体成型燃料民用炉灶。中国林业科学研究院林产化学工业研究所开发的专用颗粒固体成型燃料民用炉灶，为小型木煤气发生炉和燃烧灶具两部分的组合。在这种专用炉灶中燃烧木片及颗粒固体成型燃料，其燃烧的热效率显著提高，超过 10%(专用炉灶使用颗粒固体成型燃料的热效率为 30.3%)。实验证明，颗粒固体成型燃料在民用炉灶上应用是完全可行的，燃烧稳定，热效率高，具有在广大农村、林区居民中应用推广的开发前景。

(2)老万牌生物质自动燃烧器及相应炉具(图 7-21)。北京万发炉业中心从 2000 年开始研发农作物秸秆类生物质颗粒燃料及其燃烧供暖设备。通过燃料的最佳配方和科学的压制方法，将其加工成一种颗粒状（φ8mm，长 2.5~3cm）的燃料，并成功地研制出世界上第一台能够连续自动和高效洁净燃烧普通农作物秸秆颗粒燃料的 SWN-1 型生物质自动燃烧器，以其为核心，还制成了暖风壁炉、水暖炉、炊事炉等系列炉具，均取得了满意效果。

图 7-21　老万牌生物质自动燃烧器及相应炉具

0.8t 立式锅炉——秸秆固体成型棒（块）燃炉：秸秆固体成型棒（块）燃烧效果最好，燃烧室温度达 106℃，燃烧速度比煤快 15% 以上，正常燃烧状态下，烟囱中无灰尘和灰烟排出，1 次加入秸秆固体成型棒（块）5kg，关闭风门后，可保持 4h 以上不熄灭。烟尘的排放浓度为 138mg/Nm³，SO_2 排放浓度仅为 75mg/Nm³。

虽然我国生物质固体成型机及固体成型炉具的生产和应用已形成了一定的的规模，但目前在压缩固体成型技术的研究和应用方面还存在以下问题。首先，原材料收集仍是压缩固体成型十分重要的工序，存在不确定因素较多，还没有很好解决。其次，国内的固体成型设备大多规模较小、产量偏低，不能满足商业化利用的需要。最后，国内的固体成型设备大多为螺旋式，没有从根本上解决固体成型能耗及单位产品成本过大的问题。

7.2.4.2　生物质锅炉燃烧发电供热

在我国，生物质发电产业正在蓬勃发展（图 7-22）。目前，生物质发电锅炉型多为水冷炉排炉，农林剩余物打捆输送至炉前经撕碎后送入炉内燃烧，或经破碎后输送入炉内燃烧。应该说，这种锅炉的燃料输送存在一定问题，因为，农林生物质原料存在

图7-22　生物质锅炉燃烧发电供热系统

着收集难、储存难、运输难、防火难四大难题，令管理者们头疼不已。经破碎的燃料遇到了入炉难的问题，使锅炉难以达到额定出力。然而，应用生物质固体成型燃料可使上述难题迎刃而解。一是收集不再难。生物质固体成型设备以小型(产量为0.5～1.0t/h)、价款在4万元左右为宜，一家一户即可买得起，放得下，干得了。在村庄里由农户就地将秸秆加工成型，避免了秸秆远距离运输，使秸秆收集不再难。二是储存不再难。大量分散的农户加工使固体成型燃料分储于农户之中，就像千百家生物质"小煤矿"遍地开花，分散的储存方法使储存不再难。三是运输不再难。生物质固体成型燃料的密度通常为1t/m³左右，和煤差不多。运秸秆就像运煤一样使运输不再难。四是防火不再难。秸秆可能用一根火柴就使其燃烧起熊熊大火，而压缩成型后其燃点比较高，通常难以引燃，使其防火不再难。五是入炉不再难。秸秆压缩成型后，体积大幅度缩小，密度大幅度增加，不再像秸秆那样输送入炉时容易蓬住、卡住，使生物质燃料入炉不再难。

显然，生物质固体成型过程中要耗费人力、动力、物力，必将使生物质燃料成本增大，这对于年需量在 20 万 t 的生物质电厂的经营管理者来说，将是难以承受的。但是，把应用固体成型燃料作为发电原料的供给部分补充或应急补充（20% 的补充应用），企业则完全可以承受。

7.3 我国林木生物质固体燃料开发与利用

7.3.1 生物质块状燃料成型加工经济分析

生物质块状燃料的成型是在常温下通过高压而实现的，其原理是利用植物表面的纤维相互交织而连接在一起而成型，不破坏植物的原化学性质和结构。相对而言具有生产燃料（替代部分煤）成本低、技术简单、易实现等特点。利用干旱沙地的沙生灌木为原料，建立一个年生产能力为 528t 的小型块状成型燃料加工厂需要具备 400m² 的简易厂房（能提供 380V 电源），块状燃料成型机（主生产设备）、灌木削片粉碎机、3 名操作工，其块状燃料生产的成本如下：

7.3.1.1 固定资产（成本）投入

G_1：生产简易厂房 400m²，不同地区使用价格不同。本项目主要针对干旱贫困地区，简易厂房的造价为 200 元/m²，以 20 年使用期计，该项的总投入为：

$$G_1 = 200 \text{ 元}/\text{m}^2 \times 400\text{m}^2 = 80000 \text{ 元}$$

G_2：块状燃料成型机 2 台，每台生产率为 110kg/h，功率为 5.65kW，使用寿命为 20 年，售价为 10 万元/台。该项投入为：

$$G_2 = 100000 \text{ 元}/\text{台} \times 2 \text{ 台} = 200000 \text{ 元}$$

G_3：灌木削片粉碎机 1 台，生产效率可供 2 台块状燃料成型机，功率为 2.6kW，使用寿命为 20 年，售价为 15000 元/台，该项投入为：

$$G_3 = 15000 \text{ 元}/\text{台} \times 1 \text{ 台} = 15000 \text{ 元}$$

G_4：收购灌木原材料用磅秤 1 台：

$$G_4 = 500 \text{ 元}/\text{台} \times 1 \text{ 台} = 500 \text{ 元}$$

固定资产投入为：

$$G = G_1 + G_2 + G_3 + G_4 = 80000 + 200000 + 15000 + 500 = 295500 \text{ 元}$$

7.3.1.2 可变成本

K_1：操作人员工资。至少需要 3 人运营该成型燃料生产厂，1 人收购灌木原材料，

1 人操作 2 台块状燃料成型机，1 人操作灌木削片粉碎机。工资支出为：

$$K_1 = 3 \text{ 人} \times 20 \text{ 元} / (\text{工作日} \cdot \text{人}) \times 300 \text{ 日} / \text{年} = 18000 \text{ 元} / \text{年}$$

K_2：电能消耗。包括 2 台块状燃料成型机、1 台灌木削片粉碎机和简易厂房内的照明，每小时电能消耗为：

$$D_{\text{小时}} = (2 \text{ 台} \times 5.65\text{kW}/\text{台} \times 70\% + 1 \text{ 台} \times 2.6\text{kW}/\text{台} \times 85\% + 0.3\text{kW}) \times 1\text{h} = 10.42\text{kW} \cdot \text{h}$$

因为机器电动机标定的是额定功率，对于压块机而言是间歇式工作，电动机额定工作状态最多不超过 65%，其他为空载或轻载状态。削片粉碎机有同样状况，以 85% 满负荷计算。每年以 300 天，每天工作 8h，则年耗电为：

$$D_{\text{年}} = 10.42\text{kW} \cdot \text{h} \times 8\text{h}/\text{天} \times 300 \text{ 天} = 25008\text{kW} \cdot \text{h}$$

目前农用电的价格为 0.70 元/(kW·h)，该项支出为：

$$K_2 = 25008\text{kW} \cdot \text{h} \times 0.70 \text{ 元} / (\text{kW} \cdot \text{h}) = 17505.64 \text{ 元}/\text{年}$$

K_3：原材料收购。以从农民或林场职工个体收购的方式为主，价格可为 0.05 元/kg（湿重），考虑 40% 的失水和其他损耗，原材料收购的支出为：

$$K_3 = (528\text{t} + 528\text{t} \times 40\%) \times 0.05 \text{ 元}/\text{kg} \times 1000\text{kg}/\text{t} = 36960 \text{ 元}/\text{年}$$

K_4：块状燃料成型机保养、维护、易损件更换。主要是更换成型模具和机件的润滑、液压油的更换，预计年支出为：

$$K_4 = 2000 \text{ 元} / \text{年}$$

K_5：灌木削片粉碎机保养、维护、易损件更换。主要是削片刀片和粉碎锤等磨损后的更换及机器的维护、保养，预计年支出为：

$$K_5 = 1500 \text{ 元}$$

该项每年支出为：

$$K = K_1 + K_2 + K_3 + K_4 + K_5$$
$$= 18000 + 17505.6 + 36960 + 2000 + 1500$$
$$= 75965.6 \text{ 元}/\text{年}$$

7.3.1.3　生产成本核算

$$C = \frac{\dfrac{G}{20 \text{ 年}} + K}{528\text{t}/\text{年}} = \frac{\dfrac{295500 \text{ 元}}{20 \text{ 年}} + 75965.6 \text{ 元}/\text{年}}{528\text{t}/\text{年}} = 171.86 \text{ 元}/\text{t}$$

以沙生灌木为原料生产块状成型燃料的生产成本为 171.86 元/t。

注：上述用到的数据有些为估算值，建立块状成型燃料生产厂时以实际设备购置价格和支出为准进行生产成本合算。

7.3.2　林木生物质固体燃料发展潜力

该产业可以成为新农村、新林区建设中推广应用的新型适用产业。开发固体成型燃料是一项利国、利民、利集体，提高农村生产和生活质量的重要措施之一，其替代煤炭的市场需求量大，原料充足，清洁有利健康，将成为国家政策和资金扶持的重点项目，发展潜力巨大。国家《可再生能源中长期发展规划》已明确指出，到2020年，年开发生产生物质固体成型燃料5000万t的发展目标，这将为林业承担更大的任务提出了新的目标，是林业建设的新任务和发展的新方向。我国有4000多个国有林场，其中一半以上处于边远林区，交通不便，处于贫困状态。这里森林剩余物资源丰富，利用自有剩余物资源，开发固体成型燃料，可以为林场解决购买煤炭的不便，每年还可以节省50~60t煤炭的资金。

我国未来的能源形势会随着经济的高速发展而逐渐严峻起来，所以说未来中国是一个能源严重短缺的国家并不为过。要摆脱未来可能出现的能源困境，就需要及早下手，寻求解决方案。目前来看，解决未来中国能源问题是有可能的，解决的途径也比较多，发展林木生物质能源就是其中之一。

我国是一个森林资源总量较大的国家，目前森林面积17490.92万 hm^2 和蓄积124.56亿 m^3，位居世界前列；从薪材方面看，中国还是一个林木生物质能源利用历史悠久的国家，更是一个薪材消耗大国。目前，中国农村大约每年消耗薪材19967.2万 m^3，折合11401.27万t标准煤，主要分布在南方的西南地区（1329.57万 m^3）、华中华南（784.82万 m^3）等地区。而且，其利用方式十分单一，几乎全为农民、居民炕炉直燃以及炊事和取暖之用。如果改变这种使用效率低下的能源利用方式（如采用固化技术，把薪柴压成高密度固体燃料等），提高使用效率就可以变相节省能源而且开拓能源利用途径，甚至变废为宝。因为我国森林资源利用状况比较差，森林采伐、木材加工剩余物几乎处于弃置不用的状况（木材加工厂的木材剩余物多采取直燃的方式，利用效率低），如果把这些被废弃的资源通过现代化的技术有效利用起来，那么通过这种方式获得的能源数量也是可观的；同时，由于我国林业发展的生态取向和用材（材料）取向，使得广大北方和西北地区的灌木林地、半干旱沙荒地，没有纳入利用范围而被荒弃，可见大量的土地资源实际上是被闲置起来。经测算我国有5393万 hm^2 的宜林沙荒灌木林地，且这部分土地不适于农业生产；若变为能源林基地，每年可望产出2.4亿t的生物量，如果把这些原料制成林木生物质能源产品，其总量相当于1.2亿t标准煤。此外，与化石能源相比，林木质能源最大的优点是可再生性，其原料和产品的提供从长远观点来看是比较有保证的，所以我国开发林木质能源无疑是解决未来能源困境的有力武器之一。

发展林木生物质固体燃料，有利于解决现行农村生活用能消费中存在的诸多问题，为农村能源利用的可持续发展提供支持。在我国广大农村地区，秸秆和薪柴等生物质依然是农村主要生活燃料，尽管煤炭等商品能源在农村的使用迅速增加，但受资源条件和供应渠道的限制较大，再加上当前我国工业发展所需能源消耗量剧增和供需缺口逐渐扩大，因此依靠煤炭等化石燃料来改善我国农村生活用能现状是不现实的，也是不可持续发展的。

若将林木生物质转化为林木生物质固体燃料，可以将林木的燃烧效率从 20% 左右提高到 90% 以上，按照这一比例计算，在不改变薪柴供给量的前提下，就可以扩大 3 倍的能源供给量。在农村地区就地取材，积极发展林木生物质固体燃料，一方面可以替代农村经济发展对于化石能源的消耗，满足我国广大的农村地区用能需要，优化农村用能结构，另一方面有利于提高生物质利用效率，节约资源，增加能源供给，在一定程度上缓解国家能源危机。

7.3.3　林木生物质固体燃料环境经济效益分析

北京某成型燃料厂在加工成型燃料进行原料收集所采用的"公司 + 基地 + 专业户"的利益联结模式，值得借鉴。

"基地"是指原料供应基地，应选择与农场或种植面积较大的种植农户签订秸秆收购协议，及时足量收购，及时付款，以保证秸秆原料稳定持续供给。

"专业户"是指以基地为纽带建立起来的秸秆收购专业户，他们主要在不适合机械化大规模收割的小型田地或洼地，依靠个人组织人力手工收割或组织收集散落在田间地头的秸秆，经过简单打捆和晾晒，分批分段送至原料收集基地，后运至发电厂，厂方按照原料质量制定收购价格。专业户应选择具有一定专业素质的个体农户，并由公司进行正规培训。

有了好的收集模式，还要有一套完整的收集保障措施。要避免原料收集供应断档、不连续，减少原料因质量不合格影响使用。

北京市盛昌绿能科技有限公司依托企业技术、设备上的优势，在北京市大兴区礼贤镇进行了新农村新能源的示范推广工程，利用当地农村的农林废弃物，加工成型燃料取得了良好的效果，受到农民的欢迎。下面是相关的经济效益对比（表 7-2）和环境效益对比（表 7-3）。

表7-2 民用炊事及采暖不同燃料经济效益对比

科目 分类	取 暖		炊 事	
	民用烟煤	成型燃料	蜂窝煤	成型燃料
年需求量(t)	3.5	4	1800(块)	1.5
单价(元)	500	320(补贴价) 420(市场价)	0.37(块)	320(补贴价) 420(市场价)
年燃料费用(元)	1750	1280(补贴后) 1680(无补贴)	666	480(补贴后) 630(无补贴)
年节省(元)	0	470(补贴后) 70(无补贴)	0	186(补贴后) 36(无补贴)

表7-3 10万t生物质成型燃料与同热值煤炭燃烧环境效益对比

项目	10万t生物质成型燃料(t)	7万t煤炭(t)	减排量(t)
CO_2 排放	0	140000	140000
SO_2 排放	100	700	600
烟尘	400	1000	600
灰渣	5000(草木灰)	28000	23000

7.4 生物质固体成型燃料规模化发展亟待解决的问题

（1）资源问题。目前生物质致密固体成型燃料的研究和生产主要以木材加工剩余物、农作物秸秆为主要原料，难以形成规模。林木生物质资源丰富，并且可以作为能源林集中培育，为大规模生产生物质致密固体成型燃料建立能源林基地是亟待解决的问题之一。

（2）生物质常温固体成型设备尚未国产化。用于试验的设备是从德国引进技术的压块机，可以压制金属、塑料、纸屑、生物质等各种材料，技术比较成熟、用于生产的 BR440 型压块机售价为 7.5 万欧元（2013 年），压制生物质燃料块的效率为 440kg/h。该价格对于目前国内最有可能建立生产生物质致密固体成型燃料生产基地的林场（具有丰富的灌木资源）来讲，难以接受。因此，研制开发适用于中国国情的生物质常温致密固体成型设备是亟待解决的问题之二。

（3）灌木削片粉碎机的研制、开发。用灌木作为原料实现致密固体成型燃料生产规模化的可能性最大，而目前能满足常温致密固体成型要求、粉碎灌木的专用设备在木材加工设备的市场上还是空白。研制专用于灌木削片、粉碎的设备机是亟待解决的问题之三。

（4）灌木平茬收割机械。林业灌木涉及种类较多，在生长到一定年限以后需要进行平茬复壮，否则会枯死。大多数灌木其枝干上生长有刺，人工收割效率低、困难大。过去没有专用于收割灌木的机械设备，研制专用于灌木收割机械是亟待解决问题之四。

第8章 生物质气化燃料

8.1 生物质气化燃料开发与利用概述

生物质燃气，又称农林剩余物燃气，是广泛取材于各种农林废弃物，如农作物农林剩余物、木材加工下脚料、野草、枯树枝、灌木枝、藤蔓等，通过气化过程而产生的一种混合燃气，含有一氧化碳、氢气、甲烷等，便于储存、燃烧应用，是当前比较理想的绿色能源之一，得到了国家、地方和农民群众的重视和喜爱。

生物质气化燃料开发与利用是指将生物质在缺氧状态下通过热化学反应，使固态的林木质原料、秸秆、稻壳等有机物转化为高品位、易输送、利用效率高且清洁的可燃气体的过程。产生的气体可直接作为燃料，或者用于生产动力。如林区和农村地区现存的大量林木剩余物作为主要气化原料，通过气化技术的转化向广大林户或农户供应炊事燃气。

气化燃料开发与利用是用植物生物质能源替代煤炭、石油和天然气等一次性能源。这样，既可在相当程度上满足人类社会日益增长的能源需求，同时又可以有效减轻使用化石能源给生态环境所带来的污染。是目前我国生物质能源开发与利用的重要途径，对于解决我国广大农村地区的用能问题具有重要意义。

在生物质燃气中目前只有沼气具有成本优势，所以一般所说的生物质燃气主要是指沼气。我国沼气使用的规模、技术推广的水平，在全世界占有重要地位，截至2008年年底，全国农村户用沼气已经发展到3050万户，各类农业废弃物处理沼气工程3.95万处。1998年我国在杭州天子岭填埋场建成首家垃圾沼气发电厂，此后南京、广州、武汉等十几个城市垃圾沼气发电厂陆续建成或在建；郑州王新庄污水处理厂利用污水(泥)生产沼气，已并入郑州城市燃气管网，每天产气2万 m^3。

8.1.1 国外生物质气化燃料发展现状

（1）已从生活用能产品扩大到生产用能产品。沼气的早期使用，大多仅限于居民生活用能范围。当前的趋势是大量进入生产用能领域，包括发电、车用燃料沼气、沼气燃料电池等。欧洲一些国家大规模使用沼气替代石油作为车用燃料，2009 年 1 月，德国拥有汽车 5195 万辆，其中用天然气驱动的有 90397 辆。在 860 座天然气加气站中，生物天然气加气站有 3 座，沼气净化、提纯厂已有 40 家(生物天然气并网)。规划到 2020 年，生物天然气要替代天然气消费量的 6%，需相应增建 1000 座以上的沼气净化、提纯厂和更多的加气站。瑞士近年来在生物天然气的车用方面正急起直追领先国瑞典。利用好氧污泥加其他有机废弃物生产沼气，既解决二次污染问题，又可取得可观的 CO_2 减排效应。以首都伯尔尼市(30 万居民)为例，2010 年已有 1.5 万多辆汽车使用生物天然气(程序，朱万斌，2011)。

据美国联邦环境保护署 2008 年数据，美国有 455 座垃圾场利用生成的沼气提供电力。环境保护署还计划在美国建立 500 多座垃圾发电站。美国已开始试验沼气燃料电池替代内燃机发电。

(2)已从分散型生产为主发展为集中型生产为主。早期的生产和使用沼气基本是分散的、小规模的，而当前的趋势则是集中生产、全面开发。沼气工厂大多热电联产，也包括材料、肥料等产物，其技术也由单一模式过渡为综合集成模式，包括更精细的发酵技术，更精密的装备制造技术和加工制造技术。截至 2009 年年底，德国生物气体贸易协会(fachverband biogas)公布的数据中，德国投运的生物气体设施达 4500 套，其中 95% 采用来自作物和牲畜的废弃物。英国现有 38 座沼气厌氧工程，每年可处理物料 44 万 t。其中 11 座为大型工程，使用多种物料共发酵，包括畜禽粪便、能源作物和厨余垃圾等；其余的中型工程建在农场(程序，朱万斌，2011)。美国的垃圾发电站还准备综合运用新能源，把风能、太阳能引入垃圾沼气发电，可以形成稳定的电源。

(3)已从社会公益事业发展为战略性新兴产业。随着传统原料资源量的日渐匮乏，沼气专用能源作物应运而生，其潜力远大于其他资源。能源作物青贮后可以长期不霉变、不腐烂，这对于大型沼气企业全年稳定生产具有决定性意义。另外，面对化石能源的严重污染和有限储量，沼气作为一种可再生能源的意义也越来越重要，沼气生产也从社会公益事业发展为战略性新兴产业。欧洲主要国家都把发展生物燃气等产业作为国家能源战略的一部分，确定生物燃气在能源消费中的比重，对生物燃气企业实行税收减免和投资补贴。2008 年 1 月，欧盟制定了应对全球气候变化的 2020 年三大目标：减排温室气体 20%；提高能源使用效率 20%；可再生能源替代全部能源消费量的 20%。第三个目标中，交通运输燃料中要有 10% 是可再生燃料，而生物天然气要占到这个数的一半。

8.1.2　我国生物质气化燃料发展现状

（1）掌握户用沼气的核心技术。生物质能的研发和利用在我国一直备受重视，我国 1984 年就制定了农民户用沼气的国家标准，2002 年又进行了修订。《可再生能源法》及相关配套措施确定了生物质能等可再生能源的法律地位，国家四个五年计划连续把生物质能技术的研发和应用列为重点攻关项目，从 2003 年开始，国家用于沼气项目的资金每年都达数十亿元。

我国在户用沼气池、沼气工程、沼气直供气、沼气发电、沼气车用燃料等技术领域取得重要成果，大中型沼气工程技术初步具备产业化条件；北方"四位一体"、南方"猪沼果"、西北"五配套"等能源生态技术比较成熟；秸秆气化技术有所发展；垃圾沼气发电技术达到一定水平。可以说，我国户用沼气技术居国际领先水平，标准比较完善，发展规模居世界前列；垃圾沼气技术发展前景看好。这为发展生产燃气产业提供了良好的技术基础和产业基础。

（2）原料、市场较国外占优势。从生产原料来看，主要是农业和林业的废弃物、工业的有机废弃物、人畜粪便、能源植物、生活垃圾等。我国幅员辽阔，人口众多，可用于生物燃气的资源特别富集，这是世界上绝大多数国家不具备的。我国目前年产 25 亿 t 养殖场畜禽粪便，7 亿 t 各类秸秆、4 亿 t 生活垃圾、厨余垃圾、污泥，2 亿 t 食品和农产品加工等有机废弃物，据专家初步匡算，具有年产近 2000 亿 m^3 标准产沼气的资源潜力，折合约 1200 亿 m^3 当量天然气或 9000 万 t 当量油。德国、瑞典等欧洲国家生物燃气技术世界领先，但其生物燃气的资源潜力却无法与中国相比。

我国是贫油少气的国家，每年天然气供需缺口在 40 亿 m^3 以上，近两年更是经常出现气荒。若考虑生物燃气对传统能源的替代，市场对燃气的需求就更大。我国近 7 亿农村居民的生活用能，城市居民部分生活用能，工农业和服务业生产用能，都可采用生物燃气。截至 2010 年，全国已有 4000 万农户使用户用沼气，为适宜农户的 30% 左右。国家《可再生能源中长期发展规划》提出，到 2020 年将达到 440 亿 m^3。广阔的内需和发展目标，为生物燃气产业的发展提供了巨大的市场空间。

（3）生产主体基本集中于农户。我国沼气使用的规模、技术推广的水平，在全世界占有重要地位，截至 2008 年年底，全国农村户用沼气已经发展到 3050 万户，各类农业废弃物处理沼气工程 3.95 万处。基本建设单元为"一池三改"，即户用沼气池和改圈、改厕、改厨。有的把沼气生产与种养结合起来，发展生态农业。以农户为主体的沼气生产规模小，产业关联性差，形不成完整的产业链，严重限制了生物燃气技术向高端发展。

我国也兴建了一些大中型沼气工程，设备制造和施工企业也有一定数量。但从总体上看，生物燃气企业数量、规模都不大，企业化的生产模式尚未成为生物燃气产业的主体。2008 年我国大中型沼气池 15625 处，总池容 358 万 m^3，产沼气 4.6 亿 m^3，仅为生物燃气总产量的 3%，是德国生物燃气产量的 10% 左右；沼气发电装机容量只有德国的 1%（郭铁成，2011）。目前的沼气工程投资大，成本高，收益率低，生物燃气企业在燃气、电力市场上无法与常规能源竞争。

8.2　生物质气体技术发展评述

生物质气化技术是通过热化学反应将固态生物质转换为气体燃料的过程。生物质气化技术已有 100 多年的历史，早期的生物质热解气化技术主要是将木炭气化后用作内燃机燃料。20 世纪 70 年代，由于受到石油危机的冲击，西方各主要工业国家纷纷投入大量资源研究可再生能源。美国、瑞典、日本、德国及欧盟各国政府都在加大力度投资生物质气化技术的开发。到 20 世纪 80 年代，美国就有 19 家公司和研究机构从事生物质热裂解气化技术的研究与开发，美国可再生能源实验室和夏威夷大学也在进行生物质燃气联合循环的蔗渣发电系统研究。近年来，美国在生物质热解气化技术方面有所突破，研制出了生物质综合气化装置 – 燃气轮机发电系统成套设备，等等。加拿大 12 个大学的实验室在开展生物质热裂解气化技术的研究。德国鲁奇公司建立了 100MW IGCC 的示范工程；科林公司的气化技术（图 8-1）。瑞典能源中心利用生物质气化等先进技术在巴西建立生物质蔗渣发电厂。荷兰特温特大学进行流化床气化器和焦油催化裂解装置的研究，推出了无焦油气化系统。1986 年年末，马来西亚理工大学的机械工程系开始从事生物质气化技术的开发研究工作，设计各类型号气化装置时所考虑的因子是：①组装成本低；②操作设备成本低；③组装、安装、操作和维修简

图 8-1　德国科林公司气化工业发展

便；④能批量或连续投料；⑤安全因子；⑥运转的可靠性等。国外的生物质能技术和装置多实现了产业化经营。西方国家农业生产多以农场为主，生物质资源集中，生物质气化规模一般比较大。作为一种重要的新能源技术，生物质气化的研究逐渐活跃起来。

8.2.1 气化技术开发利用现状

8.2.1.1 气化技术研究现状

在气化、热解反应的工艺和设备研究方面，流化床技术是科学家们关注的热点之一。印度 Anna 大学新能源和可再生能源中心开发研究用流化床气化农林剩余物如稻壳、木屑、甘蔗渣等，建立了一个中试规模的流化床系统，产生的气体用于燃气发动机驱动发电机发电。1995 年美国 Hawaii 大学和 Vermont 大学在国家能源部的资助下开展了流化床气化发电技术开发工作。欧洲一些发达国家的研究人员在催化气化方面取得了大量的研究开发成果，在生物质转化过程中，应用催化剂、通过降低反应活化能、改变生物质热分解进程，分解气化副产物焦油成为小分子的可燃气体，以增加煤气产量，提高气体热值，降低气化反应温度，提高反应速率和调整气体组成，进一步加工制取甲醇和合成氨。

从 20 世纪 80 年代初开始，我国生物质气化技术一直受到政府和科技人员的重视，"七五"和"八五"期间取得了较大进展。目前已开发出多种固定床和流化床小型气化炉，以秸秆、木屑、稻壳、树枝等为原料，生产燃料气，主要用于村镇级集中供气。农村集中供气工程解决了农作物秸秆的焚烧和炊事用能问题，而生物质气化发电主要针对具有大量生物质废弃物的木材加工厂，碾米厂等工业企业。

近年来，国内科研单位也取得了明显进步，中国科学院广州能源研究所在循环流化床气化发电方面取得了一系列进展，已经建设并运行了多套气化发电系统，并建立了几十处示范工程；中国林业科学研究院林产化学工业研究所在生物质流态化气化技术、内循环锥形流化床富氧气化技术方面取得了成果；西安交通大学近年来一直致力于生物质超临界催化气化制氢方面的基础研究；中国科技大学进行了生物质等离子体气化、生物质气化合成等技术的研究；山东大学在下吸式固定床气化集中供气、供热、发电系统上进行的研究，已在全国建立示范工程 200 余处。1994 年在山东桓台县潘村建成第一个集中供气试点以来，陆续在山东、河北、辽宁、吉林、黑龙江、北京、天津等省份不断推广应用。目前已有多家生物质气化集中供气设备的生产厂家。生物质气化集中供气技术在推广中不断改进，已逐渐成熟。

浙江大学、华中科技大学、山东省能源所等单位也对生物质气化技术进行了各自的研究工作。目前，我国自行研制的集中供气系统已进入实用化试验及示范阶段。

8.2.1.2 生物质燃气应用现状

（1）国外应用现状。目前，国外生物质气化装置一般规模较大，自动化程度高，工艺较复杂，以发电和供热为主，如加拿大摩尔公司（Moore Canada Ltd）设计和开发的固定床湿式上行式气化装置、加拿大通用燃料气化装置有限公司（Omnifuel Gasification System Ltd）设计制造的流化床气化装置、美国标准固体燃料公司（Standard Solid Fuels Inc）设计制造的炭化气化木煤气发生系统、德国茵贝尔特能源公司（Imbert Energietechnik GmbH）设计制造的下行式气化炉 – 内燃机发电机组系统等。一些国家也研究了小型气化设备。日本 Jun Sakai 等人于 20 世纪 70 年代设计了一台小型木炭煤气装置用于开动 4.4kW 的汽油机取得了成功。类似的装置在菲律宾的 Central Luzon 大学（1977）、美国密歇根州立大学（1978）和泰国农业部农业工程局（1980）相继研制成功并逐步走向实用化。目前，由 Thomas Reed 和 Ron Larson 设计的木材增压家用炊事气化炉，适用于小木块为原料，CO_2 排放量低，安全方便，宜于家用炊事。印度科学研究所研制的 IISc 小型气化炉，用木块和团状垃圾作为燃料，输出热功率 3 ~ 4kW，一次加料在炉内可以连续反应 2h，进一步降低了烟尘排放量。总的来说，欧美发达国家研制的生物质气化装置一般规模较大，自动化程度高，工艺较复杂，以发电和供热为主，造价较高，气化效率可达 60% ~ 90%，可燃气热值为 1.7 万 ~ 2.5 万 kJ/m^3。

（2）国内应用现状。近年来，我国在气化设备研究开发方面也取得了较大的进展。山东能源研究所研制的 ×FF 系列生物质燃气化炉在农村集中供气应用中获得一定的社会、经济效益；大连市环境科学设计研究院用研制的 LZ 系列生物质干馏热解气化装置建成了可供 1000 户农民生活用燃气的生物质热解加工厂。我国小型气化炉的研究开发也在逐步发展，形成了多个系列的炉型，可满足多种物料的气化要求，在生产、生活用能、发电、干燥、供暖等领域得到利用。如中国农业机械化科学研究院研制的 ND 系列生物质气化炉，用气化产出气烘干农林产品，设备简单，投资少，热效率高，对于小型企业及个体户有使用价值，其中 ND-600 型气化炉已进行较长时间的生产运行，取得了一定效益；中科院广州能源所，对上吸式生物质气化炉的气化原理、物料反应性能做了大量试验，研制出 GSQ 型气化炉；云南省研制的 QL-50、60 型户用生物质气化炉已通过技术鉴定并在农村进行试验示范。到 2003 年年底，我国生物质气化集中供气系统供气站保有量 525 处，年产生物质燃气 1.5 亿 m^3。2007 年，发展到 1000 多处，年产生物质燃气能力超过 5 亿 m^3。

与欧美国家的生物质气化相比，我国的气化原料通常为农村有机废弃物，如秸秆、稻壳、玉米芯、果壳、锯末等，而欧美国家则采用硬木块、木炭、有机垃圾等；欧美国家的气化炉（图8-2）多用于发电、供热和驱动车辆，而我国的气化炉（表8-1）则主要用于解决农村能源问题；欧美国家开展生物质热解气化技术比较注重环境效益，而我国则是以能源效益为主。在技术和自动化方面，总体来看，欧美比我国高，但投入也明显高于我国。我国的气化炉对原料有广泛的适应性，欧美国家的气化炉则对原料有较高的选择性。无论是国内还是国外，目前生物质热解气化所产生的生物气均为低热值气体，一般发热量5000kJ/m³。

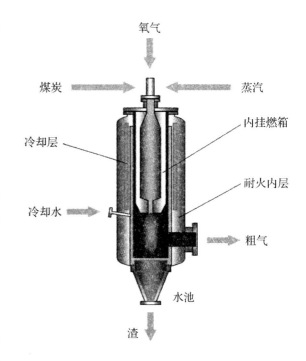

图8-2　国外气化炉结构示意图

表8-1　我国生物质气化炉研究

类型	型号	热输出（kJ/h）	用途	研究单位
上吸式	GSQ-1100	$(1.09 \sim 2.63) \times 10^5$	生产供热	广州能源所
		1.60×10^5	锅炉供热	广州能源所
下吸式	ND600	6.27×10^5	木材烘干	中国农机院
	QFF-1000	1.25×10^5	气化供气	山东能源所
	QFF-2000	2.50×10^5	气化供气	山东能源所
	HQ/HD-280B	1.20×10^4	炉用炊事	中国农机院
层式下吸式		5.76×10^5	发电	原商业部
		2.16×10^5	发电	江苏省粮食局
循环流化床		1.32×10^6	生产供热	广州能源所
		9.20×10^6	技术试验	中科院化冶所
中热值气化炉		0.67×10^3	气化供气	广州能源所

8.2.2　生物质气化技术原理与流程

生物质气化是在不完全燃烧条件下，利用空气中的氧气或含氧物质作气化剂，将生物质转化为含 CO、H_2、CH_4 等可燃气体的过程。转化过程的气化剂有空气、氧气、水蒸气等，但以空气为主。由于生物质原料由纤维素、半纤维素、木质素等组成，含氧量和挥发分都很高，活性较强，更有利于气化。根据气化介质和气化炉的不同，燃气热值也会发生变化。当采用空气作为气化剂进行气化时，燃气热值将在 4~18MJ/m^3 的范围内变化。气化反应过程同时包括固体燃料的干燥、热分解反应、氧化反应和还原反应。户用气化发生系统与设备示意图，如图 8-3。

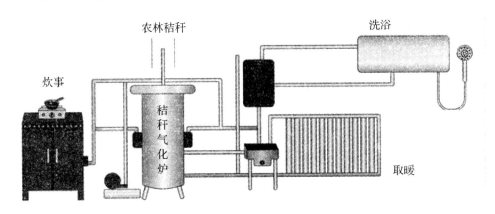

图 8-3　户用气化发生系统与设备示意图

8.2.2.1　气化技术原理

气化装置运行稳定时，一定粒度生物质原料进入气化炉，首先被干燥。随着料层的下落，伴随温度的升高，其挥发物质析出并在高温下裂解（热解），生成固体焦炭和气体挥发分（包括 CO、CO_2、H_2、CH_4、焦油、木醋酸和热解水等）；裂解后的气体和碳在氧化区与供入的气化介质（空气、氧、空气/水蒸气等）发生燃烧反应，所生成的高温气体与高温炭层发生非均相的还原反应，燃烧生成的热量用于维持干燥、热解和下部还原区的吸热反应；燃烧后的气体，经过还原区与炭层反应，最终生成了含有一定量的 CO、H_2、CH_4 及部分不饱和烃 C_mH_n 的混合可燃气体，由下部抽出，去除焦油等杂质净化后即可燃用。氧化后的气体含有一些不可燃气体，如 CO_2、H_2O 等，经还原反应减少其含量，灰分则由气化器下部排出。

8.2.2.2　气化流程

生物质气化是生物质能高品位利用的一种主要技术，通过气化装置将生物质原料的能量进行转换，可以将固态生物质原料转换成使用方便而且清洁的高品位的可燃气体。在气化过程中，燃料基本上要经过氧化、还原、裂解（热解）和干燥四个阶段，其主要的反应式为：

氧化阶段：$C + O_2 = CO_2 + 408.84kJ$

$$2C + O_2 = 2CO + 246.44kJ$$

还原阶段：$C + CO_2 = 2CO - 162.41kJ$

$$H_2O + C = CO + H_2 - 118.82kJ$$

生物质气化根据所处的气化环境可分为：空气气化、富氧气化、水蒸气气化和热解气化。

空气气化技术直接以空气为气化剂，气化效率较高，是目前应用最广，也是所有气化技术中最简单、最经济的一种。由于大量氮气的存在，稀释了燃气中可燃气体的含量，氮气占到总体积的50%～55%，燃气热值较低，通常为 5～6MJ/m³，可直接用于供气、工业锅炉等。富氧气化使用富氧气体做气化剂，在与空气气化相同的当量比下，反应温度提高，反应速率加快，可得到焦油含量低的中热值燃气，发热值一般在 10～18MJ/m³，与城市煤气相当，但相应会增加制氧设备电耗和成本，在一定场合下，具有显著的效益，使生产的总成本降低。富氧气化可用于大型整体气化联合循环（IGCC）系统、固体垃圾发电等。水蒸气气化是指在高温下水蒸气同生物质发生反应，涉及水蒸气和碳的还原反应，CO 与水蒸气的变换反应等甲烷化反应以及生物质在气化炉内的热分解反应。燃气质量好，H_2 含量高（30%～60%），热值在 10～16MJ/m³，由于系统需要蒸汽发生器和过热设备，一般需要外供热源，系统独立性差，技术较复杂。现研究主要在流化床反应器内进行。热解气化不使用气化介质，又称为干馏气化，产生固定炭、液体（焦油）与可燃气，热值在 10～13MJ/m³。

此外，在气化炉反应过程中，燃气中带有一部分灰分和液态焦油，必须从中分离出来，避免堵塞管道。灰分的处理从技术角度分析较容易，通过提高气化效率，烧结成灰后较易处理，而焦油的处理则较复杂，在一定规模下可使用催化裂解，一般较可行的方式是物理化学法结合。目前，适用生物质气化焦油的去除方法主要包括普通方法和催化裂解法，普通方法除焦油可分为湿法和干法两种。湿法去除焦油是生物质气化燃气净化技术中最为普通的方法，包括水洗法和水滤法，它利用水洗燃气，使之快速降温从而达到焦油冷凝并从燃气中分离的目的。干法去除焦油是将吸附性强的物质（如炭粒、玉米芯等）装在容器中，当燃气穿过吸附材料和过滤器时，把其中的焦油过滤出来。催化裂解法是在一定温度下，使用白云石（$MgCO_3 \cdot CaCO_3$）和镍基等催化剂把焦油分解成永久性小分子气体，分解后的产物与燃气成分相似。

8.2.2.3　气化机组与气化程序

生物质气化是容器内生物质在缺氧状态下的燃烧反应。从而完成了能量从固态到气态的转换，使农林剩余物原料的大部分能量转化到气体中，这就是气化过程。其反应器的设计通常有上吸式和下吸式，上吸式产生的燃气一般高于下吸式。上吸式的最大缺点是不能连续供料，发生炉产生的燃气也不稳定。

气化机组主体由两部分组成：第一部分为气化炉（包括上料机），第二部分为燃气净化装置。气化炉（包括上料机）——燃气发生炉机组，机组结构型式主要由三部分组成：①上料部分。经过粉碎达到一定要求的秸秆，经过上料机送入气化炉。上料机通常采用密封绞笼。对上料机的开启和关闭，可以根据发生炉的用料要求，实现自动落料。②气化炉。即气化的反应室，被粉碎的秸秆在这里进行受控燃烧和还原反应。发生炉产生的燃气，含有大量的焦油和灰分，应对其净化处理。③燃气的净化。主要清除气体中的焦油和灰分，使之达到国家标准：$< 10 mg/m^3$。燃气净化装置主要由三部分组成：①燃气冷却及净化器。②机组动力——水环真空泵，是机组内气水混合运行的动力。③焦油分离器，也同时是气水分离器。

另外，贮气柜是另一重要设施，它是储存气体的设备，主要用于燃气气源产量与供应量之间的调节。贮气柜的结构有外导架直升式、无外导架直升式、螺旋导轨式。贮气柜容积根据用户每天的总用气量来考虑，一般地，贮气柜的容量应占日供气总量的 40% ~ 50%。贮气柜的容积有三种表示方法，即几何容积、有效容积和公称容积。

8.2.3　气化装置研究

8.2.3.1　生物质气化装置分类

生物质气化系统包括气化炉、冷却器、净化器、风机、贮槽及空气调节器等，其分类主要依据气化炉的工作原理和工艺流程进行不同的划分。通常有以下几种分类方法：①从气化的工作原理上可分为固定床气化炉、流化床气化炉和携带床气化炉。其中固定床气化炉又分为下吸式、上吸式、横吸式（或平吸式）和开心式 4 种；流化床气化炉又分单床、循环和双床 3 种；携带床气化炉是流化床气化炉的一种特例。②从气化方式可分为湿式气化和干式气化 2 种，湿式即供给水蒸气，而干式则不供给水蒸气。③从气流方式上可分为上吸式、下吸式和横吸式。④以通风方式可分为吸入式和压入式。⑤按出气口的位置可分为顶部、侧部和底部。⑥从炉内结构方面可分为固定床和流化床。

下面从生物质气化的工作原理上，按照气化器中可燃气相对物料流动速度和方向不同对气化炉进行分类，分为固定床气化炉和流化床气化炉两种。

（1）固定床气化炉。固定床气化炉具有一个容纳原料的炉膛和承托反应料层的炉栅，应用较广泛的是上吸式气化炉和下吸式气化炉。

固定床上吸式气化炉（图8-4）的基本结构和反应过程为：物料由炉顶加料口加入炉内，气化剂由炉体底部的进风口进入炉内参与气化反应。炉体内气体流动方向为自下而上，最终可燃气由上部的可燃气出口排出。优点是：可燃气经过热分解层和干燥层时将热量传递给物料，自身温度降低，炉子热效率高；可燃气热值较高；热分解层和干燥层对可燃气有过滤作用，使出炉的可燃气灰分少。缺点是：添料不方便；密封困难；可燃气中焦油、蒸汽含量较多。

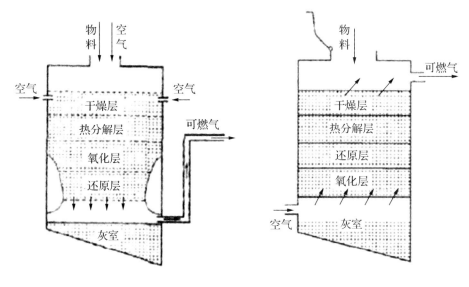

图8-4　固定床上吸式气化炉　　　　图8-5　固定床下吸式气化炉

固定床下吸式气化炉（图8-5）的基本结构和反应过程为：物料由炉顶加料口加入炉内，气化剂由炉体上部进入炉内，部分气化剂也可随物料一起进入炉膛，炉内料层自上而下为干燥层、热分解层、氧化层和还原层，最终可燃气由炉体下部侧壁排出。其优点是：高温区的温度稳定效应使工作稳定，产出气成分相对稳定；可随时开盖添料；焦油通过高温区被裂解，因此出炉的可燃气中焦油较少。其缺点是：可燃气的流向与热流方向相反，引风机的功耗要求大；出炉的可燃气含灰分较多；出炉可燃气温度高需冷却，炉内热效率较低。

（2）流化床气化炉（图8-6）。颗粒状的物料被搅拌后送入炉内，常掺有精选的惰性材料砂子作为流化床材料，在炉体底部以较大压力通入气化剂，使炉内呈沸腾、鼓泡等不同状态。通过物料和气化剂充分接触，发生气化反应。流化床气化炉优点是物

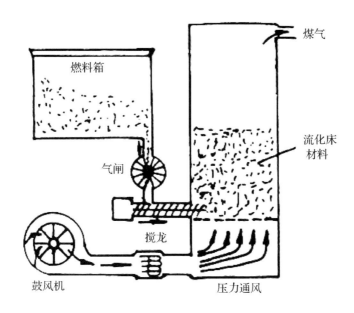

图 8-6　流化床气化炉

料反应温度均匀，气化反应快，产气率高；炉内温度高而稳定，一般流化床气化炉反应温度控制在 700～900℃，故可燃气中焦油含量较少；可燃气热值较高；生产能力大。其缺点是：可燃气中灰分含量较多；结构比较复杂；原料主要是木屑、稻壳等颗粒度较小、流化性能较好的物料。

　　按气化器结构和气化过程，可将流化床分为鼓泡流化床（图 8-7）和循环流化床（图 8-8）。鼓泡流化床气化炉是最简单的流化床，气流速度较慢，比较适合颗粒较大的生物质原料，一般需增加热载体。而循环流化床气化炉在气体出口设有旋风分离器或袋式分离器，流化速度较高，适用于较小的生物质颗粒，通常情况下不需加流化床热载体，运行简单，有良好的混合特性和较高的气固反应速率。

　　（3）固定床气化炉与流化床气化炉适用范围。流化床气化与固定床气化相比较，气化温度更均匀，气化强度更高，原料粒度要求小，对于连续运转，以木材加工厂下脚料和碾米厂的稻壳为原料的中小型气化发电系统比较适合。但同时由于流化床床层温度相对较低，焦油裂解受到抑制，产出气中焦油含量较高，用于发电需要复杂的净化系统，流化床内气流速度大，石英砂等惰性热载体与床壁易于磨损，燃料颗粒细小，产出气体中带出物较多，加重系统负担。固定床气化对原料适应性强，原料粒度要求不严格，反应区温度较高有利于焦油的裂解，出炉灰分相对较少，系统投资较循环流化床低，但固定床气化强度不高，一般是间歇式工作，在连续工作方面不如流化床，目前在农村集中供气供热系统和中小型气化发电中广泛应用。固定床气化炉与流化床气化炉都有各自的特点和一定的适用范围，固定床结构简单、操作便利，运行模式灵活，适用于中小规模生产；而流化床适合于工业化、大型化，设备较复杂、投资大。应充分考虑目标市场的实际情况，选择技术路线，采用最适宜的技术。

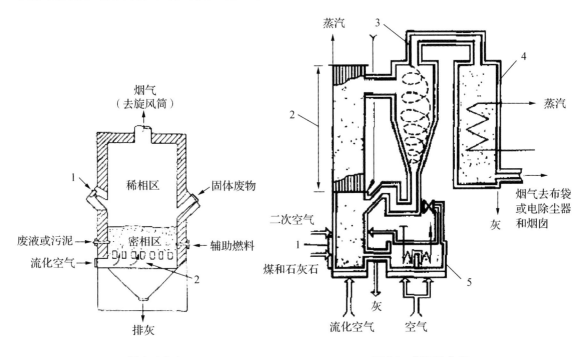

图 8-7　鼓泡流化床　　　　　　图 8-8　循环流化床

1. 密相床层；2. 水冷壁；3. 旋风除尘跑龙套；

4. 对流式锅炉；5. 外部换热器

8.2.3.2　国内外主要生物质气化装置

（1）国外生物质气化装置系统。国外气化装置所用的原料主要为木材、木块和木屑等木质类原料，部分为城市有机垃圾。其装置有固定床和流化床两种。几种国外生物质热解气化装置的性能指标见表 8-2。

表 8-2　国外几种生物质热解气化发生系统

气化系统	设计公司	气化原料	热效率	规模（kJ/h）
固定床湿式上行式气化装置	加拿大莫尔公司 Moore Canada Ltd	碎废木材	50%	2100×10^4
流化床气化装置	加拿大通用燃料气化公司 Omnifuel Gasification System Ltd	木材加工后的剩余物	70%	$100 \times 10^4 \sim 15000 \times 10^4$

（续）

气化系统	设计公司	气化原料	热效率	规模(kJ/h)
炭化气体木煤气发生系统	美国标准固体燃料公司 Standard Solid Fuels Inc	木炭		160×10^4 和 3000×10^4
下行式气化炉—内燃机发电机组	联邦德国茵贝尔能源公司 Imbert Energietechnik GmbH	木块	系统效率为13%	移动式 $60 \sim 100kW$ 固定式 300 和 500kW

（2）我国生物质气化装置系统。我国已研制出的各种气化炉，对原料有广泛的适应性，用途亦是多种多样的，并且已逐步形成一定的商品开发能力。这些气化炉主要以小型多用途的方式来满足市场需求。其技术主要采用下吸式（少数为上吸式、平吸式或流化床）空气发生炉高温热解反应以满足多种燃料的功能，气化煤气由于氮含量占50%左右而成为低热值生物气。导致生物质气化煤气热值低的原因有两个：其一是因为生物质原料水分和挥发分含量高、容重小、休止角大以及粒度不均匀等因素，致使给气化过程带来困难；其二是由于生物质气化较适宜空气煤气法制气，导致气体组分中氮气含量高达50%。表8-3列出了我国各种气化炉的性能。

表8-3　我国各种气化炉的性能

气化炉	气化原料	气化方式	热值(kJ/m³)	发热量(MJ/h)
ND-400	农林残余物	下吸式空气煤气	$4180 \sim 5850$	$210 \sim 290$
ND-600	秸秆、农林废弃物	下吸式空气煤气	6222	$500 \sim 650$
ND-900	玉米芯、茶壳、刨花、木块	下吸式空气煤气	$4000 \sim 5500$	$230 \sim 380(kW)$
HQ-280	秸秆、锯末、稻壳、果壳、树皮	下吸式空气煤气	$4500 \sim 5000$	$42 \sim 50$
×FL-600	棉柴、玉米秸、木质废料等	下吸式空气煤气	$3800 \sim 5200$	600
×FL-1000	秸秆类	下吸式空气煤气	5000	1000
×FL-2500	秸秆类	下吸式空气煤气	5000	2500
GSQ-1100	生物质	上吸式空气煤气		$1080 \sim 2630$

目前我国已应用或商品化的生物质气化炉主要有 ND 系列生物质气化炉、HQ-280 型生物质气化炉、×FL 系列生物质气化炉和 GSQ-1100 大型上吸式气化炉。

①ND 系列生物质气化炉：ND 系列气化炉是中国农业机械化科学研究院能源动力所研制开发的，其已应用的气化炉有 ND-400、ND-600 和 ND-900 三种。ND-400 型气化炉是以多种农林残余物为燃料而设计的，气化室直径为 400mm，发热量为 $210 \sim 290$

MJ/h，气体热值为 4180~5850kJ/m³，热效率为 76%；该气化装置的主要燃料为油茶壳，生物气用于代替传统木柴灶，为茶叶杀青和烘干作业提供燃料。ND-600 型气化炉以锯屑、果壳、玉米芯、树枝等为原料，经气化用于烘干茶叶、木材及烧锅炉等，气化室直径为 600mm，该炉现已批量生产和销售。ND-900 型生物质气化炉以玉米芯、茶壳、刨花及木块为原料，气化室直径为 900mm，产生的生物气作为煤的代用燃料，用于驱动小型蒸汽锅炉，为我国农村乡镇企业提供动力和电力；该装置输出热功率为230~380kW，可燃气体热值 4000~5500kJ/m³，气化热效率 65%~75%。

②HQ-280 型生物质气化炉：HQ-280 型生物质气化炉是中国农机院能源动力所研制开发的户用气化炉，每小时产气 8~10m³，热量输出 41800~50000kJ/h，气体热值4500~5000kJ/m³，炉子气化效率 70%。北京郊区一些农户用树枝、废木料、锯末与秸秆做原料，使用效果良好。

③×FL 系列生物质气化炉：×FL 系列生物气质化炉是山东省科学院能源研究所研制开发的农村集中供气系统。该气化系统由给料器、气化反应、净化器、风机、过滤器、水封器、气柜和燃气供应网等几部分组成，原料为棉柴、玉米秸、麦秸、木质废料等。1994 年建成桓台县东潘村生物质气化集中供气试点。其后开发研制了×FL-600、×FL-1000、×FL-2500 型等系列（表 8-4），其特点以自然村为单元集中供气，系统网内居民 100~500 户，安装 1~3 台气化机组，供气半径小于 1000m，输送阻力不超过 5000Pa。

表 8-4　×FL 型生物质气化机组参数

参数	单位	×FL-600	×FL-1000	×FL-2500
发热量	MJ/h	600	1000	2500
产气量	Nm³	120	200	500
可燃气体热值	kJ/m³	3800~5200	5000	5000
气化效率	%	72~75	72~75	72~75

④GSQ-1100 大型上吸式气化炉：GSQ-1100 大型生物质气化炉是中科院广州能源研究所在"七五"期间研制开发的，气化炉直径 111m，输出功率 300~730kW/h，气化效率 73.8%，总热效率为 52%。这一系统在广东省封开县牙签厂使用，原料取材于该厂生产过程中的废木料，如树皮、木芯、圆木块、废筷子等，气化产生的生物质燃气用于卫生筷的蒸煮，取得了良好的效益。

8.3　生物质气化集中供气技术

生物质气化供应技术是 20 世纪 90 年代以来，我国发展起来的一项新的生物质能源利用技术，它将农村丰富的固体生物质燃料转化为使用清洁的气体燃料，然后通过管道集中向用户供气，作为农民生活如做饭、取暖燃料，也可用于发电等。近年来，生物质热解气化研究工作取得较大突破，部分生物质气化机组及集中供气系统的配套技术已进入商品化阶段。目前，我国气化反应器已成功实现了玉米秸、麦秸等低质生物质原料的气化，并进一步扩展到棉秸、玉米芯和木质原料等。

由于生物质燃气在常温下不能液化，必须通过输气管网送至用户，因此集中供气系统的基本模式为：以自然村为单元，设置气化站，在站内设置气化机组，将固体生物质能源转化成气体燃料——生物质燃气，然后通过敷设的管网向用户供气作为生活燃料。

8.3.1　气化集中供气技术系统

系统中包括原料处理机、上料装置、气化机组、风机、气柜、安全装置、管网和灶具等设备。技术涉及"制气、储气、供气、用气"四个方面的系统工程，主要有三部分组成。

(1)制气系统——气化机组。由上料器、气化炉、冷却器、真空泵、净化器及附属设备组成。生物质燃料在气化炉中经过一系列热化学反应转变成为含一氧化碳、氢气、甲烷等可燃气体组成的粗燃气，之后再经过冷却、净化处理达到使用要求并送入储气装置。

(2)输配系统。由储气装置和输配管道组成，保证连续不断将生物质燃气按一定要求输送到用户。

(3)用户用气系统。包括用户室内燃气管道、阀门、计量、安全装置以及燃气用具(灶具、采暖炉、热水器等)。

生物质集中供气系统的模式(图 8-9)符合资源分布、农村居住和农业经营特点，便于供气系统的运行管理，被称为中国农村人工煤气。它是继城市人工煤气、天然气、液化石油气、沼气之后又一新气源，并具有更大的优势。

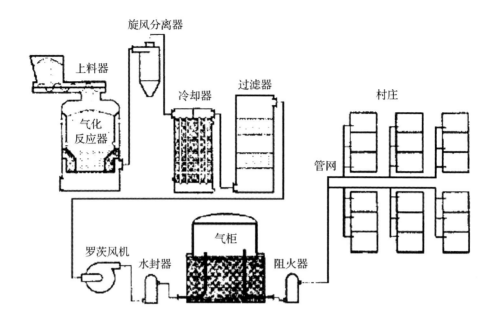

图 8-9　气化机组和集中供气系统配置图

8.3.2　气化集中供气技术系统的优势

（1）投资少，见效快。一般在以 200~500 户的人居群落中建立一个供气站，投资在 70 万~100 万元就可以完成。每年的营运费用也只有几万元。而且经过气站的运营在 5~6 年内就可以全部回收投资。以后的每年利润应在 10 万~25 万元。而家用气化炉 1000~2000 元/台。一次加料 3~4kg 可连续产气近 4h，火焰温度达 960℃，灶头没有烟及焦油，与液化气相当，农村 5 口之家可用 1~2 天，每月花费仅为用于鼓风机的 2 元钱电费。

农林剩余物经过制气炉制成可燃性气体的燃烧速度比煤快 25%，烟气中 CO、CO_2、SO_2 及 NO 的排放均达到国家环保标准，完全可以取代煤，从而解决农林剩余物荒烧问题，减少空气污染，有显著的生态环保效益；每户居民每天只需"生物质碎料" 3~5kg，就可解决全天生活用能（炊事、取暖、沐浴），并且像液化气一样燃烧，完全可以改变我国民众的生活用能方式，取缔传统柴灶，替代液化气（价格将越来越贵）。而且是无污染（比煤）无爆炸（比液化气）的非常安全的生活用能方式。

（2）绿色、环保。农林剩余物燃气在燃烧后排放的废气与煤气、天然气的排放标准一致。使用方法也与后者一样。特别是，它在制气，输送（管道中）中为低压过程，最重要的是这一能源属于可循环再生的能源。符合国家政策，减少政策矛盾，变废为宝。"农林剩余物制气"过程中需大量的使用田间作物的农林剩余物，这样就可将田间收获后无法处理的废物利用起来，其一，不在田间燃烧，不破坏大气环境。其二，使政策（有些地区还出台了法规，坚决不准将农林剩余物在田间燃烧）的执行有了可操作性。其三，使得农民在处理废农林剩余物上有了出路，对政策有了执行能力，思想上解决了抵触情绪，缓和了政府与群众之间的矛盾。

（3）开辟农村和农民增收渠道。除解决政策矛盾（环保问题等），为农民增加了一些收入，而且还为改造乡村（乡村城市化），提供了一个如何更好地利用低价值、易管理能源的解决方案。在边远贫困地区，更可通过对"系统"的投入和采用，为地区的扶贫，保护生态环境，吸引投资，创办乡镇企业，提高人民生活水平，提高生产力，作出贡献。

如通过农林剩余物的深度加工，创办乡镇企业，变低质低价为高质高价，为创办新能源原料型企业及废弃谷物农林剩余物的利用开创出了一条新思路。可以为贫困地区创办企业化生产的、有无限再生资源的、有生产前景的能源企业（农林剩余物燃料型企业）；为城镇围边区域农村提供一种好运输、便仓储、低价位的可循环再生的新型能源形式；为投入农林剩余物气化系统的小区、企业和单位，提供源源不断的生产原料，使旧有的、国家无法——照顾到的小区域，能够更好更快的提高他们的自身品质，使这一区域的人们的生活水平得到提高。可集中社会上的闲散资金，一同来解决国家一时还无法涉及的，发展中贫困地区的能源问题（因建设投资小，利于中小投资的进入）。

（4）符合循环经济战略。发展可循环、可再生的绿色生物，减少了一般"能源企业"对环境的破坏。特别是利用农林剩余物发电，对风光旅游区的投入，将提升这一区域内的环境品质并担负起解决环境污染的重任。特别是在水源的中上游地区，改扩建小水电为农林剩余物发电。就可一次性的解决：其一，农林剩余物就地变废为宝，解决燃料长途运输问题；其二，还可以根本上解决因修建水力发电筑坝时，所带来的水生物生物链被破坏的问题；其三，更好的保护和传承地区文化，发挥地区优势，搞好边远地区风土人情、民俗旅游的开发。

8.4　生物质燃气热能特性与净化技术

8.4.1　生物质燃气热能特征

热值偏低是生物质燃气（表8-5）的基本特征。与化石燃气相比，生物质燃气热值是天然气的1/8。生物质燃气最主要的特点就是氮气的比例较高，热值偏低。在生物质燃气中主要可燃成分为一氧化碳和氢气，以及少量的甲烷。而普通煤气（表8-6）中的甲烷及其他烃类的碳氢化合物占绝大部分比例，因而热值较高。

表8-5　生物质燃气的主要成分及热值

原料品种	成分（%）						低位热值（kJ/m^3）
	CO_2	O_2	CO	H_2	CH_4	N_2	
玉米芯	12.5	1.4	22.5	12.3	2.3	49.0	5032.8
棉柴	11.6	1.5	22.7	11.5	1.9	50.8	5585.2
玉米秆	13.0	1.7	21.4	12.2	1.9	49.9	5327.7
麦秆	14.0	1.7	17.6	8.5	1.4	56.8	3663.5

表8-6　普通煤气主要成分及热值

原料品种	成分（%）						低位热值（kJ/m^3）
	CO_2	O_2	CO	H_2	CH_4	N_2	
空气煤气	0.6	33.4	0.9	0.5	64.6	1.082	
水煤气	8.2	0.2	34.4	52.0	1.2	4.0	11.45
发生炉气	2.2	0.4	30.4	8.4	1.8	56.4	5.735
天然气	0.7	0.2	CnHm：15.6		81.7	1.8	48.38
石油液化气	0.8		CnHm：96.6		1.3	1.0	113.78

　　生物质燃气不同于普通煤气的另一个特点是净化效果。制造普通煤气的工程规模大，净化系统较为完善，处理后的气体也很干净。而现在我国正在建造的生物质燃气化工程，一般规模都不是很大，净化系统也相对简单，无论是用于发电还是用于炊事，其净化效果较普通煤气要差，这一点应用时影响较大。

　　生物质燃气另一个特点是有气味。普通的煤气和天然气的臭味是在向居民提供用于炊事用气时有意加入的，以保证安全；而生物质燃气的气味是由于残留在生物质燃气中的少量焦油气的味道，因而，尽管不加入臭味剂，当生物质燃气泄漏时还是可以被闻到的。

8.4.2　生物质燃气的净化技术

　　生物质燃气中含有杂质，并不适合直接送给用户使用。生物质燃气中的杂质主要是灰分、微细的炭颗粒、焦油和水分，这些杂质对生物质燃气的使用都有很大的影响。尤其是从生物质气化炉里出来的生物质燃气含有较多焦油，大大降低了生物质燃气的利用价值，主要表现在以下方面：①焦油占生物质燃气总能量的5%左右，当生物质燃气被冷却降温后，焦油难以同生物质燃气一道被燃烧利用；②生物质燃气中的焦油在低温下凝结，容易和水、炭颗粒、灰分等杂质结合在一起，堵塞输气管道，卡死阀门、抽气机转子，腐蚀金属；③焦油难以完全燃烧，并产生碳黑等颗料，对生物质燃气利用设备如内燃机、燃气轮机等损害相当严重；④焦油及其燃烧后产生的气味对人体有害。

因此，在送给用户之前必须采用净化技术除去生物质燃气中的灰分、炭颗粒、水分、焦油等。

8.4.2.1 除 尘

生物质燃气中的除尘主要是除去残留在生物质燃气中的灰及微细炭颗粒，采用的方法通常有两种：即干法除尘及湿法除尘。

(1)干法除尘。干法除尘的特点是从生物质燃气中分离出的尘粉，保持了原有温度且保持干爽，不与水分混合。干法除尘又分为机械力除尘和过滤除尘。

机械力除尘是利用惯性效应使颗料从气流中分离出来，可除尘粉的最小粒度是5μm。最常见的是旋风除尘器。

过滤除尘是利用多孔体，从气体中除去分散的固体颗粒。过滤除尘可将1～0.1μm的颗粒有效地捕集下来，是各种分离方法中效率最高而又最稳定的一种。只是滤速不能高，设备较庞大，排料清灰较为困难。过滤器一般用于末级分离。

(2)湿法除尘。湿法除尘是利用液体(一般是水)作为捕集体，将气体中的杂质捕集下来，当气流穿过液层、液膜或液滴时，其中的颗料就黏附在液体上而被分离出来。常用的设备有鼓泡塔、喷淋塔、填料塔、文氏管洗涤器等。

8.4.2.2 除 焦

目前，生物质燃气焦油的净化技术主要有以下三种。

(1)湿式净化系统。湿式净化系统是采用水洗法脱除焦油一种净化方法。由于现行冷却洗涤塔的除尘效率为30%，所以此净化系统一般采用多个水洗喷淋系统连接在一起对生物质燃气进行净化。此外，冷却洗涤—旋风分离—过滤器过滤组合净化装置应用也比较广，此种除焦油尘系统的总效率可达90%。运用该工艺流程除尘后所剩的焦油尘含量均在0.5g/m³以下。

(2)干式净化系统。干式净化系统是为避免水污染而根据燃气中所含杂质的特点所采用的一种多级净化的方法。目前应用最广泛的是山东能源所开发研制的×FF型固定床下吸式生物质气化系统。该系统采用的是旋风除尘—管式冷却—过滤器净化程序。

（3）裂解净化系统。裂解净化系统采用的是一种将生物质气化过程中产生的焦油裂解为可利用的气体，以达到焦油去除和回收利用双重目的的一种净化技术。目前已研究出的焦油裂解设备主要有两种：①具有内部裂解气预热的下吸式气化炉。该气化炉中心有一个独立的燃烧室，裂解气进入燃烧室燃烧，出来的富含 CO_2 和蒸汽的热气化介质进入气化炉发生气化反应。在 900～1000℃ 温度区内，通过调整裂解气循环流量与空气流量的比例，基本上可以将焦油完全转化。②两段立体净化系统。其工作原理是：从气化炉出来的燃气先进入一个装有白云石的固定床焦油裂解器，接着再进入含镍基催化剂的催化床，通过两次净化焦油含量最终可低于 $100mg/m^3$。

8.5　生物质气化燃料开发利用评价

8.5.1　气化技术经济性评价

8.5.1.1　生物质集中供气系统的经济评价

在现有技术条件下，生物质集中供气系统作为企业独立运行时，气化站的经济效益将随着原料、电费价格的升高而降低，随着城市人工煤气价格的升高而上升。随着国家经济和人民生活水平的提高，城市人工煤气的价格将不受国家补贴，那时生物质供气站的效益将会大大增加。

民用燃气工程的单位投资主要受到燃气热值、用气负荷的集中程度和管网规模等因素的影响。据有关报道，济南市煤气工程的单位投资为 4100 元/户，而生物质气化集中供气系统的单位投资为 1800～2300 元/户。根据山东省科学院能源所对生物质气化集中供气系统的经济性评价研究，这正是由于中国农民的居住特点，抵消了生物质燃气热值低的特点，使自然村为单元的生物质气化集中供气系统的单位投资相当于城市煤气管网的 1/3 左右。从液化气在农村的利用现状来看，这一投资处于较富裕的农民可以接受的范围内。表8-7 是对生物质供气系统的经济评价表。

表8-7　生物质气化集中供气系统投资

内容	费用（元/m³ 秸秆气）	计算依据
原材料（秸秆）	0.150（300÷2000）	每吨秸秆 300 元，可产气 2000m³
人工	0.201（67×6÷2000）	每处理 1t 秸秆需 6 个工作日，平均日工资 67 元

（续）

内容	费用(元/m³ 秸秆气)	计算依据
耗电	0.03(5×8×0.7÷2000)	机组平均负荷8kW，处理1t秸秆需5h，电力单价0.7元/(kW·h)
维护	0.055(2÷36.5)	每年维护费2万元，每天处理秸秆气0.5t，产气1000m³，一年产气36.5万m³
设备折旧	0.577(57.7÷100)	气化站设备投入824万元，按照设备使用寿命为10年，年产气按100万m³计算，假设设备及厂房的残值为投入的30%，即247万元，折旧费用每年为57.7万元
合计	1.013	

数据来源：王光宇、钱坤、黄晓春，《秸秆气化集中供气工程效益分析与措施建议》，2011。

8.5.1.2　生物质气化技术的经济性分析

由于生物质气化燃料生产的原料供应具有的广泛性和充足性，且可从农林废弃物中就地取材，以及其气化设备投资低廉，燃料成本所占比例甚微，使得气化成本更为低廉。所以对生物质进行气化利用具有很高的经济价值。

以生物质燃气化为例，把植物秸秆等粉碎后加热处理，转化为可做燃烧的一氧化碳气。1kg 秸秆可产气 2m³，3kg 秸秆即可满足四口之家一日三餐之用。按每千克秸秆0.06 元计算，燃气成本 0.15～0.2 元/m³，低于目前的燃煤价格和城市煤气价格，而且随着国家能源价格的不断提高，这种价差将会更大。同时，生物质燃气用做炊事燃料，能源利用率为 35%，比直接燃用生物质提高 2 倍左右。北京顺义京成木材厂使用3 台气化炉，每台每窑可节省 6400kg 的木材，增收 640 元，全年烘干 30 窑，可节省（增收）19200 元，提高劳动生产率 2～3 倍，缩短烘干周期一半以上，取得明显经济效益。10GF54 生物质燃气－柴油双燃料发电机组，节油率 70%，全年节油 5.7t，合 8000多元，扣除成本，年节油效益 6000 余元，同时降低发电成本 50%。GSQ-1100 大型上吸式气化炉以及木粉循环流化床装置，投资回收期仅 3 个月左右，具有较大的实用价值。在民用燃气方面，若开展生物质热解气化集中供气，户均投资仅相当于城市煤气的 1/3，为户用沼气建设投资的 2 倍左右。而在我国林区，目前仍有大量木材及剩余物当做炊事燃料烧掉，若采用这项技术利用林区残余物，则可能产生相当可观的经济效益。

目前生物质气化最大的问题是资源的收集。中国绝大部分农村都是以农户为生产单位，资源分散，对于气化技术的规模化应用造成了一定的障碍，从成本上分析，规模化应用将导致生物质收集半径的加大与运输成本提高，可能失去经济性。

8.5.2　环境影响评价

生物质资源的高效利用将带来巨大的环境效益。按生物质原料中碳含量 40% ~ 50% 计算，燃烧 1 t 生物质需排放 1.3 ~ 1.5t 二氧化碳。全国农村炊事燃料二氧化碳排放量达 5 亿 ~ 6 亿 t。虽然因其污染源是分散的而未引起足够重视，但其污染总量不会亚于任何一个工业部门。效率较高的生物质气化技术可将此项污染降低 2/3 左右。生物质气化的开发利用不仅不对环境造成危害，而且有利于恢复和建设已破坏的生态环境。开发利用生物质能要求人们恢复植被，最终维持二氧化碳的平衡。

生物质作为一种储量丰富的可再生能源，利用气化技术转化为清洁能源，其 SO_2 排放量只相当于煤的 1/10，NO 排放量仅为煤的 1/5 左右，燃烧过程中实现了 CO_2 的零排放，减少了空气污染，保护了环境，同时也为农林废弃物的规模化利用提供了用途，实现了资源的节约化利用。利用生物质气化作为煤气和液化石油气的一种补充，既能解决优质煤的不足，以减少常规矿物燃烧的消耗，又可降低煤气的价格，为未来的能源开发找出一条新路子。

另外，生物质气化技术目前还未完全解决二次污染问题。中小型气化发电设备大部分采用水洗方法，这些水含有灰分和焦油等物质，一般循环使用不对外排放。大型化后耗水量将大大增加，洗焦废水的生化处理工艺仍不成熟。目前对焦油的处理技术还未成熟，而如果采用催化裂解手段等方法处理，则需要设备达到一定规模才能适用。生物质气化可以减少环境污染，但在减少二氧化碳排放的同时增加了焦油的污染。因此，加大研究技术的投入，促进生物质气化开发技术的创新，早日解决面临的二次污染问题，推进该技术在我国农村地区的广泛应用和推广。

8.5.3　社会影响评价

以热解气化方式实现低质生物质原料的高档次利用，带来的社会效益主要是使农民用上方便清洁的气体燃料，生活方式发生较大进步，从而提高生活舒适文明程度，节省用于炊事的劳动量和时间，并使环境和庭院卫生有一定改善。同时进一步发挥生物质能源作为农村补充能源的作用，有利于实现秸秆等的全面禁烧，改善农村生活环境和生活条件。同时节约大量的石油、煤炭等商品能源，减轻对商品能源的需求压力。具体来讲，其社会影响主要表现在以下方面。

（1）生物质气化技术的开发利用是解决"三农"问题的有效途径。生物质能资源主要来源于农业和林业，开发利用生物质能资源与农业、农村发展密切相关。生物质能源，特别是农作物秸秆和林木剩余物，主要集中在农村地区，都是废物利用，可大幅度提高农业生产的附加值，有效增加农民收入。生物质气化技术的应用将会有效促进农村经济发展和社会进步。

(2)生物质气化技术在农村地区的推广应用可有效缓解城市化压力，缩小城乡差别。林木或生物质燃气化燃料用于农村生活用能，每户农民都可以用"秸秆燃气"或"林木质燃气"烧饭、取暖、发电等。这不仅为彻底解决农村秸秆、林木废弃物等问题提供了一条有效途径，减少了因随意焚烧而造成的污染，避免了秸秆和薪柴随意堆积容易引起火灾的隐患，而且对改变农村炊事能源结构和村容村貌及改善家庭卫生条件也有很大促进作用。因此，生物质气化技术将大大改善农民的生活条件，使其拥有与城市居民一样的生活条件，从而减少农村人口向城市的流动。

(3)发展生物质气化技术可以改变农村炊事能源的结构，大大减轻劳动强度，节约炊事时间。据调查，使用秸秆燃气的家庭主妇从事炊事的时间，可从每天 3h 减少1.5h，增加了妇女从事其他活动的时间。因此，农民会将更多的时间和精力投入到科学种田和畜牧业的发展上，保持农村可持续发展。

(4)生物质气化技术为农村经济发展带来了新契机。发展林木质或生物质燃气化技术不仅可以利用当地的可再生能源资源，还可以把原来外购商品燃料而输出的消费资金转变为投入当地的建设资金，显著地促进本地农村经济的发展，增加就业机会。据有关专家估测，如果一个省每年增加 200 个集中供气系统即可形成一定规模的林木或生物质燃气化设备生产企业、技术服务公司和施工企业，因而可新增数百个乃至上千个就业的机会。

8.5.4　气化集中供气案例分析

2005 年 10 月，中国迪新(集团)投资公司在北京市延庆县东杏园村建立了 200 用户集中供气站。该村农林剩余物燃气站运行使用至今，保障了对全村 200 户村民的集中供气。

选择在农林剩余物燃气的原材料产地，就是在广大的乡村中间建设农林剩余物气化站点，做到就地取材，这样可以降低原材料的储运成本，同时又紧邻迫切需要改善日常生活用能方式的广大农民用户。这样便于在项目发展的初期，立竿见影地顺利开展起农林剩余物燃气的生产经营，能够尽快地步入良性循环，为项目的后续发展奠定基础。

农林剩余物制气炉每天上下午各工作约 1.5h，就能够满足村民的生活燃料需求，实现了"一人烧火，全村做饭"的神奇景象(表 8-8)。该村的农林剩余物燃气站由两人负责收料、燃气生产及日常管理工作，就地回收村民的农林剩余物用作制气原料。由于用户规模有限，目前的农林剩余物消耗尚且不足以消纳本村耕地所产生的农林剩余物。也就是说，该村仍有大部分的农林剩余物未能纳入有效利用，足见农林剩余物资源的利用规模尚有相当可观的潜力，也足见农林剩余物气化系统技术对于大幅度提高农林剩余物柴薪的能源使用效率有着良好的实际使用效果。

表 8-8　农林剩余物气化系统的产能技术指标（单套）

产气物料	各类农林剩余物等
物料产气率	约 $2m^3/kg$
产气量	约 $180m^3/h$
耗电量	$10kW/h$
日最大供气量	$3600m^3$
日最长运行时间	$20h$
单班人员	1 人（根据运行时间定员）
储气装置	按户均 $1m^3$ 配置

8.5.4.1　项目总投资额

该气化站总投资为 80 万元。其中，制气锅炉投资 30 万元；站址的基建投资 10 万元；储气装置、输气管线、家用炉灶、燃气计量表等，投资 40 万元。

8.5.4.2　农林剩余物原材料费用

气化站农林剩余物原材料费用为 24820 元/年。其中，农林剩余物收购及储运费用约 0.2 元/kg；日均供气量 $680m^3$，折合年均供气量 $248200m^3$，折合年消耗农林剩余物量 124100kg。

124100kg×0.2 元/kg＝24820 元。

8.5.4.3　其他各项成本

（1）每年耗电费用 8760 元/年。电价 0.6 元/（kW·h）；每小时生产耗电 10（kW·h）；日均供气量 680 m^3，折合日均生产时间约 4h，折合年均生产时间 1460h。

1460h×10kW·h×0.6 元/（kW·h）＝8760 元。

（2）人员工资：19200 元/年。

定员 2 人：人均月工资 800 元，折合 9600 元/（年·人）。

9600 元/（年·人）×2 人＝19200 元/年。

（3）燃气入户费：20 万元。（拟收取 1000 元/户）

8.5.4.4　燃气成本估算

按预计用 5 年时间收回全部 80 万元的投资，假定入户费一次性收取到位，则每年还应获得 12 万元毛利。

(120000 元 + 24820 元 + 8760 元 + 19200 元) ÷ 248200 m^3 ≈ 0.70 元/m^3

若假定将入户费在 5 年的时间内按单位燃气均摊收取，则每年应收取 4 万元，因而则形成入户费附加费：

40000 元 ÷ 248200 m^3 ≈ 0.16 元/m^3

按照燃气入户费在 5 年的时间内以单位燃气均摊收取的方式测算，则执行 0.86 元/m^3 的农林剩余物燃气销售价格，即可在 5 年时间内收回全部 80 万元的投资。

8.5.4.5　燃气定价分析

按照目前北京地区使用的钢瓶液化燃气的不含政府补贴的价格，每瓶价格为 85 元、100 元、120 元；按每瓶平均使用 1.2 个月计算，对应的每户月均燃气费支出为 71 元、84 元、100 元。若按此费用对应每户月均使用农林剩余物燃气量 100m^3，则折合农林剩余物燃气同等对应价格有 0.71 元/m^3、0.84 元/m^3、1.00 元/m^3。由此可见，若执行 0.86 元/m^3 的农林剩余物燃气销售价格，是处于使用不含政府价格补贴的钢瓶燃气费用的中间价位水平。然而目前含有政府价格补贴的钢瓶燃气是限量使用的，覆盖人群非常有限，而且范围在逐年缩小。结合新农村改造建设，推广使用农林剩余物燃气，输气管线直接入户供气。所以，执行 0.86 元/m^3 的农林剩余物燃气销售价格是有市场依据的，是具有可行性的。

生物质燃气的火焰呈蓝色，火色纯净，无红色火焰，不熏黑锅底，灶台及墙壁不挂油腻污渍。在使用过程中，村民感觉农林剩余物燃气火力与钢瓶煤气没有明显差别。在村民家中现场烧水实验比较，用农林剩余物燃气烧开一壶水的时间与使用钢瓶煤气相差无几。村民们普遍反映，使用农林剩余物燃气后，日常烧火做饭比已往快捷干净了许多，居家生活环境大为改善，日常生活方便了许多。他们对于农林剩余物燃气的使用效果非常满意，对于这一新事物的接受程度很高，喜悦的心情溢于言表。该村村民平均每户每月用气量约 100 m^3。按此数字估算，折合每户日均用气量约 3.4 m^3。根据上述农林剩余物气化系统产能技术指标，在适当储气装置的条件下，单套农林剩余物气化系统的产能可以满足约 1000 户居民的日常生活用气量。

8.5.4.6　投资回报测算

200 户村民用户使用农林剩余物燃气，需要年均供气量约为 248200 m^3，按照 0.86 元/m^3 的销售价格来计算，则每年可实现燃气销售收入 213452 元/年，每年可获得 160762 元的利润，5 年时间收回全部 80 万元投资。

213452 元 − (24820 元 + 8760 元 + 19200 元) = 160762 元

从产气成本核算和市场同比价格分析这两方面综合考虑，确定 0.86 元/m^3 的农林剩余物燃气销售价格，可以预期在 5 年的时间内收回全部 80 万元投资。这当中还未包括燃气入户费的收入。关于燃气入户费的收取方式，有一次性收取和分期收取两种选择，可以根据具体情况作出适当的选择。燃气入户费要在农林剩余物燃气销售价格之外单列收取，加上这一部分的收入，投资收回周期还将缩短，这将取决于燃气入户费的收取方式。

8.5.4.7 气化集中供气技术应用应注意的问题

延庆县由于几个村气化集中供气站的良好示范作用，已经有更多的村镇正在建设或者准备建设气化集中供气站。但是，在推广生物质气化集中供气技术必须注意以下问题：

（1）应该在农民居住集中、农林作物农林剩余物丰富、有一定经济基础的村镇发展。

（2）政府的扶持和建立示范点是开始阶段所必需的。

（3）在推广过程中要有政府、村镇和农民三个方面的积极性，根据各村镇的具体情况和农民认同程度逐个发展。可以先组织三个方面的代表参观考察示范点的运行情况，算一算经济账。

（4）在推广中促进技术进步和设备的标准化。

（5）在推广中应积极探索生物质能源利用的产业化道路。

（6）在推广中逐步拓展生物质燃气的使用范围。如农民冬季取暖和为乡镇企业供应能源等。

（7）由于生物质气化集中供气技术在农村是一个新事物，在生产和使用中必须注意安全。

8.6 我国生物质气体燃料产业的发展前景

目前，我国生物质气体燃料产业还处于萌芽阶段，技术同发达国家相比还具有一定的差距。随着煤炭、石油、煤气、液化气、天然气的价格不断提高，以生物质为原料的人工生物质煤气的经济效益越来越好，生物质燃气将是廉价的优质原料。以热解气化方式实现低质生物质原料的深层次利用，减少了秸秆、木材直接燃用或白白燃烧给环境造成的严重污染，具有显著的社会环境效益。因此，生物质集中供气是未来能源发展方向之一。

开发热解生物质制取燃气的技术是我国经济可持续发展的需要，是节能、环保和居民的迫切需要，将有助于充分利用资源，减轻环境污染，促进生态平衡，节省劳动力，是利国利民的好方法。根据 2000～2015 年新能源和可再生能源产业发展规划，生物质能转换技术发展方向是改进和完善生物质气化供气技术。生物质气化技术研究工作已经达到一定高度，通过改善气化条件，优化炉型结构，均可以适当改善燃气质量。但生物质气化供气技术存在的两大主要难点问题：燃气热值低（$2.86 \times 10^3 kJ/m^3$）和焦油含量高，还需进一步的研究。

生物质气体燃料产业作为拓展林业与农业功能、促进资源高效利用的朝阳产业，在我国发展具有明显的法规政策优势。系列相关政策的陆续出台，将会加快生物质气体燃料产业的发展，将会对促进农村生产生活环境的改善、农业生产结构的改善、农民的增收发挥越来越重要的作用。因此，在我国，生物质气体燃料产业的发展前景非常广阔，也是未来崭新的投资方向。

我国的能源紧缺状况日益显现和加剧，为实现社会可持续发展，大力开发利用可再生能源已是当今社会的大势所趋和当务之急。

研究开发和推广利用可再生能源，来为人类社会服务，这在西方发达国家已经有着十几年的研究发展历程，他们走在了我们的前面。由于工业化进程所带来的能源和环境问题，西方发达国家在研究开发及推广利用可再生能源方面，从思想观念上的启蒙比我们要早得多。在我们还只是停留在口号上面时，西方发达国家就已经从法律、法规的层面对可再生能源产业进入市场化运作给予了切实的支持和规范。然而，在我国的可再生能源开发利用的产业化还只是一个"新生儿"。

推广使用农林剩余物燃气，恰恰迎合了我国当前社会主义新农村建设的历史契机。实现农村城镇化，就是要从根本上改变农村的人居环境。而农民日常生活的用能方式，对农村人居环境的改善有着至关重要的影响。从前，在农村传统上是以直接燃烧农林剩余物柴薪作为获取生活能源的一种方式，这种用能方式的能源使用效率非常低，同时烟熏火燎，产生大量的污染物和有害物质，对农村的人居环境乃至生态环境有着很大的不利影响。后来发展的农村沼气利用是一种进步，但其已经不能适应当今新农村发展的要求。沼气是将农作物农林剩余物粉碎后与人畜粪便混合发酵而产生的，一家一户地建立沼气池，自产自用。这种用能方式未能摆脱人畜混居的传统农家格局，并且沼气池就建在农家的房前屋后，这就存在人畜交叉感染传染病的隐患。再者，这种针对一家一户自给自足的小农经济的传统农村用能方式，已经不能适应当今时代的社会发展要求。推广使用农林剩余物燃气，通过建立农林剩余物燃气站点，采用集中供气方式，既可以提高农林剩余物的能源使用效率，也符合社会化大生产的社会分工要求，有利于推动加快实现农村城镇化的发展目标，能够切实地改善农村的人居环境，提高农民生活质量。同时，避免以直接燃烧方式利用和消纳处理农林剩余物对农村生态环境所造成的破坏，有利于农村生态环境的保护。

现在，在农村已不再以农林剩余物柴薪作为主要生活燃料，而是转向煤、气、电的使用。这就加剧了每年收获季节后，农民面对大量的农作物农林剩余物难于消纳处理的难题。大量的农作物农林剩余物既不能直接归还于农田，而政府又严格禁止农民以直接燃烧的方式消纳处理农作物农林剩余物污染环境。从而使得这部分大自然赋予我们的能源资源处于留之无用、弃之可惜的尴尬境地。推广使用农林剩余物燃气，就为广大农民所面临的这一难题给出了一举多得的彻底解决方案。通过推广使用农林剩余物燃气，将使得这些农民难于消纳处理的农林废弃物，在当今时代真正显现其绿色能源的本来面目，变废为宝。发展农村农林剩余物燃气站点，首先可以让农民得到实惠，改善农村的人居环境，提高农民的生活质量，而后就是惠及周边城镇居民。这样，也就使每年的大量农作物农林剩余物变成了一种增加农民收入的资源。同时，推广发展农村农林剩余物燃气站点，还可以为农村的剩余劳动力提供一部分就业机会。

第9章 生物质直燃与气化发电

9.1 国外生物质发电技术及利用现状

9.1.1 世界及发达国家生物质发电现状

9.1.1.1 世界生物质发电的快速增长

近年来，为应对能源危机和提高环境质量，生物质能源的开发和利用已经在世界范围内得到示范和推广应用，特别是生物发电已经受到很多发达国家的广泛关注。图 9-1 显示了 1990～2006 年期间世界范围内包括地热、太阳能、风能、林木和其他废弃物在内的生物质发电的消费趋势。进入 21 世纪以来，生物质发电消费量快速增长，尤其是林木生物质发电技术的应用在发达国家已经较为普遍。

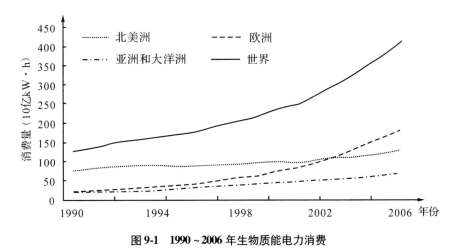

图 9-1 1990～2006 年生物质能电力消费

数据来源：Energy Information Administration, International Energy Annual 2006

9.1.1.2 部分发达国家的生物质发电现状

美国在生物质发电生产方面处于领先地位(图 9-2)。在美国，生物质能动力工业是仅次于水力的第二大可再生能源工业，相关发电装置装机容量 750 万 kW。电站的燃料构成为废木材 72%，城市垃圾 18%，从农副业残物中制取的煤气 4% 和沼气 1%。

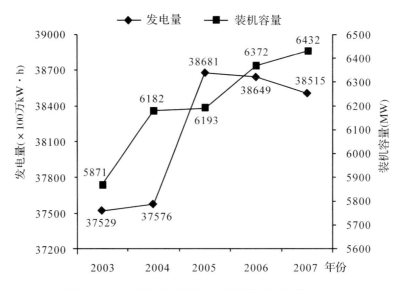

图 9-2　2003~2007 年美国林木生物质发电量与装机容量

（数据来源：Renewable Energy Consumption and Electricity Preliminary Statistics（2007），Energy Information Administration）

　　另外，美国还重视木质能源在林产品工业中的应用，1980 年，美国 14 家最大的林产品公司用木质燃料满足了自身 70% 的能源需求。在美国，林木生物质发电以直接燃烧为主，燃料构成中 72% 来自废旧木材。2007 年林木生物质能源消耗量为 2.284EJ，占能源总消耗的 2.13%，林木生物质发电装机容量达到 6432MW，比 2003 年增加 561MW，电力生产从 2003 年 37529 百万 kW·h 增加至 2007 年 38515 百万 kW·h，燃料大部分是农业废弃物或木材厂、纸厂的森林废弃物。在林木生物质资源丰富的加利福尼亚州，40% 的电力来自于生物质发电，这里有 28 个林木生物质直燃发电厂，装机容量达到 558MW（Wiltsee，2000）。

　　在加拿大，2003 年以林木生物质为主的生物质能源生产能力为 7900MW（包括发电与供热），其中不列颠哥伦比亚省（British Columbia）生产能力占到全国总生产能力的近 50%，其次是安大略省（Ontario）占 27%。在不列颠哥伦比亚省林木生物质发电装机容量超过 670MW，年消耗林木生物质燃料 160 万干吨。同时由于该地区有近 1000 万 hm² 的森林曾受到害虫袭击，初步估计未来 20 年内过剩的坏死林木生物质量达到 2 亿~6 亿 m³（Clark，2005），将成为未来生物质发电的巨大的原料资源。

　　欧洲生物质发电已进入商业化发展阶段。1990~2001 年，欧盟 15 国生物质发电装机容量翻一番，达到 8733MW，实现生物质发电 28.3TW·h（1TW·h = 10⁹kW·h）。

林木生物质燃料成为生物质发电燃料的重要组成部分。

1997 年瑞典颁布了《可持续发展的能源供应法》，对石油、煤的消费苛以重税，使得以废旧木材为燃料的林木生物质发电成本不足煤炭发电成本的 1/2，有效地推动了生物质发电的发展。1980 年，瑞典区域供热的能源消费 90% 是油品，而现在主要是依靠生物质燃料。2002 年瑞典的能源消费量为 7300 万 t 标准煤，其中可再生能源为 2100 万 t 标准煤，约占能源消费量的 28%，而在可再生能源消费中生物质能占了 55%，主要作为区域供电供热能源。2002 年德国能源消费总量约 5 亿 t 标准煤，其中可再生能源 1500 万 t 标准煤，约占能源消费总量的 3%。在可再生能源消费中生物质能源占 68.5%，主要为区域热电联产和生物液体燃料。

林木和秸秆生物质热电联产在丹麦应用相当成熟。1988 年丹麦诞生了世界第一座秸秆生物质发电厂。多年来，丹麦的热电联产建设速度很快，热电联产技术不断取得新的突破，新的热电联产机组不断得到应用和推广。近 10 年来，丹麦新建的热电联产项目都是以生物质为燃料，同时，还将过去许多燃煤供热厂也改为燃烧生物质的热电联产项目。2008 年，丹麦 15 个生物质热电联产厂产生 40MW 电力，生物质热电联产占丹麦总发电量的 5%。目前，瑞典和丹麦正在实施利用生物质能进行热电联产的计划，使生物质能在转换为高品位电能的同时满足供热的需求，以大大提高其转换效率。

奥地利成功地推行了利用木材剩余物进行区域供电计划，生物质能在总能源消耗中的比例由原来 2%～3% 激增到 1999 年的 10%，20 世纪末已增加到 20% 以上。到目前为止，该国已拥有装机容量为 1～2MW 的区域供热站及供电站 80～90 座。

德国对生物质利用技术也非常重视，生物质热电联产应用也很普遍。如德国 2002 年能源消费总量约 5 亿 t 标准煤，其中可再生能源 1500 万 t 标准煤，约占能源消费总量的 3%。在可再生能源消费中生物质能占 68.5%，主要为区域热电联产和生物液体燃料。

9.1.2 国外生物质直燃发电

目前，国内外主要生物质发电工艺分三类：生物质锅炉直接燃烧发电、生物质——煤混合燃烧发电和生物质气化发电。其中，直接燃烧发电是指生物质在适合其燃烧的特定锅炉中直接燃烧，产生蒸汽驱动汽轮发电机发电。生物质直接燃烧发电的技术已基本成熟，已进入推广应用阶段。

美国大部分生物质采用这种发电方式，10 年来已建成生物质燃烧发电站约 6000MW，处理的生物质大部分是农业废弃物或木材厂、纸厂的森林废弃物。这种技术单位投资较高，大规模下效率也较高，但它要求生物质集中，数量巨大，只适用于现代化大农场或大型加工厂的废物处理，对生物质较分散的发展中国家不是很合适，如果考虑生物质大规模收集或运输，成本也较高（Kuai Ming，2000）。

欧洲国家的生物质直接燃烧发电技术相当成熟，发电利用率高。丹麦 BWE 公司率先研发秸秆生物燃烧发电技术，于1988 年诞生了世界第一座秸秆燃烧发电厂，迄今在这一领域仍是世界最高水平的保持者（Muriel Watt，2002）。

目前，欧美发达国家生物质直接燃烧供热发电技术，具有工艺技术成熟，秸秆消耗量大，整个生产工艺无污染，实现能源生产 CO_2 零排放等特点。该项技术在欧美国家已达到商业化应用阶段。丹麦的 Maribo-Sakskobing CHP 和西班牙的 Sanguesa Power Plant（目前西班牙运行时间最长秸秆燃料热电厂）以及英国的 Elyan Power Plant 直燃发电的主要技术参数见表9-1。

表9-1 国外直燃发电（热）电厂主要技术参数对照表

技术参数	单位	丹麦 Maribo-Sakskobing CHP	西班牙 Sanguesa Power Plant	英国 Elyan Power Plant
最大含水量	%	<25	<25	<25
原料运输半径	km	附近	<75	<100
可替换原料		木片	玉米秸秆	天然气或木片
原料库原料可供应量	天	4(900t)	2	2
年消耗原料	t	64800	160000	210000
燃料消耗	t/h	8.1	19	26.3
蒸汽产量	t/h	43.2	103.5	149
蒸汽压力	bar	92	92	92
蒸汽温度	℃	542	543	522
给水温度	℃	210	230	205
锅炉效率	%	92.9	92	92
净动力输出	MW	9.7	25	38
热输出	MW	20	/	/
（热）电厂效率	%	89	>32	>32
主要原料		麦秆	麦秆	麦秆、燕麦、大麦、黑麦

注：①以上丹麦、西班牙和英国(热)电厂的建设规模，以发电功率表示，分别为9.7MW、25MW、38MW。

②英国 Elyan Power Plant 是目前世界上规模最大的全部以秸秆为原料的热电厂。

丹麦该电厂可为哥本哈根地区 20 万居民供热，为丹麦东部 1400 万居民提供电力（东部总耗电的 30%）。丹麦艾维多电厂主发电机、生物质锅炉示意图分别如图 9-3、图 9-4。丹麦部分以木质燃料为原料的热电联产项目有关技术指标见表 9-2。

图9-3　丹麦艾维多电厂主发电机

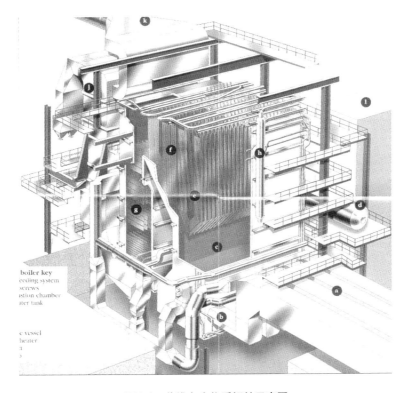

图9-4　艾维多生物质锅炉示意图

a. 燃料供给线；b. 回流器；c. 熔炉；d. 供水箱；e. 过热器；f. 过热器；g. 过热器

表9-2 丹麦部分以木质燃料为原料的热电联产项目有关技术指标一览表

项目 电厂名称	新建或改造 年份	承包人	燃料料种类	技术	蒸汽压力 (bar)	蒸汽温度 (℃)	最大汽流量 (吨/h)	电能总输出 (MW)	热输出 (MJ/s)	电能转换率 (%)	全部能量转换效率 (%)
Assens	1999	Volund	木片,锯木厂剩余物	汽轮机	77	525	19	4.67	10.3^3	27	87
Avedore 2	2001	Volund	秸秆,木片	汽轮机	300	582	-	-	-	43	-
Ensted EV3	1998	FLS Miljo A/S	秸秆,木片	汽化	200	542	120	39.7	-	-	-
Grenå	1992	Aalborg Boilers Ahlstrom	秸秆,煤	汽轮机	92	505	104	18.6^2	60	18	-
Harboore	1993/00	Volund	木片	气化	-	-	-	1.3~1.5	6~8	32~35	105
Haslev	1989/99	Volund	秸秆	汽轮机	67	450	26	5.0^2	13	25	86
Hjordkaer	1997	Sonderjyllands	木片,生物剩余物	汽轮机	30	396	4,4	0.6	2.7	16	86
Hogild	1994/98/00	Hollensen	木质原料	汽轮机	-	-	-	0.13	0.16	22	57^3
Junckers-7	1987	B&W Energi	锯木厂废弃物、木片,刨花	汽轮机	93	525	55	9.6	-	-	-
Junckers-8	1998	Volund	锯木厂废弃物、木片,刨花	汽轮机	93	525	64	16.4^2	-	-	-
Maribo-Sakskobing	2000	FLS Miljo	秸秆	汽轮机	90	540	43.2	10.2	20	29	87.5
Masnedo	1996	B&W Energi	秸秆,木片	汽轮机	92	522	43	8.3^2	20.8	28^2	91
Mobjerg	1993	Volund	秸秆,木片,天然气	汽轮机	65	520	123	28^2	67	27	88
Novopan	1980	Volund	各种各样的木质剩余物	汽轮机	71	520	35	4.2	-	19	88
Rudkobing	1990	B&W Energi	秸秆	汽轮机	60	450	12,8	2.3	7.0	22	87
Skarp Salling	1999	Reka	木片	Stirling engine	-	-	-	0.03	0.09	18	87
Slagelse	1990	Aalborg Ciserv, BWE, Volund	秸秆	汽轮机	67	450	40	11.7^2	28	29	-

资料来源:《丹麦生物质热电联产》,吕扬等翻译。

9.1.3 国外生物质气化发电

生物质气化发电是指生物质在气化炉气化生成可燃气体，经过净化后在内燃机或燃气轮机中燃烧驱动发电机发电。生物质气化发电是更洁净的利用方式，它几乎不排放任何有害气体。气化发电工艺(图9-5)包括三个过程：一是生物质气化，把固体生物质转化为气体燃料；二是气体净化，气化出来的燃气都带有一定的杂质，包括灰分、焦炭和焦油等，需经过净化系统把杂质除去，以保证燃气发电设备的正常运行；三是燃气发电，利用燃气轮机或燃气内燃机进行发电，有的工艺为了提高发电效率，发电过程可以增加余热锅炉和蒸汽轮机。

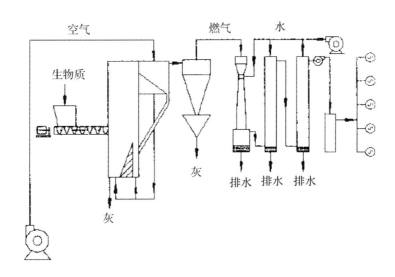

图9-5 生物质气化发电工艺流程图

生物质气化发电系统中，气化形式不同，燃气发电过程多样，发电规模不等，使其系统构成和工艺流程有很大的差别。从气化形式上看，可以将生物质气化过程分成固定床和流化床两大类。从燃气发电过程上看，气化发电又可以分为内燃机发电系统、燃气轮机发电系统以及燃气-蒸汽联合循环发电系统。从发电规模上分，生物质气化发电系统可以分为小型、中型、大型三种。各类生物质气化发电的技术特点见表9-3。

小规模的生物质气化发电已进入商业示范阶段，它比较合适于生物质的分散利用，投资较少，发电成本也低。目前，小型生物质气化发电系统主要集中在发展中国家，特别是非洲、印度和中国等东南亚国家。美国、欧洲等发达国家虽然小型生物质气化发电技术非常成熟，但由于发达国家生物质能源相对较贵，而能源供应系统完善，对劳动强度大，使用不方便的小型生物质气化发电技术应用非常少，只有少数供研究用的实验装置(Niels，2004)。

表9-3 各类生物质气化发电技术特点

规模	气化过程	发电过程	主要用途
小型系统(<200kW)	固定床气化, 流化床气化	内燃机组 微型燃气轮机	农村用电 中小企业用电
中型系统(500~3000kW)	常压流化床气化	内燃机	大中企业自备电站、小型上网电站
大型系统>5000kW	常压流化床气化, 高压流化床气化, 双流化床气化	内燃机+蒸汽轮机、燃气轮机+蒸汽轮机	上网电站、独立能源系统

中型生物质气化发电系统在发达国家应用较早，技术较成熟，但由于设备造价很高，发电成本居高不下，所以在发达国家应用极少。发达国家大型生物质气化发电一般采用 IGCC 技术，该技术适合于大规模开发利用生物质资源，发电效率也较高，是今后生物质工业化应用的主要方式。目前已进入工业示范阶段，美国、英国和芬兰等国家都在建设 6~60MW 的示范工程。美国的 Battelle(63MW)和夏威夷(6MW)项目——B/IGCC(整体气化联合循环)气化发电示范工程代表了生物质发电技术的世界先进水平，可产生中热值气体，系统示意图如图 9-6。该气化设备于 1998 年已安装完成并投入运行。除美国外，也有一些国家开展了 B/IGCC 研究项目，如英国(8MW)和芬兰(6MW)的示范工程等。从技术角度看，由于生物质燃气热值低(约 1200kcal/m³)，气化炉出口气体温度较高(800℃以上)，要使 B/IGCC 具有较高的效率，必须具备两个条件：一是燃气进入燃气轮机之前不能降温；二是燃气必须是高压的。这就要求系统必须采用生物质高压气化和燃气高温净化两种技术才能使 B/IGCC 的总体效率达到较高水平(40%)。否则，如果采用一般的常压气化和燃气降温净化，由于气化效率和带压缩的燃汽轮机效率都较低，气体发电的整体效率一般都低于 35%。以意大利 12MW 的 B/IGCC 示范项目为例，发电效率约为 31.7%，但建设成本高达 2.5 万元/kW，发电成本约 1.2 元/(kW·h)，实用性很差。

近年来，发达国家也进行了其他技术路线的研究，如比利时(2.5MW)和奥地利(6MW)开发了生物质气化与外燃式燃气轮机发电技术。其基本原理是生物质气化后不需经过除尘除焦，直接在燃烧器中燃烧，燃烧后的烟气用来加热高压的空气，最后由高温高压空气推动燃气轮机发电。该技术避开了高温除尘及除焦两大难题，但需要解决高温空气供热设备的材料和工艺问题。由于该项目中设备的可靠性和造价问题，目

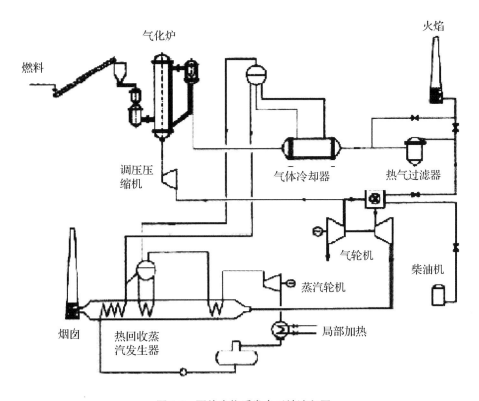

图9-6 国外生物质发电系统流程图

前仍很难进入实际应用。

9.2 我国生物质发电技术与利用现状

9.2.1 我国生物质发电发展现状

在我国，传统的林木生物质能源绝大部分作为农村生活用能，极少部分用于乡镇企业的工业生产，利用方式长期以直接燃烧为主，近年来才开始采用新技术进行开发利用，仍处于示范阶段，普及程度较低。发展林木生物质发电可以充分利用废弃的林木生物质资源，有效改善城乡生态环境，增加农民收入，调整能源结构，增加电力供应，促进社会、经济的可持续发展。

目前，我国生物质发电项目正在国家政策的引导下快速开展（表9-4）。《中华人民共和国可再生能源法》已于2006年1月1日起开始施行，国家发改委、财政部、建设部、质检总局等部门制定的配套法规和技术规范也在陆续发布。《国家可再生能源中长期发展规划》指出，到 2020 年我国生物质发电装机容量将达到 3000 万 kW，其中，应用木质燃料能发电装机容量为 1000 万 kW。《可再生能源产业发展指导目录》(2005 年 12 月 19 日公布)确定了"利用农作物秸秆、林木质直燃发电，以及供气和发电的技术改进、项目示范"。《可再生能源发电价格和费用分摊管理试行办法》(2006 年 1 月 9 日公布)确定了"生物质发电项目上网电价实行政府定价的，由国务院价格主管部门分地区制定标杆电价，电价标准由各省(自治区、直辖市)2005 年脱硫煤机组标杆上网电价加补贴电价组成。补贴电价标准为 0.25 元/(kW·h)。发电项目自投产之日起，15 年内享受补贴电价；运行 15 年后，取消补贴电价"。2010 年，政府将农林生物质发电上网电价提升为每千瓦时 0.75 元，大大增加了该类项目的经济可行性。

表 9-4　我国部分林木生物质发电企业统计

序号	项目名称	进展程度	投资额	规模	燃料类型
1	通辽市奈曼旗林木生物质热电厂	试运营	2.67 亿元	24MW	林木质
2	内蒙古毛乌素生物质热电厂	投产	2.41 亿元	24MW	林木质
3	阿尔山林木生物质热电厂	调研论证阶段		24MW	林木质
4	江西鄱阳县凯迪生物质能电厂	试运行阶段	2.5 亿元	24MW	农林废弃物
5	安徽巢湖生物质能发电厂	预计 2009 年 8 月发电	2.72 亿元	30MW	农林废弃物
6	山东国能单县生物质发电厂	投产	3.0 亿	24MW	农林废弃物
7	国能阿瓦提县生物质发电厂	投产	2.9 亿元	24MW	农林废弃物

数据收集时间：2007 年 6 月。

9.2.2　我国生物质发电技术

9.2.2.1　生物质气化发电技术

近年来，我国的生物质气化技术取得了较大进步。根据不同原料和不同用途主要发展了三种工艺类型。第一种是上吸式固定床气化炉，其气化效率达 75%，最大输出功率约 1400MJ/h。该系统可将农作物秸秆转化为可燃气，可生产 800m³ 可燃气，通过集中供气系统供给用户居民炊事用能。第二种是下吸式固定床气化炉，其气化效率达 75%，最大输出功率约 620MJ/h。该系统主要用于处理木材加工厂的废弃物，每天可生产 2600m³ 可燃气，作为烘干过程的热源。第三种是循环流化床气化炉，其气化效率达 75%，最大输出功率约 2900MJ/h。该系统主要处理木材加工厂的废弃物，如木粉等，为工厂内燃机发电提供燃料，其 1MW 电站系统已在三亚等地成功运行，并在全国推广 20 余套(许静,2004)。

我国有着良好的生物质气化发电技术研发基础。20 世纪 60 年代就开发了 60kW 的谷壳气化发电系统,160kW 和 200kW 的生物质气化发电设备目前在我国已得到小规模应用,显示出一定的经济效益。我国"九五"期间进行了 1MW 的生物质气化发电系统研究,旨在开发适合中国国情的中型生物质气化发电技术。1MW 的生物质气化发电系统已于 1998 年 10 月建成,采用一炉多机的形式,即 5 台 200kW 发电机组并联工作,2000 年 7 月通过中科院鉴定。由于受气化效率与内燃机效率的限制,简单的气化—内燃机发电循环系统效率低于 18%,单位电量的生物质消耗量一般大于 1.2kg/(kW·h)。"十五"期间,国家 863 计划在 1MW 的生物质气化发电系统的基础上,研制开发出 4~6MW 的生物质气化燃气——蒸汽联合循环发电系统,建成了相应的示范工程,燃气发电机组单机功率达 500kW,系统效率也提高到 28%,为生物质气化发电技术的产业化奠定了很好的基础。

在引进国外先进的大型生物质整体气化联合发电技术的同时,针对目前我国具体情况,采用内燃机代替燃气轮机,其他部分基本相同的生物质气化发电系统,不失为解决我国生物质气化发电规模化发展的有效手段。一方面,采用内燃机降低对气化气压的要求,减少技术难度;另一方面,降低了调控复杂燃气轮机的成本。从技术性能上看,内燃机代替燃气轮机,发电系统在常压气化时整体发电效率可达 28%~30%,只比传统的低压 B/IGCC 系统低 3%~5%。这种技术比较适合我国目前的工业水平,设备也可以全部国产化,适合于发展分散的、独立的生物质能源利用体系。

9.2.2.2　生物质直燃发电技术

目前,我国已生产出各种型号的木柴(木屑)锅炉、甘蔗渣锅炉、稻壳锅炉等设备,可用于生物质直接燃烧发电,规模小,多在 1000~2000kW,但作为商品的供应很少,国内市场应用多为中小容量锅炉产品。

我国进行直燃发电的项目规模相对较大,一般装机容量在 12~48MW,发电技术和关键设备以国外引进为主。由于 2×12MW 抽汽机组的供热量比 1×25MW 抽汽机组多,且运行灵活性比 1×25MW 抽汽机组好,所以一般采用 2×12MW 抽凝汽轮机配 2×75t/h 木质燃料锅炉。

9.2.2.3　直燃与气化发电特性分析

直接燃烧发电和气化发电是我国目前生物质能转化为电能的两种主要方式。两种技术路线对比分析见表 9-5。

通过表 9-5 比较分析可以得出,生物质气化发电是较直燃发电更为洁净的利用方式,而且可以根据设定规模的大小选用合适的发电设备,这一技术的充分灵活性恰能满足生物质能源分散利用的特点。同时，技术的灵活也决定了在小规模下，生物质气化发电有较好的经济性。气化发电对改善我国以煤为主的电力生产结构，特别是为农村地区因地制宜提供清洁电力具有十分重要的意义。

表9-5 直燃、气化发电技术路线对比分析

发电方式	技术原理	转化系统	规模	净效率	优点	缺点
直燃	锅炉直接燃烧后产生蒸气发电	CHP	100kW～1MW	60%～90%（总）	技术成熟、规模较大、原料预处理简单、设备较可靠、运行成本较低	小规模、效率低、原料较单一、投资较大
			1～10MW	80%～100%（总）		
		直立式系统	20～100MW	20%～40%（电）		
		共燃烧系统	5～20MW	30%～40%（电）		
气化	气化后燃气轮机或内燃机发电	CHP			污染排放较低、小规模效率较高、规模灵活、投资较少	设备较复杂、大规模的发电系统仍未成熟、设备维护成本较高
		柴油机	100kW～1MW	15%～25%（电）		
		气轮机	1～10MW	25%～30%（电）		
		直立式BIG/CC	30～100MW	40%～55%（电）		

9.2.3 我国生物质发电技术与设备经济评价

生物质发电的设备大致分为两大部分。以生产过程是否开始为界，生产过程以前主要是收割设备和原料处理设备，生产过程以后主要是发电设备和控制系统。同收割设备和原料处理设备一样，我国在发电设备和控制系统方面的发展也不太成熟，设备国产化率较低。由于本文不是专门研究林木生物质能源发电设备和控制系统，因此只给出林木生物质能源热电联产的发电设备和控制系统的构成，而不进行设备性能的讨论。

由于发电设备以及控制系统我国尚不能完全达到100%的国产化，因此在林木生物质能源发电的初期，为了不影响产业发展的进度，只能进口设备，这样就对成本产生了巨大的冲击。对于包括林木生物质发电在内各种新型的发电形式来说，设备的进口影响成本各个方面，其中影响最大的是工程造价以及由其导致的发电成本。由于目前尚缺乏林木生物质发电设备进口对发电成本的影响数据，本书不得不引用同为新型发电形式——核电的数据来说明这方面发电设备进口对发电成本的影响。根据大亚湾竣工决算数据：设备购置费约17亿美元，其中核岛10.25亿美元，常规岛4.94亿美元，BOP部分1.81亿美元。目前对国内上海、四川、黑龙江等承接过核电设备制造任务的制造厂家的调研表明：按70%国产化率计算，核岛设备购置费5.42亿美元；常规岛设备购置费3.89亿美元；BOP部分设备购置费1.6亿美元。100%国产化后百

万千瓦级核电站设备购置费预计为 10.91 亿美元。可见国产化人工、材料等成本较低，设备购置费仅为进口 64%。国产化比例的提高也可以大大降低发电成本，以核电为例，在核电国产化比例达到 60%~70% 时，可以降低发电成本约 35%~40%（李俊峰，2006）。这将大大提高核电的市场竞争力。

　　由于林木生物质能源发电在我国是一项崭新的发电形式，是从无到有的，需要一个建设的过程，所以对于发电设备以及控制系统不能完全国产化这个问题，主要影响的是林木生物质能源发电的工程造价和发电成本。林木生物质能源发电的技术含量虽然远远不及核能发电，进口设备与否造成差异的绝对额要少于核能发电。目前林木生物质能源发电的发电设备与控制系统的国产化率尚达不到 70%，所以尽管差异的绝对额要少于核能发电，但是如果用产业的绝对额除以工程的总造价的话，计算出的相对比例很可能高于核能发电。另外，由于林木生物质能源发电产业在我国尚不成熟，所以进口设备对发电成本的冲击较大，从另一个角度上说，这也是未来林木生物质能源发电减低发电成本的重要途径之一——增加发电设备和控制系统的国产化比例，这显然需要相关技术水平的提高才能实现的，因此，政府需要出台一些技术支持政策来尽快提高发电设备和控制系统的国产化比例。

9.3　林木生物质热电联产技术路线分析

9.3.1　热电联产主要技术流程

　　生物质在适合其燃烧的特定锅炉中直接燃烧，产生蒸汽驱动汽轮发电机发电和供热，目前该技术已基本成熟，并进入推广应用阶段，一般技术流程可用以下热电联产流程图表示（图 9-7）。

　　在尾气冷凝器前安放着亮蓝色的水雾净化器和银色表面的绝缘套。

9.3.2　林木生物质原料热值和特性

　　由于林木质燃料的高位热值一般在 4000~5300kcal/kg，是农作物秸秆的 1.6~2 倍。而且，原料碱金属含量也比农作物秸秆低数倍。因此，应用林木质发电具有一定的优势，受到各地和企业的高度重视和广泛应用。

　　木质燃料的成分比较清洁，含硫率一般小于 0.05%，氯离子含量在 0.01% 以下。氮化合物含量小于 0.39%。因此，用木质燃料发电比用秸秆原料降低了燃料对锅炉的污染和腐蚀(图9-8)。

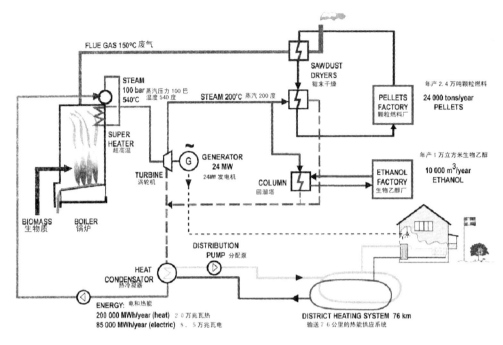

图9-7　热电联产技术路线示意图

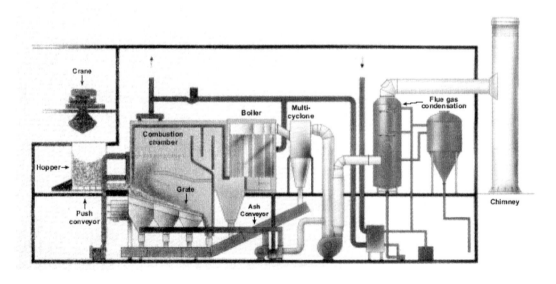

图9-8　木片为燃料的锅炉燃烧示意图

几种应用比较广泛的木质燃料特性成分见表9-6至表9-9。

表9-6　几种木质燃料特性成分分析表

项　目	单　位	松木屑	沙柳枝	根据规格的变化		
				橡木	松树	云杉
碳	C%	50	44.5	49.3	51	50.9
氢	H%	6.2	6.1	5.8	6.1	5.8
氧	O%	43	36.9	43.9	42.3	41.3
氮	N%	0.3	0.39	0.22	0.1	0.39
硫	S%	0.05	0.05	0.04	0.02	0.06
氯	Cl%	0.02	0.008	0.01	0.01	0.03
灰分	a%	1	1.95	0.7	0.5	1.5
挥发成分	%	81	82	83.8	81.8	80
高位发热量	MJ/kg	19.4	17.88	18.7	19.4	19.7
低位发热量	MJ/kg		16.39	18.0	18.2	18.5

表9-7　几种秸秆燃料的热值对比表

种类	高位发热值(MJ/kg)	低位发热值(MJ/kg)	
		7%含水率	11%含水率
玉米秸	16903	15052	14290
高粱秸	16380	15370	14595
稻草	15245	13842	13138
豆秸	17594	15349	14578
麦秸	16681	15068	14311
棉花秸	17380	15562	14784

表9-8　不同形态生物质的净卡值

原料类型	干物质卡值(GJ/t)	原料类型	干物质卡值(GJ/t)
纯林木质燃料	19.5	树皮	18.0
森林碎片	19.2	木球	19.0

表9-9　几种林木质燃料平均质量

树种	干物质质量(kg/m^3)	与橡木比较的%
橡木	580	100
枫树	540	93
桦树	510	88
松	480	83
云杉	390	67
杨树	380	65

9.3.3　直燃发电供热技术指标

9.3.3.1　基本技术指标

$2 \times 12MW$ 木质燃料示范电厂的机组容量为 $2 \times 12MW$ 抽凝汽轮机配 $2 \times 75t/h$ 燃木质燃料锅炉。主机的技术条件如下：

(1)锅炉。

锅炉采用中压燃木质燃料汽包炉

最大连续蒸发量	75t/h
过热器出口蒸汽压力	3.83MPa
过热器出口蒸汽温度	450℃
给水温度	150℃
排烟温度	140℃
燃料量	13.4t/h
锅炉效率(低位发热量)	91.5%

(2)汽轮机。

型号	C12-35/2
额定功率	12MW
夏季最大功率	15MW
最大主蒸汽流量	75t/h
主汽门前新蒸汽压力	3.43MPa
主汽门前新蒸汽温度	435℃
抽汽压力	0.204MPa
抽汽温度	160.7℃
额定抽汽量	40t/h
额定背压	4.9kPa
额定转速	3000r/min
额定冷却水温	20℃
最高冷却水温	30℃

(3)发电机。

额定功率	12MW
额定转速	3000r/min
额定频率	50Hz

冷却方式　　　　　　　　　空冷

9.3.3.2 燃烧系统

选用2×75t/h燃木质燃料锅炉(表9-10),电厂采用布袋除尘器,除尘效率为99.9%。

表9-10 锅炉热力计算成果表

项目	单位	木质燃料
锅炉蒸发量(BMCR)	t/h	75
锅炉燃料量	t/h	13.4
计算燃料量	t/h	13.0
理论空气量	Nm^3/kg	3.73
实际烟气量	m^3/kg	13.3
空预器进口风温	℃	35
空预器出口烟温	℃	140
空预器出口烟量	m^3/h	178454

主要热经济指标见表9-11。

表9-11 主要热经济指标

名称	数值	单位
发电设备利用小时数	6000	h/年
供热设备利用小时数	6260	h/年
年平均供热标准煤耗率	40.41	kg/GJ
年平均发电标准煤耗率	0.413	kg/(kW·h)
全年供热量	8.0×10^{11}(按冬季运行两台机组)	kJ
综合厂用电率	12.2	%
发电厂用电率	7.38	%
年发电量	$2 \times 8.05 \times 10^7$	kW·h/年
年供热量	$2 \times 3.9 \times 10^{11}$	kW·h/年
年均全厂热效率	45.8	%
采暖期热电联产热电比	1.01	
全年耗标准煤量	2×48029	t/年
年耗自然燃料量	2×83900	t/年

注:设备指标:锅炉蒸发量为75t/h,汽轮发电机容量为12MW,抽汽量40t/h,抽汽压力0.204MPa,抽汽温度160.7℃。

9.3.3.3 烟风处理系统

每台锅炉设置一台 100% 容量送风机，不设备用。燃烧用风分级送入燃烧室，以降低燃料中 NO_x 的生成量。一次风经暖风器空预器加热后，通过锅炉底部的布风板进入炉膛，以使床料充分沸腾，二次风经暖风器空预器加热后，从燃烧室床上燃烧器进入炉膛，以使燃料完全燃烧。在给料系统中通入热二次风，作为输送物料用风。

每台炉设一台 100% 容量的吸风机，不设备用。空气预热器出口的烟气经过布袋除尘器后由吸风机送至烟囱排入大气。

9.3.3.4 点火及助燃油系统

燃油系统的设计容量按点火和助燃所需油量考虑。

(1)卸油设施。轻柴油采用汽车运输方式，设两台卸油泵，一台运行，另一台备用，两座 $60m^3$ 的钢制储油罐。

(2)供油设施。本工程采用一级供油泵系统，选择两台 100% 容量的供油泵，一台运行，另一台备用，可满足炉点火及稳燃的用油量。

9.3.3.5 供热系统

(1)主蒸汽系统。主蒸汽采用母管制系统，由锅炉过热器出口联箱引出 $\phi219 \times 8$ 的一条管道，一路接至汽轮机主汽门，另一路接至主蒸汽母管。在进入主汽门前的电动主闸门设小旁路，供暖管和暖机之用。包括回热抽汽系统、高压给水系统、凝结水系统、加热器疏水系统、凝汽器抽真空系统、采暖用热系统和压缩空气系统。

(2)回热抽汽系统。汽轮机回热抽汽系统有 3 段非调整抽汽，分别供给 1 台低压加热器、1 台除氧器和 1 台高压加热器。每段抽汽管道分别设有气动止回阀。止回阀布置在靠近抽汽出口处，作为防止在机组甩负荷时蒸汽倒入汽缸而使汽轮机超速的保护措施。每段抽汽管设有电动关断阀，作为汽机防进水的保护措施。

高压加热器由一段抽汽供汽，除氧器在正常运行时，采用滑压运行方式，在正常工况下由 2 段抽汽供汽。低压加热器由 3 段抽汽供汽，在 2 段抽汽上引一路至辅助蒸汽母管。

热网首站布置在汽机房 A 排外靠近 1 号机侧。采暖抽汽压力 0.245MPa，温度为 159.5℃。热网首站加热蒸汽系统、疏水系统、热网循环水系统为母管制，主要设备包括三台管式换热器，第一台热网加热器疏水箱，第二台热网加热器疏水泵，第三台 50% 容量的热网循环水泵(全厂用量、两台运行、一台备用)。两台热网补水泵，两台机组共用一台大气式热网补水除氧器，补水经大气式除氧器除氧后直接补入热网循环水系统，当热网循环水泵的入口压力低于设定值时由补水泵补水使其达到设定值。本期工程不设备用采暖减温减压器，当一级热网水系统超压时，通过安全阀泄压。

9.3.4　气化发电供热技术指标

5.5MW生物质气化—蒸汽联合循环发电系统。该系统包括一个20MW的循环流化床气化炉和气体净化系统，10台450kW内燃机，一台废热炉和一台1500kW蒸汽轮机，设计效率28%。系统主要技术指标见表9-12。

表9-12　系统主要技术指标

项目	单位	参数
设计总发电功率	kW	5.5
燃气发电总功率	kW	4.0
蒸汽透平发电功率	kW	1.5
电站自耗电功率	kW	0.5
原料		稻壳、稻秆
原料处理量	t/天	80~120
单位功率原料消耗量	kg/kW	1.3~1.5
系统净发电效率	%	28~30
单位投资	元/kW	6300

(1)原料及原料的预处理。系统以稻壳、稻秆、麦秆等为原料。如以稻秆和麦秆为原料，为保证气化设备的正常运行，必须先经过干燥和粉碎处理，粉碎后秸秆粒径不超过6mm，水分含量低于15%。

(2)气体及净化系统。气体系统及燃气净化系统是整个电站的核心部分。主要有气化炉(表9-13)、旋风分离器、焦油裂解炉、文氏除尘器、喷淋塔和储气柜等几个部分组成。其中气化炉采用常压循环流化床，气化炉返料器采用螺旋返料器。旋风分离器分离下来的飞灰经返料螺旋重新进入气化炉参加反应，从而延长了其在炉内停留时间，以提高碳转化率。

表9-13　气化炉基本设计参数

项目	参数	项目	参数
炉体内径(m)	2.3(底部)	原料处理量(kg/h)	3000~8000
	3.0(上部)	产气量(Nm³/h)	4200~11200
炉体高度(m)	16.6	热输出功率(kW)	21000

气化炉产生的可燃气中含有一定数量的焦油。在燃气冷却过程中，液态焦油与飞灰一起黏附在管道上，造成设备堵塞，进入内燃机还可能造成点火故障，活塞"拉缸"等危害；另外，焦油经水洗净化设备后形成汉焦油的废水，为避免造成二次污染，必须经过严格处理才能排放。本项目采用木炭作为催化剂，通过补充一定的空气，利用热裂解和木炭催化双重作用，把焦油控制在较低水平。

（3）煤气发电机组。本项目燃气发电部分由 11 台功率为 450kW 的内燃机发电机组组成。本项目开发的 450kW 内燃机发电机组是目前国内最大的生物质燃气发电机组，由柴油发电机组改装而成，并在揭东 1MW 生物质气化发电站进行了 800h 的实验测试。相对于燃气轮机，该机组对气体品质要求较低，从而使得燃气净化系统相对比较简单，降低了投资成本。

（4）余热锅炉及蒸汽透平。经裂解炉出来的可燃气温度为 700～900℃，内燃机发电机组排出的尾气温度为 500～550℃，本系统设计了蒸发量为 10t 左右的余热锅炉来回收这部分显热，并利用余热锅炉产生的蒸汽推动蒸汽透平发电，从而构成气化—内燃机—蒸汽联合循环发电系统。通过回收这部分显热损失，整个系统的发电效率提高了 10%。

（5）排灰和污水处理系统。灰渣主要来自气化炉及燃气净化系统，气化炉底部排灰采用干式出灰方式，出灰经排灰螺旋排出后，用气力输送方式输送到灰仓，然后包装卖给钢铁厂作保温材料。而冷却水池内含有的湿灰，经压滤机压滤后，和煤掺混做煤球。

文氏管除尘及洗涤可燃气体所产生的含焦油废水每小时约 10t，废水中含有灰、焦油等，COD 含量极高，必须进行处理以避免二次污染，其处理过程为：过滤、曝气和生化处理。处理后的废水 COD 值达到国家规定的排放标准，可以循环使用。

9.3.5 案例：山东省国能单县 1×25MW 农林剩余物直燃发电项目

9.3.5.1 项目概述

该项目（图9-9）位于我国山东单县经济技术开发区，是国家发改委核准的、国内第一个建成投产的国家级生物质直燃发电示范项目，也是我国第一个农林生物质大容量、纯烧、直燃发电项目，装机容量为 1×25MW 单级抽凝式汽轮发电机组，配一台 130t/h 生物质专用高温高压水冷振动炉排锅炉，投资约 3 亿元，是由国家电网公司旗下国能生物发电有限公司投资兴建，于 2005 年 10 月项目主体工程开工建设，2006 年 12 月 1 日投产发电，截至 2007 年 10 月国能单县生物质发电项目已完成 1.75 亿 kW 时绿色电量，提前 79 天完成当年发电目标；已消耗农林废弃物 20 多万 t，节约标准煤约

10 万 t，减排二氧化碳 10 万 t 以上，已发电 1.6 亿 kW·h；在燃料收储运过程中，已为当地农民带来直接收入 6000 多万元，增加农村就业岗位 1000 余个。已完成的发电量，可供 40 万户农民全年的生活用电。

图 9-9　国能单县生物发电厂

9.3.5.2　主要系统介绍

（1）锅炉燃烧系统。国能单县生物发电项目采用高温、高压生物质水冷振动炉排直燃发电锅炉，由龙基电力公司引进欧洲 130t/h 生物质振动式炉排高温高压蒸汽直燃发电锅炉技术，并组织进行技术消化吸收和标准转换，在国内生产制造。

锅炉为高温、高压参数自然循环炉，采用振动炉排的燃烧方式，锅炉的燃烧设备是管式水冷带布风孔的振动炉排，振动炉排水冷壁与锅炉水冷壁通过柔性管连接。锅炉汽水系统采用自然循环，炉膛外集中下降管结构。该锅炉采用"M"型布置，炉膛和过热器通道采用全封闭的膜式壁结构，很好地保证了锅炉的严密性能。过热蒸汽采用四级加热，三级喷水减温方式，使过热蒸汽温度有很大的调节余量，以保证锅炉蒸汽参数。空气预热器布置在烟道以外，采用水冷加热的方式，有效避免尾部烟道的低温腐蚀。经过烟气冷却器的烟气和飞灰，由吸风机将烟气吸入旋风除尘器再进入布袋除尘器净化。

（2）汽轮机发电系统。汽轮机（型号 C30-8.83/0.98）是武汉汽轮发电机厂生产，为高压单缸，冲动，单抽汽凝汽式，具有一级调节抽汽。汽轮机转子通过刚性联轴器直接带动发电机转子旋转，调节系统采用低压数字电液调节。该气轮机具有六级抽汽，

一、二、四、五、六抽汽分别进入两台高压加热器和三台低压加热器，三抽供除氧器加热蒸汽和工业用汽。该设计降低了热能的损失，提高了经济性。

（3）电气系统。发电机（型号 QF-30-2）为武汉汽轮发电机厂生产的空冷式发电机，30MW，额定电压为 6.3kV，额定电流为 3437A，额定功率因数为 0.8，经一台 110kV 双卷变压器升压后接至 110kV 配电装置。

（4）厂内上料系统。装载破碎后生物质燃料（以林业剩余物、棉花秸秆等为主,）的车辆进厂后，经称重后进入卸料沟卸料。卸料沟内设双列刮板输送机，再经斗式提升机、移动带分配至储料仓。储料仓内的秸秆通过仓底直线螺旋给料机给至带式输送机上，再经斗式提升机和螺旋给料机使生物质燃料落至炉前筒仓内。

（5）灰渣系统。以一台 25MW 生物质直燃发电机组为例，根据秸秆燃料分析检测报告资料及燃料消耗量，计算的灰渣量见表 9-14。

表 9-14　灰渣量计算表

装机容量	每小时排灰渣量(t)			日排灰渣量(t)			年排灰渣量(万 t)		
	灰量	渣量	灰渣	灰量	渣量	灰渣	灰量	渣量	灰渣
一台炉(135t/h)	0.3	1.7	2.0	6.6	37.4	44	0.18	1.02	1.2

注：表中日利用小时数按照 22h 计，年利用小时数按照 6000h 计。灰渣分配比：灰按灰渣总量的 15% 计算，渣按灰渣总量的 85% 计算。

生物发电厂除灰渣系统特点主要表现在：采用灰渣混除系统；除灰渣系统按照一台锅炉为一单元进行设计；考虑了灰渣的综合利用。

（1）除灰系统。生物发电厂除灰系统采用布袋式除尘器，每炉的布袋除尘器包括 6 个布袋式除尘装置，每 3 个布袋除尘器下设有一条埋刮板输送机，共两条，负责把布袋收集的飞灰集中输送至除尘器外的另两条转运埋刮板输送机。通过这两条转运埋刮板输送机，飞灰被输送至布置于炉底的链式除渣机，与冷却后的渣一起进入布置于锅炉房外灰坑上的灰渣分配输送机。灰渣进入灰坑后，析出的水送回锅炉排污坑，灰渣则由装载设备装汽车外运至综合利用用户。该系统中所有输送机的出力和灰坑容量均应满足锅炉 72h 的灰渣量。

（2）除渣系统。锅炉底渣经水冷后直接进入炉底的链式除渣机，冷却水采用锅炉排污坑内回收水（泵送）或原水。底渣与除尘器输送至链式除渣机的干灰一起进入布置于锅炉房外灰坑上的灰渣分配输送机。灰渣进入灰坑后，析出的水送回锅炉排污坑，灰渣则由装载设备装汽车外运至综合利用用户。炉底链式输渣机的排污接至废水处理池。该系统中所有输送机的出力和灰坑容量均应满足锅炉 72h 的灰渣量。

（3）灰渣综合利用。生物质燃料通常含有 3% ~20% 的灰分。这种灰以锅炉飞灰和灰渣/炉底灰的形式被收集，这种灰分含有丰富的营养成分如钾、镁、磷和钙，可用做加工高效农业生物复合肥或直接还田。

9.3.5.3　生物质燃料的供应

（1）燃料种类：以林业剩余物为主，具体如下：

树皮：来源于国营、私营林场以及部分农民自伐树木剩余；

木材加工剩余物料：主要来源于木材加工厂；

刨花和粉碎的木渣片：主要来源木材加工厂；

锯末：主要来自板材加工厂；

能源植物：紫穗槐、柳条等；

另外还有一些农业剩余物：棉花秸秆和桑枝条。

（2）燃料收储站：收储站主要职责是燃料的收购、燃料的加工、燃料的储存和燃料的调拨。目前在单县建设了 8 个燃料收储站，选址过程中考虑了资源优势、交通条件、地势、排水、电源、可利用水资源、地块面积等因素。这 8 个秸秆收储站保证国能单县生物质发电厂每年 15 万 ~20 万 t 的燃料供应。

（3）经纪人：燃料收购最初要以电厂为主组织实施，具体工作主要依靠农民经纪人。对于有收购、加工和储存能力的有实力的经纪人，电厂可与他们签订成品燃料收购合同，一般界定价格、数量、质量、结算方式等方面。对于规模较小的自由经纪人，每天供应能力 1 ~2t，可由各个收储站与他们签订个别的供货合同。

（4）燃料运输：经纪人的运输一般自己解决。收储站到电厂的运输由电厂自设或者委托专业物流公司承包，配备拖拉机、全挂车、采用特制大型自卸车若干。每天电厂制订燃料需求计划，燃料供应部门制订物流计划，物流公司根据物流计划运送燃料到厂。

（5）厂内燃料存放：燃料只在收储站内或经纪人处进行加工，电厂内不设加工功能。厂内燃料满存可以保证 5 ~7 天运行所需的燃料。

9.4　我国林木生物质发电经济可行性评价

9.4.1　经济数据整备

经济数据整备是可行性分析和财务评价的基础性工作。林木生物质发电项目经济评价需要结合项目建设规模及其所在地具体的自然、经济、社会条件进行实地分析，在此基础上进行可行性分析和技术路线的选择。林木生物质发电项目在我国发展处于起步阶段，关于项目级别的具体实践活动非常稀少，这里仅根据相关的研究结果和已有案例数据，同时借鉴了国内其他生物质发电项目的有关数据，一般性地进行林木生物质发电项目的经济性评价。考虑到林木生物质发电项目的实际情况，这里的数据资料在收集过程中有很强的估算因素。因此，本次经济分析只具有概括说明、比较的意义。

9.4.1.1　林木生物质发电项目技术模式与规模设定

结合我国现有林木生物质能源资源可利用状况、林木生物质发电技术和设备现状，这里主要分析林木生物质直燃发电模式，并通过不同的发电规模进行比较分析。目前，林木生物质直燃发电模式根据原料进炉前的不同处理方式可分为打捆直接燃烧发电、削片燃烧发电和成型木质煤燃烧发电等不同模式。目前收集的林木生物质发电案例数据中，多采用削片燃烧发电，削片加工处理技术较为成熟，加工成本比成型木质煤比低。本研究中仅考虑以削片形式为主的林木生物质直燃发电模式。项目经济分析中拟选取的生产规模为6MW、12 MW、24MW和48MW。

根据生物质直燃发电的技术研究和应用情况，对于6MW的直燃发电采用国产直燃发电机组，单位电量原料消耗量按照1.37kg/（kW·h）计算，对于12MW、24MW和48MW的直燃发电采用进口直燃发电机组，单位电量原料消耗量按照1.05kg/（kW·h）计算。按照机组发电时间7000h/年计算，不同的生产规模其原料年需求量分别是6MW需求为5.3万t，12MW需求为8.8万t，24MW需求为17.6万t和48MW需求为35.3万t。

9.4.1.2　原料成本设定

林木生物质发电技术路线不同，原料进炉前的处理方式也不同，如气化发电项目中，原料进炉前直接粉碎处理（打捆状态）即可。而对于林木生物质直燃发电，目前以削片加工处理为主，且加工成本及能耗均低于成型木质燃料。根据前面章节的分析，原料供应成本包括由采收成本和加工处理成本组成的固定成本，及与供应规模直接相关的运输成本，也即变动成本。

关于原料收集和加工成本的估算，这里以内蒙古通辽地区预设的简易木质削片回收加工站案例作为数据基础，其中，原料收购价格为200元/t，削片加工处理为70元/t。运输单位成本这里按照1.2元/（t·km）计算，运输距离与收集半径具有一致性。根据对我国部分地区林木生物质资源状况的分析，这里初步设定6MW直燃发电的原料收集半径为30km，12MW直燃发电的收集半径为50km，24MW直燃发电的收集半径为 80km，48MW 直燃发电的收集半径为 150km。

　　结合前面章节中关于原材料收集路径和进炉前各加工处理环节，对本文拟选取的发电规模和规模中相应的原料利用量和成本初步估算见表 9-15。

表 9-15　林木生物质直燃发电原料需求规模和供应成本设定

林木生物质直燃发电规模	6MW	12MW	24MW	48MW
原料需求量(万 t/年)	5.3	8.8	17.6	35.3
原料收集半径(km)	30	50	80	150
原料收集成本(元/t)	200	200	200	200
原料加工处理成本(元/t)	70	70	70	70
运输费用(元/t)	36	60	96	180
原料供应单位成本(元/t)	306	330	366	450

9.4.1.3　项目生产经济参数设定

　　表 9-16 相关数据取自《内蒙古通辽奈曼旗林木生物质发电项目可行性研究报告》《江苏如东秸秆发电项目可行性研究报告》《白城市建设 4.8 万 kW 林木生物质成型燃料(木质煤)燃烧发电(热)工程(示范)项目建议书》《印度尼西亚某木材厂 7MW 木屑气化燃气—蒸汽联合循环发电项目方案》及《林木生物质能源发电上网电价机制及政策研究报告》等研究报告资料，并以我国社会平均经济发展水平为基准，对评价中基础参数进行综合分析调整，进行数据整理，统一计算口径。

表 9-16　经济评价主要参数表

参数名称	单位	数量	备注
建设期	年	2	
投产期	年	1	
达产期	年	19	
折旧年限	年	15	
摊销年限	年	5	
固定资产残值率	%	5	
维修费率	%	2.5	以固定资产为基数
预备费率	%	8	
折现系数	%	10	
建设投资贷款利率	%	6.12	10 年等额本金法

（续）

参数名称		单位	数量	备注
流动资金贷款利率		%	5.58	
自有资金比例		%	20	
增值税率		%	17	
城市维护建设税率		%	7	
教育附加税率		%	3	
土地价格及清理费		万元/亩	5.7	
其他费用		元/(MW·h)	5	
其他材料		元/(MW·h)	26.5	
机组发电小时数	6MW	h/年	6500	
	12MW、24MW、48MW	h/年	7000	
厂综合用电率		%	10	
并网电价格		元/(kW·h)	0.6/0.7	
年人均工资		万元	3	
保险及福利费率		%	54	

9.4.2 林木生物质发电项目投资与成本估算

根据林木生物质发电项目工程建设和设备投资以及项目运营过程的各项费用支出，得到不同规模下的投资与成本估算结果见表9-17。

表9-17 不同规模林木生物质发电项目投资与成本估算

项目规模	单位	6MW	12MW	24MW	48MW
总投资估算额	万元	3954	15156	29843	56289
单位初始投资额	万元/MW	659	1263	1243	1173
原料年消耗量	万t/年	5.34	8.82	17.64	35.28
总发电量	万kW·h/年	3900	8400	16800	33600
年总成本	万元	2299	4729	9820	21953
年经营成本	万元	2078	3855	8160	18830
单位生产成本	元/(kW·h)	0.665	0.635	0.659	0.737

9.4.3 林木生物质发电项目确定性经济评价

9.4.3.1 经济评价参数选取

林木生物质发电尚未形成统一的产业投资基准收益率参数。根据目前我国社会经济平均发展水平及基准收益率的规定,对林木生物质发电项目的基准收益率选用我国现行社会折现率 I_s(8%,2006)代替,故取 I_c =8% 。即当林木生物质发电项目的内部收益率等于大于8%时,则可以认为该类项目投资在经济上合理。根据电力部门统计,2008 年发电企业平均上网电价为 0.36 元/(kW·h),如果按照现行的电力市场价格,投资林木生物质发电项目在经济上是不可行的。根据国家当前对可再生能源发电并网电价的补贴政策,每千瓦小时可再生能源发电的参考并网电价为当地脱硫煤电价的基础上额外补贴 0.25 元/(kW·h),平均电价水平在 0.6 元/(kW·h)以上。为保证该类项目经济评价指标值的相对有效性,经过对经济指标值的多次测算,这里设定并网电价分别处于 0.75 元/(kW·h)、0.80 元/(kW·h)和 0.85 元/(kW·h)的价格水平,分别评价林木生物质发电项目的经济可行性。

9.4.3.2 经济评价指标值估算

基于以上各类参数的设置,进行各种不同规模下项目的净现值(NPV)、内部收益率(IRR)和静态投资回收期的相关计算,结果如下。

9.4.3.3 确定性经济分析

从表 9-18 可以得出以下经济分析结果。

表 9-18 林木生物质发电项目经济评价指标值

并网电价	指标名称	单位	6MW 直燃	12MW 直燃	24MW 直燃	48MW 直燃
发电单位成本		元/(kW·h)	0.665	0.635	0.657	0.737
0.75 元/(kW·h)	净现值(NPV)	万元	−1657	−3090	−7045	−28868
	内部收益率(IRR)	%	1.16	4.85	4.30	−1.08
	投资收回期	年	21.1	14.8	15.5	26.9
0.80 元/(kW·h)	净现值(NPV)	万元	−243	−44	−951	−16681
	内部收益率(IRR)	%	7.11	7.96	7.53	3.25
	投资收回期	年	12.6	11.8	12.17	17
0.85 元/(kW·h)	净现值(NPV)	万元	1172	3003	5143	−4493
	内部收益率(IRR)	%	11.98	10.75	10.41	6.81
	投资收回期	年	9.4	10	10.2	12.8

（1）电价。在并网电价为 0.85 元/（kW·h），6MW、12MW 和 24MW 的林木生物质直燃发电项目的经济指标优于基准参数值，表明在该价格水平下，合理发电规模内的项目可以获得高于社会基准收益率的经济收益，具有一定经济合理性；而在并网电价低于 0.80 元/（kW·h），该类发电项目的经济指标均处于社会基准水平之下。

（2）原料比较。从上述林木生物质发电单位成本的结果来看，林木生物质发电单位成本远远高于当前传统火力发电［0.36 元/（kW·h）］。传统化石燃料发电在我国发展已经相当成熟，生产技术和设备研究都处于先进水平，生产效率高，生产规模已达到一定水平，规模效益日益凸显，这些条件使得化石燃料发电具有较低的生产成本和很强的市场竞争能力。而生物质发电项目的研究尚处于初级阶段，我国在这方面的研究起步较晚，生物质发电技术和设备研究还很不成熟，锅炉及前期处理设备均需从国外引进，设备价格昂贵，增加了生物质发电项目的投资成本。另外，生物质发电的生产规模和发电效率受到技术水平和资源分布的制约，处于较低水平。林木生物质发电项目与传统化石燃料发电相比投资大而规模小，尚不具备竞争优势。

（3）规模选择。从林木生物质发电项目的比较分析结果来看，12MW 和 24MW 是经济可行性相对较高的两种发电规模，一方面从现有的林木生物质发电设备投入来看，达到 10MW 以上的生产规模，可采用高参数的发电设备，实现规模效益；另一方面这两种发电规模在选定的资源区域内，可以实现对当地资源的充分利用，原料成本可以控制在合理的水平内。过大或者过小的发电规模都将使得发电成本处于较高的水平。

总之，按照传统的项目评估方法和现有的并网电价机制，林木生物质发电的经济性远远低于传统煤燃料发电项目，完全不具备经济可行性。

9.4.4 不确定性经济分析：主要因素及其临界值计算

9.4.4.1 不确定性因素选取

林木生物质发电项目受到多种因素的影响，这些因素的变动在实践中不可避免，通过对因素变动进行分析可以对前述经济评价有进一步的认识。这里选定固定资产投资、原材料价格、并网电价作为不确定性因素，进行项目的不确定性经济分析。

林木生物质发电项目在我国处于起步阶段，技术和设备研究还很不成熟，固定资产投资额随着生产技术的进步会有较大变动，进而对项目的经济性产生较大影响。林木生物质发电以林木生物质资源为原料，而目前这部分资源在我国多以非商品能源形式存在。现以新商品能源形式对这种资源重新定位，其价格的形成将随该产业的完善而不断变化。另外，并网电价也是影响林木生物质发电项目经济可行性的关键因素，从上述确定性分析结果来看，林木生物质单位发电成本均高于现行电力市场均价。

9.4.4.2　不确定性因素变化值计算

敏感性分析是指通过分析不确定性因素发生增减变化时，对财务或经济评价指标的影响程度，并计算敏感度系数和临界点，找出敏感因素。

敏感度系数 S_{AF} 是指项目评价指标变化率与不确定性因素变化率之比，计算公式为：

$$S_{AF} = \frac{\Delta A / A}{\Delta F / F} \tag{9-1}$$

式中：$\Delta F / F$ ——不确定性因素 F 的变化率；

　　　$\Delta A / A$ ——不确定性因素 F 发生 ΔF 变化时，评价指标 A 的相应变化率。

临界值（点）是指不确定性因素的变化使项目由可行变为不可行的临界数值，一般采用不确定性因素对应的具体数值或其相对基本方案的变化率表示。

这里选定并网电价为 0.85 元/（kW·h），选取确定性经济分析中内部收益率（IRR）优于基准收益率（$I_c = 8\%$）的部分方案，对不确定性因素固定资产投资、原材料价格、并网电价进行敏感度系数和临界值的计算。计算结果见表 9-19。

9.4.4.3　不确定性经济分析

从表 9-19 所示的不确定性因素的分析结果可以初步得出以下结论：

第一，并网电价是林木生物质发电项目最为敏感的关键因素，电价的变化直接决定了多数生物质发电项目的经济可行性。从电价的临界值分析可以看出，为保证项目可以获得最低的经济收益（按现行社会收益率计），并网电价的定价应该高于 0.8 元/（kW·h）。尤其对于小型林木生物质直燃发电项目来说，并网电价的敏感度系数最高。因此，在林木生物质发电产业发展初期，在推广小型林木生物质发电项目过程中，电价补贴政策的制定成为该类项目成功与否的关键因素。

第二，从各种模式下原料价格的敏感度系数和临界值分析来看，林木生物质发电项目对原料价格的敏感性比较大。这意味着，原料价格一旦出现不利变动，将对林木生物质发电项目的经济性带来较大影响。由于原料价格主要受到地区林木生物质资源条件和地域特征的影响，所以在林木生物质资源丰富的地区建立林木生物质发电项目可以有效降低项目风险。另外，仅从原料价格变动的敏感度系数的计算结果来看，大中型规模项目（12MW 和 24MW）对原料价格的敏感性小于小型项目（6MW）。因此，在原材料总量可以得到保证的情况下，发展较大规模的林木生物质发电项目更有利于弱化原料价格不利波动带来的风险。

表 9-19　不同林木生物质发电规模敏感度系数和临界值分析(内部基准收益率 I_c =8%)

基本方案	不确定因素		变化率	内部收益率	敏感度系数	临界值
6MW 直燃发电,并网电价 =0.85 元/(kW·h),IRR =11.98%	固定资产投资(万元)		10%	10.73%	−1.04	3823
			−10%	13.38%	−1.17	
	原料价格(元/t)		10%	7.37%	−3.85	333
			−10%	16.12%	−3.46	
	并网电价[元/(kW·h)]		10%	19.13%	5.96	0.81
			−10%	3.12%	7.39	
12MW 直燃发电,并网电价 =0.85 元/(kW·h),IRR =10.75%	固定资产投资(万元)		10%	9.40%	−1.25	14622
			−10%	12.29%	−1.44	
	原料价格(元/t)		10%	8.57%	−2.02	371
			−10%	12.80%	−1.91	
	并网电价[元/(kW·h)]		10%	15.05%	4	0.8
			−10%	5.83%	4.58	
24MW 直燃发电,并网电价 =0.85 元/(kW·h),IRR =10.41%	固定资产投资(万元)		10%	9.06%	−1.29	28290
			−10%	11.96%	−1.49	
	原料价格(元/t)		10%	7.91%	−2.4	401
			−10%	12.75%	−2.24	
	并网电价[元/(kW·h)]		10%	14.82%	4.24	0.81
			−10%	5.32%	4.89	

第三,固定资产投资规模的不利变动将会使得林木生物质发电项目经济性变得更加脆弱。然而,与并网电价和原料价格因素相比,该类项目对固定资产投资额(投资规模)变动的承受能力较高一些。从固定资产投资额的敏感度系数来看,6MW 小型林木生物发电项目对固定资产投资的不利变动幅度的承受能力较高。因此,在技术设备研究不太成熟时,以选择投资小规模发电项目为先。

9.5　林木生物质发电项目环境效益分析

9.5.1　环境影响定量分析

由于林木生物质发电与煤燃料发电(煤电)的特殊竞争与替代关系,这里选取传统煤电产生的环境影响作为参照物，仅从发电生产的终端排放物类型和排放量的角度，对林木生物质发电的环境影响进行测算和比较。根据传统火力发电过程产生的污染排放物类型，这里选定的环境污染因子包括 SO_2、NO_x、CO_2、CO、TSP、灰和渣等。对林木生物质发电的环境污染排放的数据来自内蒙古奈曼旗案例环境因子的测试结果（表9-20）。

表9-20　内蒙古奈曼旗林木生物质发电项目空气污染物排放情况

排放量	单　位	$2 \times 12MW$	排放浓度	单位	实际[①]	允许[②]	占比例(%)
SO_2	t/h	0.0328	SO_2	mg/m^3	253	800	31.6
NO_x	t/h	0.078	NO_x	mg/m^3	400	450	88.9
烟尘	t/h	0.000267	烟尘	mg/m^3	2.1	200	1.1

注：①通辽市奈曼旗林木生物质发电项目实测数据；

　　②《火电厂大气污染物排放标准》GB13223—2003。

根据《火电厂大气污染物排放标准》GB13223—2003 中的规定标准，案例项目的排放量浓度均符合要求，SO_2、烟尘的排放浓度还远低于标准。在案例中，项目发电规模为24MW，年生产时间可达到7000h，采用布袋除尘效率可达99%以上，年排放 SO_2 229.6t、NO_x546t 等。

由于我国现有林木生物质发电项目稀少，且原料构成具有相似性，这里对案例项目环境影响的测算结果可以作为林木生物质发电项目环境影响量化的一个参考数据。表9-21 中列示了林木生物质发电与常规煤电的单位发电的污染排放量情况。可以看出林木生物质发电的减排效果非常明显：首先，林木生物质燃烧所排放的 SO_2 和氮氧化物要少得多，CO 的排放量几乎为零；其次，生物质原料为可再生能源，CO_2 的排放和吸收构成自然界碳循环，如果不考虑采集运输环节排放的 CO_2，其能源利用可实现 CO_2 的零排放。在我国节能减排压力日趋增大的形势下，林木生物质发电是未来减排 CO_2 的重要途径。

表9-21　林木生物质发电与煤电污染物排放量比较$[g/(kW \cdot h)]$

项目	林木生物质电厂	常规煤电厂	项目	林木生物质电厂	常规煤电厂
SO_2	1.36	8.56	TSP	—	0.19
NO_x	3.25	3.80	灰	4	52.29
CO_2	28.8	822.80	炉渣	13	14.26
CO	—	0.12			

9.5.2 环境价值标准

对于环境影响从一般量化向货币量化的转换，须借助于污染物环境价值标准的概念。所谓污染物的环境价值是指减排单位的污染物所减少的"污染经济损失"的价值量。

林木生物质发电同属于火力发电的范畴，对于该类项目的主要污染物的环境价值估算，这里主要借鉴现有传统火力发电的环境价值标准的部分研究成果。现有部分研究中，对环境价值的测算主要参考排污总量的收费标准，然而我国实施的事后征收的排污费标准并不等同于环境价值标准。环境价值是指减排的污染物本身所蕴含的价值量，排污收费只是环境价值的外在货币表现。在我国，对污染物征收的排污费远小于对环境造成的经济影响。近年来我国每年由于环境污染和环境资源的破坏所造成的损失至少为2000亿元，而按照当前的收费标准测算，每年排污收费仅500亿元，仅占环境损失的25%。魏学好（2003）根据国内外文献资料，参照总量排污收费标准，借鉴美国价值标准，估算出电力行业污染物环境价值标准（表9-22）。这些结果基本上能够反映火力发电行业污染物在目前中国造成的"污染价值损失"，即单位减排量的环境价值。以此作为本研究中环境效益货币化计量的参考依据。

表9-22　火电行业污染物环境价值标准（元/kg）

污染物	SO$_2$	NO$_x$	CO$_2$	CO	TSP	灰	渣
环境价值	6	8	0.023	1	2.2	0.12	0.1

数据来源：中国火力发电行业减排污染物的环境价值标准估算（魏学好，周浩，2003）。

9.5.3 环境效益货币化分析

环境价值标准确定以后，根据污染物的排放量（或减排量），就可以计算项目的环境成本或环境效益。林木生物质发电产生的环境效益是相对于煤电环境成本的节约。

即，林木生物质发电环境成本（或效益）货币化可以表示为：

$$C_E = \sum_{i=1}^{n} V_i \times \Delta Q_i \tag{9-2}$$

式中：V_i、Q_i——分别表示每一种污染物的环境价值标准和污染物减排量（相对于煤电）。

林木生物质发电单位环境效益的货币化计量（表9-23）结果表明，与传统煤炭发电相比，林木生物质发电的环境效益是明显的，单位发电环境效益为0.0723元/（kW·

h)。若将这项环境效益计入林木生物质发电项目的经济评价中，会较大程度降低该类项目单位发电成本，如 6MW 林木生物质发电项目单位发电成本将从 0.665 元/(kW·h)降至 0.593 元/(kW·h)，12MW 项目的单位发电成本将从 0.635 元/(kW·h)降至 0.563 元/(kW·h)。

表 9-23　林木生物质发电的环境效益货币化

项目	减少排放量[g/(kW·h)]	价值标准(元/kg)	环境效益[元/(kW·h)]
SO_2	7.2	6	0.0432
NO_x	0.6	8	0.0044
CO_2	794.0	0.023	0.0183
CO	0.1	1	0.0001
TSP	0.2	2.2	0.0004
灰	48.3	0.12	0.0058
渣	1.3	0.1	0.0001
合计			0.0723

目前，尚未有官方机构或国际组织给出准确的环境价值标准，研究的结果往往取决于所选用的方法，因而不同的方法计算出的结果可能差异较大。这里对于林木生物质发电项目环境效益的计量方法具有一定的探索性，所得结果只能作为参考而不能作为固定的衡量标准。通过案例数据对项目环境效益的测算结果也仅作为该类发电项目环境经济计量的一个参考数据。

第 10 章　我国林木生物质能源产业化政策体系设计研究

随着煤炭、石油、天然气等传统常规能源逐渐枯竭以及价格的不断攀升，可再生能源特别是生物质能源的开发和利用快速发展，生物质能源作为一种重要的可再生能源，具有资源种类多、分布范围广等特点，能转化为电力、燃气和液体燃料等多种高品位能源，可广泛替代各种常规能源。发达国家和一些发展中国家越来越重视可再生能源在未来能源供应的重要作用，采取立法的方式并制定各种政策措施支持可再生能源的原材料供应、产业投资、推广应用以及终端使用等，特别是欧美国家，制定了多种关于生物质能的政策，推进生物质能产业的发展。

10.1　国外生物质能政策概况

10.1.1　行业政策法规和发展纲要

大多数发展新能源和可再生能源取得成功国家的经验表明，通过立法手段确定行业发展纲要，明确支持政策，落实激励机制，将发展可再生能源作为国家能源产业发展战略方向，是促进可再生能源又好又快发展的根本途径。

10.1.1.1　美　国

美国 1992 年制定的《能源政策法》是指导新能源和可再生能源产业发展的基础，也是可再生能源发展纲要和规划的基本依据。该法律要求到 2010 年新能源和可再生能源供应量比 1998 年增加 75%，对新能源和可再生能源开发给予投资税额减免。美国还制订了一系列的法律、法规和条例，从法律上保证新能源和可再生能源的稳定发展。

1999 年，克林顿总统签署 13134 号"开发和推进生物及产品和生物能源"的总统令，并提出"到 2010 年生物质能和生物基产品扩大 3 倍，2020 年增加 10 倍，使农民及农村地区每年新增收入 200 亿美元，同时减少 1 亿 t 碳排放量"的宏大目标。该法令引起了美国能源部和美国农业部对生物质相关产业的关注，建立了国家生物质研发技术咨询委员会和生物质能项目管理办公室，保障生物质能源项目的持续稳定快速发展。

2000 年美国制定《生物质研究开发法案(2000)》，该法案指导美国能源部和美国农业部加强合作，为生物质能研发活动中设定统一的基准。它要求设立一个生物质研发平台以协调国家计划，成立生物质技术咨询委员会，这就促成了生物质研发技术咨询委员会和生物质能项目管理办公室成立。法案还要求用财政，金融，契约等形式鼓励生物质能研发。

2002 年布什签署了《美国农业法令》(2002)，提出应该对可再生燃料和生物质能源予以更高的关注和资金支持，并且出台了生物质技术路线图，促进了美国生物质能源利用各项政策的实施。

2005 年 8 月，美国总统布什签署《2005 年国家能源政策法》，这是一部综合性能源法规，其内容主要包括能源效率、可再生能源、石油与天然气、洁净煤技术、核能、能源效率研究与项目支持等 11 个方面，该法通过多种政策措施促进生物质能源发展，包括：

(1)税收激励；

(2)强制性联邦政府购买可再生能源产品配额；

(3)强制性的标准和规范；

(4)生物能产品生产和消费补贴；

(5)生物质技术研发支持；

(6)贷款担保等。

并鼓励美国民众使用各种新型的可再生能源，包括生物质能源。

此外，美国的政府部门还设立了一系列专门的生物质能计划，其中包括：美国能源部制定的美国生物质路线图，能源部生物质能办公室管理的生物能"多年计划"和环保署的"甘蔗乙醇计划"。

例如 2006 年 2 月 9 日提出的"先进能源计划"指出要通过大力发展生物燃料来解决交通运输对石油的消耗。发展"乙醇计划"，大幅度提升更多"种植"的可再生燃料的市场竞争力。

2007 年 1 月 23 日，布什总统提出 "20—10" (20in10)的能源新战略，在未来 10 年缩减汽油消耗量，开发替代能源。

10.1.1.2　欧盟及其成员国

为了实现生物质能开发利用的目标，欧盟委员会及其成员国将发展生物质能作为解决能源问题及环境问题的重要路径，并为促进生物质能产业发展制定了一系列的政策法规和指令性文件。

欧盟已发布的与生物质能源有关指导文件有：

(1)欧盟战略和行动白皮书(1997)；

(2)2010年欧洲交通政策白皮书(2001)；

(3)欧盟可再生能源发电法令(2001)；

(4)欧盟内部电力市场法令(2003)；

(5)热电联产条例(2004)；

(6)欧盟环境技术行动计划(2004)；

(7)欧盟交通生物质燃料法令(2003)；

(8)能源生产与电力税收法令(2003)；

(9)欧盟生物质能行动计划(2006)等。

这些政策性指导文件不仅为欧盟生物质能发展设立了权威、富有约束力的目标，也提出了包括强制性规章(如生物质替代燃料标准和配额)和基于市场的政策手段(如税收、赠款补贴等)在内的促进生物质开发利用的综合政策体系。

此外，欧盟委员会还通过《能源科技各级计划》为生物质能技术的研发、推广、示范提供资金支持。欧盟委员会下设的能源环境研究机构为欧盟委员会及其成员国的政府、研究机构、公司提供生物质资源、技术等方面的信息服务。

欧盟成员国各国政府在欧盟政策框架体系下，结合各自国内具体情况，制定了相应的生物质能源发展政策和发展纲要。

2006年3月8日，欧盟委员会发表了《欧洲安全、竞争、可持续发展能源战略》，亦称《绿皮书》。

2007年又提出一揽子能源计划，根据计划，到2020年将温室气体排放量在1990年基础上至少减少20%，将可再生能源占总能源消耗的比例提高到20%，将煤、石油、天然气等一次性能源消耗量减少20%，将生物燃料在交通能源消耗中所占比例提高到10%，以及在2050年将温室气体排放量在1990年的基础上减少60%～80%。

2009年10月7日，欧盟委员会公布一份题为"为低碳能源技术发展提供投资"的政策文件。

2010年11月10日发布了未来10年欧盟新的能源战略。根据新的战略，欧盟未来10年将从五大重点领域着手确保欧盟能源供应。

(1)英国：英国政府通过制定《非化石燃料公约》政策促进新能源和可再生能源的稳步发展，其主要目的：一是通过控制化石燃料能源使用，减少大气环境污染；二是建立资金渠道支持新能源和可再生能源的发展。并通过逐步制定《电力法》(1989)、

《气候变化税条例》(2001、2003)、《可再生资源义务条例》(2002)、《苏格兰可再生资源义务条例》(2002)、《北爱尔兰能源条例》(2003)等构建了以非化石燃料义务和化石能源税为核心的法律框架。

英国政府还制定颁布了《可再生能源义务(2009)》，用具体的措施刺激可再生能源的增长，使其达到一定经济规模。英国立法促进可再生能源的基本思路是：政府制定具体发展规划，政府有效监督，通过市场机制实现可再生能源的发展目标。

(2)德国：德国政府多年来一直重视生物能源的开发利用。在生物柴油的生产和消费方面，德国在欧洲乃至世界都处于领先地位，成为全球生产和使用生物柴油最多的国家，并且做到了政策立法。

德国联邦议会上院于 2000 年 3 月 17 日通过了《可再生能源优先法(EEG)》(2000)，该法案对购买和补偿由可再生资源产生的能源进行了相关规定，目的是到 2010 年之前，使可再生能源在能源消费总量中所占的比例至少增加一倍，从而与欧盟和德国对《京都议定书》承诺的目标保持一致。该法律规定，电力运营商有义务以一定价格向用户提供可再生能源发电，政府根据运营成本的不同对运营商提供金额不等的补助。该政策是全球首创，现已被各国竞相效仿。

2000 年 1 月 1 日，德国可再生能源管理署成立了生物质能信息中心。它的主要任务是向社会发布生物质能源的技术信息和项目开展信息；增强生物质能相关利益者之间的信息交流，生物质能技术建设、销售和消费环节间的信息交流，促进生物质能技术投资厂商和技术研发机构之间的信息交流，加强研发向市场的转化能力；开展生物质能技术综合评估；指导未来产业的发展方向和研发方向。

(3)丹麦：为了加速可再生能源开发，丹麦采取了一系列的措施，首先制订了命名为《21 世纪的能源》行动计划，目标在 2005 年，全国二氧化碳排放量要比 1988 年减少 20%，2030 年减少 50%。因此，丹麦政府制定了一系列经济激励政策，对生物质能技术的研发和建设给予补贴。丹麦的政策激励机制是从政府大量补贴开始，逐步转向政府控制下的市场竞争，促进可再生能源的健康发展。

1991 年，丹麦能源部成立了"生物质能委员会"。作为生物质能技术发展应用的咨询机构，委员会提出了两个三年计划来推动生物质能的发展。第一个三年计划的主要内容是发展秸秆和木屑为主要燃料的热电联产技术。丹麦国家能源部的推广可再生能源发展的战略计划对生物质能技术项目提供资金支持。

2009 年 1 月 26 日，由德国、西班牙和丹麦发起的国际新能源组织在德国波恩成立。该机构正式成为可再生能源的"新代言人"，其宗旨是在全世界工业化国家和发展中国家扩大使用新能源。

(4)芬兰：可再生能源执行计划由芬兰工业贸易部于 1999 年 10 月制定，其目标是到 2010 年将可再生能源的利用在 1995 年的水平上(610 万 t 石油当量)增长 50%（增加 300 万 t 石油当量)；其中生物质能占 90%，同时规定到 2025 年可再生能源的发电量将达到 1995 年的 2 倍。

2001 年，芬兰政府通过了"国家环境战略"，在此战略中，可再生能源占据重要地位。同时实施的"可再生能源资源行动计划"以及"能源转换和废弃物管理行动计划"，以减少一半的减排目标，力争于 2008～2012 年达到《京都议定书》规定的温室气体排放目标。

2003 年，芬兰的"可再生能源国家行动计划"正式启动，其目标是将可再生能源的使用量再提高 30%，这意味着到 2010 年，生物能源的发电量将占到芬兰整个电力消费的 31.5%。

(5)法国：法国环境部于 2008 年 11 月 17 日公布了一项发展可再生能源的计划，计划到 2020 年将可再生能源在能源消费总量中的比重提高到 23%，相当于每年为法国节省 2000 万 t 石油。

10.1.1.3　巴　西

巴西是世界上最早通过立法手段强制推广乙醇汽油的国家。早在 1931 年，巴西政府就颁布法令，规定在全国所有地区销售的汽油必须添加 2%～5% 的无水乙醇。

2003 年，巴西政府颁布法令，重新启动生物柴油计划，并由总统府牵头，由 11 个部委以及大学和科研机构组成工作组，提出了巴西发展生物柴油替代矿物柴油的可行性技术报告。

2004 年 12 月，巴西政府公布了实施生物柴油的临时法令，宣布 2005～2007 年在矿物柴油中掺入 2% 的生物柴油；2008～2012 年政府将强制要求掺烧 2%，鼓励达到 5%；2012 年后，政府强制掺烧 5%，作为柴油汽车的动力，同时也可以作为发电动力。

巴西政府通过国际合作利用 GEF 和清洁发展机制(CDM)作为支持生物质发电的试点示范。

10.1.1.4　印　度

印度在 20 世纪 90 年代建立了非常规能源部和可再生能源开发机构，管理和推动生物质能源的发展，同时还采取了一些专门的政策措施推动生物质能源的商业化发展，包括在农村推广使用包括生物质能在内的各种可再生能源，并实施用麻疯果生产生物柴油的计划。印度作为亚洲乃至世界最重要的发展中国家之一，在能源安全与经济指标建设中存在长期的选择与衡量，其能源政策存在经常的不稳定性和难以持续性的特点，因此在可再生能源产业发展政策上起伏比较大。

10.1.1.5　日　本

日本政府于 1997 年开始实施《新能源利用促进法》，其目的是稳定二氧化碳的排放量，通过采取鼓励强制性市场份额等政策支持新能源的开发。

生物质能作为新能源的概念最早出现于 2001 年 6 月，日本综合资源能源调查会新能源部的报告，于 2002 年 1 月正式被确立；2002 年 3 月在"地球温暖化对策推进大纲"中被作为新能源的导入目标之一；在 2002 年 5 月，日本政府将推进利用生物质能正式写入《促进电器事业者利用新能源等的特别措施法》，使开发生物质能具备了法律依据。

日本政府于 2003 年 4 月开始实施 RPS 法令（renewable portfolio standard），也称《新能源法》，即可再生能源配额制政策。法令以配额的形式对能源行业从业者利用新能源的义务进行了规定，其中规定电力销售业者必须利用一定比率的新能源（如风能、太阳能、生物质能、地热能等）及不超过 1 万 kW 的小水力进行发电。

2004 年 6 月，日本通产省公布了"新能源产业化远景构想"，目标是 2030 年以前，把太阳能等新能源技术扶植成商业产值达 3 万亿日元的支柱产业之一，提高日本新能源产业的国际竞争力，使新能源产业领先世界。为了实现这一构想，日本政府在税制等方面采取优惠制度，促进企业参与其新能源开发，并扶持新能源产业及产品向出口创汇方向发展。

日本在 2009 年颁布的《新国家能源战略》中，提出制定能源技术战略。

10.1.2　财政补贴政策

财政补贴是常用的激励新能源及可再生能源的方法，其中包括生物质能源的政策措施，根据补贴对象不同，分为生产者补贴、消费者补贴和财政专项资金制度。

1992 年，美国的《能源政策法》规定了优惠内容，在生物燃料推广初期，各州政府实施财政补贴政策，生物柴油补贴大约 50 美分/加仑（13.2 美分/L），乙醇汽油为 51 美分/加仑（13.5 美分/L），近几年随着市场规模的增大以及国际油价的上涨，生物燃料竞争力有所提高，补贴逐渐减少 。

美国联邦政府实施政府采购也是一个创新的补贴方法，也就是在联邦政府这个大的消费者职权范围内，在采购过程中要优先选取生物质基产品和生物质能源，并且制定采购计划，每年对计划的实施情况并进行评估。2007 年 12 月，美国颁布的《能源自主和安全法案》指出，2008 ~ 2015 年，准备动用 5 亿美元发展高级生物燃料；2008 ~ 2010 年，用 2500 万美元支持生物燃料相关的科研活动。

德国政府自 1994 年开始，启动支持"可再生能源资金计划"，1994 年累计投入 1000 万德国马克，2001 年资助额度达到 3 亿德国马克，2002 年超过 20 亿欧元。其中有关生物质能技术的内容包括：对于生物质能技术给予直接的投资补贴，规模小于 100kW 的生物质能供热技术给予 52 欧元/kW 的投资补贴，最高补助额度 2046 欧元；对于规模大于 100kW 的生物质能供热技术以及生物质能热电联产技术给予优惠的贷款。2005 年列入环境部的预算为 7.69 亿欧元，主要用于可再生能源促进支助，如用木材取暖设备购置资助、新技术开发、太阳能热水器等。

芬兰非常重视对可再生能源的科研投入。近年来，芬兰对包括生物质能源在内的可再生能源研发和全国性的技术项目的投入高达每年 1000 万欧元。2005 年，芬兰政府用于这方面的经费达到 3120 万欧元。

芬兰贸工部设有专门的扶持基金，对开发新能源、新技术，降低二氧化物的排放，提高生物能源使用效率这类项目提供一般占项目总费用 25% 的支持资金，最高可至 40%。仅 2002 年，芬兰用于这方面的扶持资金就达到 2800 万欧元，仅国家技术局（Tekes）就提供了大约 700 万欧元的生物质能源研发资金。

生物质燃料供暖和发电可以得到芬兰政府补贴，最高为总投资额的 40%。森林燃料生产的采伐补贴为 3.5 欧元/（MW·h），削片（或切块）补贴为 2 欧元/（MW·h）。农业和森林部对于采伐能源林的补贴（原木和木片）为 7 欧元/m^3，工业和贸易部为新的林木生物质能源技术项目提供资金援助，共同出资 30% 的费用。

2009 年 3 月 9 日，欧盟委员会宣布，欧盟将在 2013 年之前投资 1050 亿欧元支持"绿色经济"。

印度政府特别为可再生能源企业提供 10%～15% 的装备投资补贴，以降低其运行成本。

10.1.3　税收政策

税收手段的运用已成为各国生物质能源政策的重要组成部分，税收政策是国家宏观调控、行业导向的重要工具，在促进能源优化及可持续开发和利用上有着举足轻重的作用，税收优惠激励是促进生物质能源的发展的重要政策手段。

世界各国针对可再生能源和生物质能源的税收优惠政策可分为两类：一是直接对生物质能源实施税收优惠政策，包括关税、固定资产税减免，增值税和所得税减免等；另一类实施强制性税收政策，如碳税政策。

10.1.3.1　税收优惠

政府通过运用降低税率、加速折旧、投资抵免、免税期、亏损弥补等税收优惠措施鼓励生物质能源的原材料生产和企业投资。

2004 年《美国创造就业法案》规定，对生物柴油给予税收鼓励并对燃料酒精扩大了课税扣除的范围，对生物柴油的税收抵免从 2005 年 1 月开始；此外，该法案还制定了按容积的燃料乙醇特许权税课税扣除（VEETC），即到 2010 年都将持续对燃料乙醇给予 51 美分/加仑(14 美分/升)的减税优惠。

美国 2005 年通过的《国家能源政策法》明确规定，将在未来 10 年内，向全美能源企业提供 146 亿美元的减税额度，鼓励能源行业采取节能、洁能措施。

（1）加速折旧。根据 1978 年的《能源税收法》，可再生能源生产企业可以获得各种各样税收优惠政策和 5 年的加速折旧方案。

（2）企业所得税抵免。企业所得税抵免的范围包括：①技术开发抵税。开发利用太阳能、风能、地热和潮汐的发电技术，投资总额的 25% 可以从当年的联邦所得税中抵扣，同时其形成的固定资产免交财产税；②生产抵税。现在的可再生能源生产税收减免政策为风能和闭环生物质能发电企业自投产之日起 10 年内，每生产 1kW 时的电能可享受从当年的个人或企业所得税中免交 1.5 美分的待遇。2003 年，美国将抵税优惠额度提高到 1.8 美分/(kW·h)，享受税收优惠的可再生能源范围也从原来的两种扩大到风能、生物质能、地热、太阳能、小型水利灌溉发电工程等。

希腊对所有新能源和可再生能源项目和产品免税，葡萄牙、比利时、爱尔兰等国家对个人投资可再生能源项目均免征所得税；此外爱尔兰还对一般企业投资生物质能的项目资金免征企业所得税，巴西对乙醇燃料汽车免征工业产品税和增值税。

10.1.3.2　强制性税收

1996 年，丹麦政府决定征收"绿色税收"（green tax），引导能源消费的可持续发展。绿色税收征收制度决定在 5 年内逐步完成，预计在 2000 年达到绿色税收设计的目标。绿色税收的应税商品是化石燃料，对用做不同目的的化石燃料税赋不同。税收扭曲利于发展可再生能源，政府通过对可再生能源进行投资补贴平衡税负的不均衡。

1999 年起德国通过"燃油税"附加的方式，收取"生态税"。其主要目标是通过征收生态税，使石化燃料对气候和环境所造成危害的治理成本内部化，即将治理费用纳入消费者购买石化燃料产品的价格中，并将大部分生态税收入用于补充职工养老金，使企业养老金费率降低，从而起到降低雇员劳动成本、增加就业的目的。生态税的征收对象是汽油、柴油、天然气等，对不同用途、不同品种采用不同税率，平均税额占油价的 12% ~15%。所得收入 90% 用于补充企业和个人的养老金、10% 用于环保措施投入。

芬兰是世界上第一个根据能源中碳的含量收取能源税的国家。每年收取的能源税近 30 亿欧元，约占芬兰整个税收的 9%。收取能源税的目的是控制能耗的增长，支持能源技术的开发，提高能源的使用效率，引导能源生产和能源消耗朝着减少 CO_2 排放量的方向发展。这种能源税制度增加了各种化石燃料排放 SO_2 和 CO_2 的价格，也使得生物质能源更具竞争力。

为了抑制温室气体排放，从 20 世纪 90 年代起，欧洲一些国家开征了以减少温室气体排放为目的的税种。二氧化碳是温室气体中比例最大的一种，也是人类活动中最容易产生的温室气体，为此，一些国家开征"碳税"以控制二氧化碳的排放。

碳税并不是直接对二氧化碳排放征收（这样做在技术上难于操作），而是对煤、石油、天然气、液化石油气等化石燃料按含碳量设计税率进行征收。因为化石燃料消耗所产生的二氧化碳约占其排放量的 65%～85%。对化石燃料征收的碳税，有时也笼统地称为"能源税"。

碳税最早于 1990 年由芬兰开征，此后，瑞典、挪威、荷兰和丹麦也相继开征。在这些欧洲国家的碳税体系中，征收对象主要是机动车燃料和其他能源产品。前者包括含铅汽油、无铅汽油、柴油、液化石油气和煤油五小类；后者包括汽油（供热用）、重油、液化石油气（供热用）、煤、天然气和电力六小类。以含铅汽油为例，5 国碳税税率分别是：芬兰 32 欧元/kL，挪威 107.9 欧元/kL，瑞典 97.8 欧元/kL，丹麦不向含铅汽油征收碳税，荷兰 13.5 欧元/kL。再以煤为例，5 国的碳税税率分别是：芬兰 33.1 欧元/t，挪威 53.9 欧元/t，瑞典 104.6 欧元/t，丹麦 32 欧元/t，荷兰 10.5 欧元/t。从这些例子可以看出，这 5 个国家都根据自身国情制定碳税税率，各国间差别很大。

2001 年，法国和英国开始征收碳税，德国、意大利等欧盟成员国也计划在环境税收改革中引入碳税。除了欧洲国家外，一些亚洲国家也开始有所动作。目前，日本已开始准备征收碳税。日本环境省审议会的一个专门委员会已开始制定有关征收碳税的具体方案，日本可能于 2005 年开征碳税。日本环境省官员表示，自 1997 年《京都议定书》通过后，日本温室气体排放量反而增加了 8%，要达到议定书规定的目标，需要减少 14% 的排放量，任务十分艰巨，征收碳税势在必行。征收碳税必然增大化石燃料的使用成本，这对可再生的清洁性林木质能源是一种鼓励措施。

10.1.4 配额制政策

可再生能源配额制是指一个国家或者一个地区的政府用法律的形式对可再生能源进入市场的份额做出强制性规定，是政府作为培育可再生能源市场，使可再生能源达到一个有最低保障水平而采用的强制性于段。

配额制度是随着市场化改革逐步发展起来的一项新的促进可再生能源发展的制度，主要是对生产商或供应商规定在其生产或供应中必须有一定比例的能源来自可再生能源，并通过建立"绿色能源证书"和"绿色能源证书交易制度"来实现。所谓"绿色能源证书"，就是可再生能源供应商在向市场供应能源的同时，还能得到一个销售绿色能源的证明。能源生产商供应商如果自己没有可再生能源供应，可以通过购买其他可再生能源企业的"绿色能源证书"来实现；同时，可再生能源企业通过出售"绿色能源证书"也可以得到额外的收益，这样就可以促进可再生能源发电的发展。目前，丹麦正在推行可再生能源配额制。

配额制交易制度的实施，使得生物质能源价格可以分摊进能源价格之中，保证了生物质能源的市场化发展。

除了巴西采用立法形式规定了配额制政策外，2005 年 8 月布什签署的《国家能源政策法案》中明确指出，必须在汽油中加入特定数目可再生燃料且每年将递增。美国可再生燃料消费量将从 2006 年 40 亿加仑/年（占汽油总量约 2.8%）增加到 2012 年 75 亿加仑/年（2300 万 t），此后将保持 2012 年可再生燃料与全部汽油的比例。按照要求，美国近 50% 的汽油将需要调和乙醇，典型调入量为 10%。

美国在 2007 年 12 月颁布的法案中规定，2008 年可再生燃料占美国运输燃料消费总量的比例将从上年的 4.66% 提高至 7.76%，也就意味着 2008 年用于运输的可再生燃料将达 54 亿加仑（1654 万 t）。

10.1.5　信贷扶持政策

低息或贴息贷款等金融政策可以减轻企业还本利息的负担，有利于降低生产成本，但政府需要筹集一定的资金以支持贴息或减息，资金供应状况影响这一政策实施的可持续性。

德国一些国家和区域性银行，特别是政策性银行，例如德国国有发展银行、欧洲银行等设立了可再生能源投资贷款专项和额度，德国新能源和可再生能源政策核心之一是优惠贷款。

英国政府为了加强对可再生能源及其基础设施的投入，制定了一系列贷款政策，其中由非盈利性金融机构为企业提供中长期的优惠利率贷款已经形成一种固定制度。

印度主要是建立了可再生能源投资公司，该公司专门为可再生能源技术的开发提供低息贷款，并帮助可再生能源项目进行融资。此外，印度政府还宣布了一系列特殊的财政优惠政策。负责提供财政支持的主要是非常规能源部和可再生能源开发署。

10.1.6　采取绿色能源公共采购和绿色标志制度

目前，全球已有 50 多个国家积极推行绿色消费运动。政府绿色采购活动属于绿色消费活动的一部分。由于政府采购的金额庞大，是否符合绿色消费的精神就备受各界瞩目。

许多发达国家政府是通过立法强制推行政府绿色采购，具体做法差别较大，如美国于 1991 年发布总统令，规定政府机关必须优先采购绿色产品，1995 年美国环保局提供"环保产品实施指引"，给联邦行政部门作为采购产品时的参考。各州政府采取的绿色采购措施有：提出采购价格优惠办法，再制品的价格可高于相同功能的非再制品的 5% ~ 15%；提出年度采购比例，明确每年采购再制品的比例为 50%。

日本在 1995 年开始实施《绿化政府运作法案》，制定有关绿色采购的原则，并订出具体时间表，必须在 2000 年前完成，于 1997 年检查绩效。

绿色标志制度也正在世界各国盛行：

德国是第一个制定绿色标志制度的国家，早在 1971 年联邦德国的国家环境计划就提出对消费者使用的产品实行环境标志制度的概念。国家规定政府机构优先采购环保标志产品，规定绿色采购的原则包括，禁止浪费，不使用次级品质的产品，产品必须具有耐久性、可回收、可维修、容易弃置处理等条件。1977 年由联邦德国内务部和环境部实施了这一计划，被称为"蓝色天使计划"。此后，许多国家颁发了绿色标志制度。

到 1995 年年底，全球已有 30 多个国家和地区制定并实施了环境标志制度，主要包括：1988 年加拿大建立的环境选择方案，1989 年日本建立的生态标志制度、北欧四国建立的白天鹅制度和美国的绿色标签制度，以及随后由印度尼西亚、奥地利、法国、葡萄牙和中国等国分别建立的生态标志制度、生态标志、NF 环境标志、生态产品及环境标志制度。

10.1.7　通过和《京都议定书》下的 CDM 相结合

在应对气候变化的努力进程中，为帮助发达国家履约，《京都议定书》确立了三种灵活机制，既联合履约、排放贸易和清洁发展机制。其中清洁发展机制(CDM)是发达国家和发展中国家之间的合作机制，通过开展双边或多边的项目级合作，积极促进清洁能源项目的开展。CDM 项目的优先领域和主要项目类型是能源减排项目，林木质能源项目是合格的有吸引力的 CDM 项目类型，在未来的承诺期内，还具有较大的项目潜力和发展空间。

10.1.8　国外林木生物质能源产业化政策的比较

世界各国政府都越来越重视林木生物质能源的重要作用，无一例外地采取各种政策措施，制定规划法规，积极扶持、鼓励和引导本国林木生物质能源的产业化发展方向，为本国林木生物质能源的产业化发展创造良好的社会环境。这些措施几乎都将强制性政策和鼓励性政策相结合、相配套，成为一个较为完整的政策体系。各国或根据不同的生物质能源产品，或根据不同的发展阶段，制定不同的具体目标及政策措施，并在执行过程中，根据实际情况和遇到的具体问题，及时调整完善，大多取得了显著的成效，为实施国带来了较为可观的经济效益、环境效益和社会效益。

相比较而言，由于气候条件、资源状况、能源结构、技术水平和战略需要的差异，各国在目标政策上也各有侧重。首先，能源作物的选取方面，美国以玉米制作液体生物燃料，欧盟国家偏重油菜籽榨取生物柴油，巴西几乎完全采用甘蔗生产生物燃料乙醇，印度选择小桐子制取生物柴油。其次，林木生物质能源的生产技术和工艺上，有的发达国家，如美国坚持自主研发，而大多数的发展中国家则倾向直接引进国外先进的技术设备和生产工艺。再次，林木生物质能源产品方面，林木生物质能源资源丰富的北欧等国大力发展固体颗粒燃料，将其应用到直燃发电或热电联产中，而林木生物质能源资源较为稀缺的国家如日本等，则青睐能量更密集的生物柴油和生物燃料乙醇等产品。最后，林木生物质能源市场方面，大多数国家的林木生物质能源都是作为一种能源战略，缓解本国能源问题，以满足本国的需求，供应的市场范围也仅限于本国，但是欧盟的一些国家如芬兰，由于林木生物质能源产量高，供本国使用后还有剩余，这些富余部分便销售到周边的其他国家，实现了林木生物质能源的国际贸易。

无论发达国家还是发展中国家，都制定了相应的政策措施，扶持林业生物质能源等可再生能源的发展；无论森林资源禀赋充裕还是稀缺的国家，都根据国情，开发利用自身优势资源，发挥各自的优势；以欧盟为代表，国与国之间也进行交流与合作，共同提高林木生物质能源开发利用的效率，减少温室气体的排放，为全球环境的改善做出贡献。这些政策措施对我国的林木生物质能源产业化政策体系的构建具有极为重大的借鉴意义。

10.2　我国不同时期的生物质能源政策

为了确保生物质能源产业的稳步发展，我国政府出台了一系列法律法规和政策措施，积极推动生物质能源的开发和利用。我国的生物能源发展政策是伴随着我国的能源战略而发展的。从新中国成立到现今，我国的生物质能源利用政策从无到有、从单一到综合、从局部到整体，经历了四个阶段的发展演变。

10.2.1　早期生物质利用政策(1949~1978 年)

我国初期的生物质利用政策是基于"改善农村能源"的观念和框架而运作，起步于农村户用沼气，并在秸秆气化上进行了试点。从 20 世纪 50 年代开始，农村能源问题就得到我国政府的关注，特别是关于沼气、小水电和地方煤矿的发展。毛泽东同志分别在 1958 年和 1959 年进行过指示要好好发展沼气。1965 年 8 月 31 日中共中央、国务院发布了《关于解决农村烧柴问题的指示》。20 世纪 60 年代末到 70 年代初，我国出现了发展沼气的热潮。1975 年 4 月 11 日，国家计委、农林部、中科院联合召开全国沼气利用推广经验交流会，1977 年农林部筹备成立了沼气办公室。20 世纪 70 年代末期，部分省份又掀起了发展沼气热潮，但进入 80 年代后陷入低潮期。这段时期，总体说来，是以农村资源为依托制定出一些农村能源政策。

10.2.2　能源需求增长下的生物质利用政策(1979~1992 年)

进入 20 世纪 80 年代以后，中国经济的高速发展对能源的需求不断增加。在这种背景下，我国的生物质能源利用政策从"改善农村能源"开始转向"开发生物质能源"。1979 年 3 月，国家科委新能源专业组生物质能分组召开了第一次工作座谈会。1979 年 9 月 5 日，国务院批准了国家经委、国家科委、国家农委、农业部《关于当前农村沼气建设中几个问题的报告》，指出沼气作为一种可更新的生物能源，是扩大农村能源，解决千家万户烧柴困难的一项重大措施。"六五"计划第一次开始提出要大力抓好能源节约，生物质气化技术开始受到政府和科技人员的重视。"七五"和"八五"期间，在农村大力推广以"一池三改"为内容的户用沼气工程和大中型沼气能源工程，取得了较大进展。1985 年 10 月，农村可再生能源技术开发列入国家计委"七五"科技攻关项目计划(表 10-1)。

表 10-1 1979~1992 年中国生物质利用主要政策(林木生物质能源)

年份	政策名称	生物质利用政策内容
1979	《关于当前农村沼气建设中几个问题的报告》	将沼气建设纳入各级计划
1980	《关于大力开展植树造林的指示》	在烧柴困难的地区,大办沼气和积极发展薪炭林
1982	"六五"计划	能源开发及节能技术
1983	中央 1 号文件	沼气、薪柴林能源开发带有紧迫性,必须抓紧
1983	《关于加快农村改灶节柴工作的报告》	解决农村能源问题必须开发与节约并重
1983	《关于深入扎实地开展绿化运动的指示》	把发展薪炭林作为燃料困难地区植树造林的首要任务
1984	《关于进一步发展沼气的报告》	发展沼气是解决农村能源问题,充分利用农业资源,减轻环境污染的一项重要措施
1986	"七五"计划	积极推广省柴、节煤炉灶,稳步发展农户用沼气池,大力营造薪炭林
1986	《国家能源技术政策要点》	农村能源正式列入国家技术政策
1986	《节约能源管理暂行条例》	积极推广省柴节煤灶
1990	《关于积极发展环境保护产业的若干意见》	沼气、太阳能成为环保产业

资料来源:《中国生物质利用政策演变与展望》(崔海兴等,2008)。

10.2.3 能源安全下的生物质能源利用政策(1993~1999 年)

自 1993 年开始,我国由石油净出口国转变为净进口国。在这段时期,可持续发展观开始在各国普及,很多国家将可再生能源作为能源政策的基础,关注焦点转向能源的可持续和安全问题。我国的生物质能源利用政策也转向了实际生产应用。

"八五"计划期间已经开始生物燃油资源与转换技术的研究开发工作,采用传统技术利用粮食和油料作物生产醇类和油类产品。在"九五"期间国家计委将制取燃料作为交通能源产业建设的一项内容发布实施。从"九五"计划开始,连续在四个五年规划中将生物质能源开发利用均列入重点,纳入我国能源发展战略中(表 10-2)。

表 10-2 1993~1999 年中国生物质利用主要政策

年份	政策名称	生物质利用政策内容
1994	《中国 21 世纪议程》	新能源和可再生能源是未来能源系统的基础
1994	《关于加强资源节约综合利用工作的意见》	示范生物质能开发利用技术,研究制定生物质能发电并网政策
1995	《1996~2010 年新能源和可再生能源发展纲要》	增大可再生能源在能源结构中的比例
1996	《国民经济和社会发展"九五"计划和 2010 年远景目标纲要》	因地制宜,大力发展生物质能

（续）

年份	政策名称	生物质利用政策内容
1997	《新能源基本建设项目管理的暂行规定》	鼓励新能源及其技术的开发应用
1999	《关于进一步支持可再生能源发展有关问题的通知》	在安排财政性资金建设项目和国家科技攻关项目时，积极支持可再生能源发电项目

资料来源：《中国生物质利用政策演变与展望》(崔海兴等，2008)。

10.2.4 全球气候变化下的生物质能源利用政策(2000 年至今)

中国政府一直十分关注新能源和可再生能源的开发利用。在科技研究和示范推广方面，国家对开发利用生物质能源极为重视，国家从"六五"到"十二五"连续七个国家五年计划，都将生物质能技术列为重点科技攻关项目。目前，国务院、国家发改委、科技部都十分重视林木生物质能源项目的研究和开展工作，国家林业局为此正在开展相关基础研究工作。但我国发展林业生物质能源目前还处于起初阶段，发展规模还较小，建设进度慢，在资金投入、鼓励政策措施、生产技术上需要完善。

1997 年 12 月，旨在限制发达国家温室气体排放量(主要是 CO_2)、抑制全球变暖的《京都议定书》通过，并于 2005 年 2 月 16 日生效，国际社会开始为全球气候变化而展开联合行动。从 21 世纪开始，在全球气候变化的大背景下，中国生物质利用政策也发生了重大转向。在这阶段，利用农、林、工业残余物以及大规模植树造林、种植能源作物，成为发展可再生能源的首要选择。以生物燃料乙醇试点为开端，中国积极发展生物质能源产业，出台了一系列发展生物质能源的法律法规和政策。

10.2.4.1 法律法规和行业标准规范

2000 年伊始，为解决大量库存粮积压带来的财政重负和发展石化替代能源，中国开始发展以陈化粮为主要原料的燃料乙醇。2001 年，国家计划委员会发布了"示范推行车用汽油中添加燃料乙醇"的通告。随后，相关部委联合出台了试点方案与工作实施细则。2002 年 3 月，国家经济贸易委等 8 部委联合制定颁布了《车用乙醇汽油使用试点方案》和《车用乙醇汽油使用试点工作实施细则》，明确了试点范围和方式，并制定出试点期间的财政、税收、价格等方面的相关方针政策和基本原则，对燃料乙醇的生产及使用实行优惠和补贴的财政及价格政策。在此基础上，2004 年 2 月，国家发改委等 8 部委联合发布《车用乙醇汽油扩大试点方案》和《车用乙醇汽油扩大试点工作实施细则》，在中国部分地区开展车用乙醇汽油扩大试点工作。同时，为了规范生产，国家质量技术监督局分别于 2001 年 4 月和 2004 年 4 月，发布了 GB18350—2001《变性燃料乙醇》和 GB18351—2001《车用乙醇汽油》两个国家标准及新车用乙醇汽油强制性国家标准（GB18351—2004）。在国家出台相关政策措施的同时，试点区域的省份也制定和颁布了地方性法规，地方各级政府机构依照有关规定，加强组织领导和协调，严格市场准入；加大市场监管力度，对中国生物质燃料乙醇产业发展和车用生物燃料乙醇汽油推广使用起到了重大作用。

2005 年，《中华人民共和国可再生能源法》明确规定国家鼓励清洁、高效地开发利用生物质燃料，鼓励发展能源作物；特别要求针对农村地区，制定可再生能源发展规划，因地制宜地推广应用沼气等生物质资源转化；并对未按照规定将符合国家标准的生物液体燃料纳入其燃料销售体系的石油销售企业，造成生物液体燃料生产企业经济损失的，规定处罚措施。《可再生能源法》2006 年 1 月生效后，国家发改委相继出台了《可再生能源产业发展指导目录》《可再生能源发电有关管理规定》和《可再生能源发电价格和费用分摊管理试行办法》等实施细则，详细规定了可再生能源发电上网、固定电价和费用分摊等。《可再生能源产业发展指导目录》涵盖 6 个领域 88 项可再生能源开发利用和系统设备/装备制造项目。生物质能被列为目录中的第三个领域，包括第 59～71 条，涉及林木生物质的有 60、61、63、64、69 和 70 条（表 10-3）。2007 年 5

表 10-3　可再生能源产业发展指导目录（林木生物质部分）

编号及项目		说明和技术指标	发展状况
生物质发电和生物燃料生产	60 生物质直接燃烧发电	利用农作物秸秆、林木生物质直接燃烧发电	技术改进　项目示范
	61 生物质气化供气和发电	利用农作物秸秆、林木生物质气化供气和发电	技术研发　推广应用
	63 生物液体燃料	利用非粮食作物和林木生物质为原料生产液体燃料	技术研发
	64 生物质固化成型燃料	将农作物秸秆、林木生物质制成固体成型燃料代替煤炭	项目示范　推广应用
69 能源植物种植		用于各种生物燃料生产，提供非粮食生物质原料，包括甜高粱、木薯、麻疯树等	项目示范　推广应用
70 能源植物选育		用于选育培育适合荒山荒滩、沙地、盐碱地种植，稳产高产，对生态环境安全无害的能源作物	技术开发　项目示范

资料来源：国家发改委，2012 年。

月 1 日，国家标准化委员会发布的 B100 生物柴油国家标准正式实施。虽然不是强制使用，但作为我国生物质柴油的第一个国家标准以及生物柴油产业正规化的第一个标准，意味着这种替代能源发展在官方认可下正式开始。"十一五"规划纲要也提出，"加快开发生物质能源，支持发展秸秆、垃圾焚烧和垃圾填埋发电，建设一批秸秆发电站和林木质发电站，扩大生物质固体成型燃料、燃料乙醇和生物柴油生产能力"。

10.2.4.2 行业发展规划

2005 年 1 月，中国工程院第三十五次科技论坛暨 2005 中国生物工程论坛举行，讨论了生物液体燃料及生物化工制品在中国的可行性。国家发改委为推动我国生物能源的技术创新和产业创新，决定在 2006 ~ 2007 年实施生物质工程高技术产业化专项，加速我国的生物质开发利用的产业化进程。

2007 年 3 月 21 日发布了《全国农村沼气工程建设规划(2006 ~ 2010)》。

2007 年 8 月 31 日，国家发改委发布了《可再生能源中长期发展规划》，提出重点发展生物质发电、沼气、生物质固体成型燃料和生物液体燃料，到 2020 年，生物质发电总装机容量达到 3000 万 kW，生物质固体成型燃料年利用量达到 5000 万 t，沼气年利用量达到 440 亿 m^3，生物燃料乙醇年利用量达到 1000 万 t，生物柴油年利用量达到 200 万 t。同时提出到 2010 年可再生能源消费量达到能源消费总量的 10%，到 2015 年达到 15% 的发展目标。

由国家能源局制定发布的《可再生能源发展"十二五"规划》提出，到 2020 年单位国内生产总值二氧化碳排放比 2005 年降低 40% ~ 45%，非化石能源在能源消费中的比重达到 15%，而大力发展可再生能源是实现这一战略目标的主要措施。

林木生物质方面，《全国林业生物质能源发展规划(2011 ~ 2020 年)》提出到 2020 年，我国能源林面积将达到 2000 万 hm^2；每年转化的林业生物质能可替代 2025 万 t 标煤的石化能源，占可再生能源的比例达到 3%。

10.2.4.3 行业发展实施

2007 年年初，中石油与国家林业局就发展油料能源林基地签署合作框架协议，并启动云南、四川第一批能源林基地建设。2007 年 4 月 6 日，紧随中石油之后，中粮集团与国家林业局签署《关于合作发展林业生物质能源框架协议》，重点建设能源林基地，开发利用林业生物柴油、燃料乙醇和木本食用油三大产品。2007 年 4 月 13 日，中石化与中粮集团签订《关于发展中国生物质能源及生物化工的战略合作协议书》，共同发展生物质能源及生物化工。

2012 年 12 月，中国可再生能源行业协会将召开"2012 年中国可再生能源产业发展与合作论坛暨项目投资洽谈会"，以贯彻实施加快，推进可再生能源产业持续健康发展，总结和探讨可再生能源产业各相关领域的科学发展模式。

我国还将与法国开发署合作开展"中法生物柴油合作项目"建设。积极推广试点示范企业建设经验，树立典型样板，大力发展林业生物质能源。

目前，我国共批准生物质发电项目 100 个左右，建成 30 多个，年总发电量 40万 kW。

10.2.4.4　财政扶持和税收支持

减少对化石能源的补贴，同时加大对可再生能源的补贴，以及相关的扶持新能源发展的政策都为林木质能源的开展提供了激励和促进。

发展中国家对于能源的定价在很大程度上并非取决于市场价值，而是取决于社会与政治原因，在中国、印度、波兰和土耳其，能源产品，如煤，一直受到特殊的补贴，这种状况不但导致能源的低效利用，又不利于控制废气排放。世界银行1993 年的统计数字显示，发展中国家与经济转型国家每年对能源产品的补贴超过了 2300 亿美元。此外，俄罗斯及东欧国家一半以上空气污染的原因皆与能源价格扭曲有关；如果取消补贴，仅这些国家就可以大大减缓能源消费水平的增长，降低世界总排放量的 10%。

近年来，一些发展中国家在取消补贴方面所做的努力取得了一定成效。以中国为例，其能源价格大规模的改革始于 20 世纪 80 年代，对煤炭的补贴从 1984 年的 37%降至 1995 年的 29%，石油的补贴也从 1990 年 55% 减少到 1995 年的 2%。1990～1999 年，全球 CO_2 总排放量为 3.389 亿 t，中国排放 5480 万 t，占全球总量的 6.2%。与 1999 年前占全球总排量 13% 的事实相比，这是一个较大的进步。根据专家预测，我国将逐步取消能源产品(包括煤炭、石油、天然气、电力等)消费的价格补贴。与此同时，将加大对可再生清洁生物能源的补贴，具体的措施包括：投资抵税、减免所得税等税收政策和成本补贴等方式；价格补贴不仅有显性补贴，还有诸如对出口能源产品定价过低的隐性补贴，以扶植培育新能源发展的市场环境。此外，还要配合出台一系列支持可再生生物能源的政策法规，这些都将在削弱常规能源价格竞争优势的基础上，建立健全生物能源发展的良好宏观环境，有利于促进林木生物质能源项目的开展。

2002 年以来，中央财政积极支持燃料乙醇的试点及推广工作，主要措施包括投入国债资金、实施税收优惠政策、建立并优化财政补贴机制等。一是通过国债扶持，目前已经投入国债资金 4.8 亿元，用于扶持河南、安徽、吉林三省燃料乙醇企业建设；二是通过税收政策予以政策倾斜。对国家批准的黑龙江华润酒精有限公司、吉林燃料乙醇有限公司、河南天冠燃料乙醇有限公司、安徽丰原生化股份有限公司 4 家试点单位免征燃料乙醇 5% 的消费税，对生产燃料乙醇实现的增值税实行先征后返；三是在试点初期，对生产企业按保本微利的原则据实补贴，对其生产的燃料乙醇 2005 年、2006 年和 2007 年的补贴标准分别达到销售每吨燃料乙醇补贴 1883 元、1628 元和 1373 元。

为进一步推动生物质能源的稳步发展，2006 年 9 月，财政部、国家发改委、农业部、国家税务总局、国家林业局联合出台了《关于发展生物质能源和生物化工财税扶持政策的实施意见》，在风险规避与补偿、原料基地补助、示范补助、税收减免等方面对于发展生物质能源制定了具体的财税扶持政策。此外，与《可再生能源法》配套的各项行政法规和规章也在其后陆续出台。财政部于 2006 年 10 月 4 日出台了《可再生能源发展专项资金管理暂行办法》，该办法对专项资金的扶持重点、申报及审批、财务管理、考核监督等方面作出全面规定，重点扶持燃料乙醇、生物柴油、太阳能、风能、地热能等的开发利用。

2010 年，根据《可再生能源法 (修正案) 》将"国家财政设立的可再生能源专项资金"更名为"国家财政设立可再生能源专项基金"，希望这笔补贴更具"基金纵向管理"的优势，在降低行政成本的同时做到"统一收取，统一发放"，以保证可再生能源投资企业按时获得收益，以鼓励其积极性。

今后我国将积极促进出台优惠政策，鼓励群众和社会各界投资发展能源林。同时鼓励林业生物质能源企业，建立一定规模的原料基地。将企业的原料林基地作为原料供应的基本保障，原料林基地供应的原料应占到企业年生产需求的 50%。

10.2.4.5 绿色认证

目前我国政府绿色采购进展仍较慢，有关法规很少有绿色采购的规定，实际上有关绿色采购研究的工作开展较少，专家认为，我国推进绿色采购，宜采取先易后难的方法，逐步扩大范围。

10.2.4.6 CDM 交易

我国正在逐渐加大政策的扶持，完善碳交易的各类平台，为 CDM 交易的实施提供保障。同时鼓励金融机构作为其中介积极加入其中，促进 CDM 项目的开发，并且加速金融机构自身的发展。积极进行国际间的交流，在世界碳交易市场上取得话语权。

10.3 我国林木生物质能源政策框架设计

近年来，我国关于林木生物质能源发展利用的政策逐渐增加。

2000 年 1 月 29 日，中华人民共和国国务院令第 278 号公布《中华人民共和国森林法实施条例》，自公布之日起施行。

2002 年，国家林业局发布了《关于调整人工用材林采伐管理政策的通知》，2003 年又出台了《关于完善人工商品林采伐管理的意见》，进一步放宽了速生丰产用材林的采伐限制。对森林资源管理政策进行了调整和完善，以鼓励和推动速丰林工程健康发展。

2004 年 5 月，国家林业局三北局有关专家与北京林业大学、中国可再生能源学会联合开展了"林木生物质能源资源及利用研究"课题，重点研究了利用林木枝条生产成型燃料技术与经济可行性。

2005 年 2 月，国家林业局组织有关专家开展了"中国林木生物质能源发展潜力研究"项目，为国家制定"十一五"能源发展计划和《可再生能源中长期发展规划》提供数据支撑。

2005 年 6 月 26 日，国家林业局组织北京林业大学、东北电力设计院、北京国林山川生物能源科技公司有关专家考察瑞典、丹麦生物质能源开发利用，并撰写了《瑞典丹麦考察林木生物质能源开发利用情况报告》。

2005 年 12 月 15 日，国家林业局下发了关于同意内蒙古通辽市奈曼旗林木生物质发电项目列为国家林木生物质能源开发利用示范项目的批复，将奈曼旗林木生物质能源林培育基地列为国家林业局能源林培育示范基地。

2006 年 5 月 20 日，国家林业局组织有关专家与北京林业大学、东北电力设计院、北京国林山川生物能源科技公司等单位联合开展了"林木生物质热电联产技术路线、上网电价及中长期发展规划研究"。该项目得到世界自然基金会中国分会资助。

2006 年 8 月，国家林业局批准成立了"国家林业局林木生物质能源领导小组"。国家林业局副局长祝列克同志任领导小组组长。至此，全国林木生物质能源工作开始走向正规发展的道路。

2006 年 8 月 7 日，国家林业局在北京召开"全国林业生物质能源示范建设座谈会"。

2006 年 9 月 28 日，中华人民共和国科技部与联合国开发计划署合作的"少数民族地区绿色能源减贫项目"在北京召开了项目启动会。该项目执行期为 4 年，投资总预算为 310 万美元。

2006 年 11 月 28 日，国家发改委正式下发了《关于内蒙古通辽市奈曼旗林木生物质热电项目的批复》。强调国家支持奈曼旗林木生物质热电项目的建设，并在税收方面给予优惠政策支持。

2007年4月6日，国家林业局与中国粮油食品（集团）有限公司签署了合作发展林业生物质能源的框架协议。计划在贵州省建设年产2万~3万t的生物液体燃料的原料林基地，并将培育能源林列入林业"十一五"发展规划，且编制了《全国能源林建设规划》《林业生物柴油原料林基地"十一五"建设方案》。

2007年4月，内蒙古阿尔山市2×12MW林木生物质热电联产项目、木质燃料供应计划研究项目正式开展。该项目得到世界银行可再生能源推进项目办公室资助。

与现实相比，我国已有的林木生物质能源产业化政策更多集中于资源政策，针对能源林规划、培育等的措施较为具体详细，但是缺乏生产技术政策、投资政策、消费政策，市场政策也只是提出争取专项资金，财政支持，除了林木生物质能源发电，其他产品都没有具体的补贴、税收优惠等措施。因此在设计上，应重点考虑获取资源之后的生产加工，以及销售消费环节，从研究上结合我国的实际，完善已有的政策，添加缺少的具体规定，同时融入到国际大环境中，遵循一定的原则，来构建我国的林木生物质能源产业化政策。

10.3.1 我国林木生物质能源产业化政策体系构建的原则

（1）保护和利用相结合。在我国的林木生物质能源开发利用的过程中，必须坚持保护和利用相结合的原则。以保护为基础，从种质资源到我国独有的先进加工工艺、设备，再到新兴林木生物质能源企业，以及未完全适应国外已具规模企业冲击的国内市场，都需要我国政府研究制定相关的政策法规，指导林木生物质能源健康、快速地发展。

（2）制订短、中、长期规划，分层次分阶段进行。我国能源专家对21世纪上半叶我国林木生物质能源的发展进行了3个阶段的科学预测。第一阶段（2001~2010），林木生物质能源的生产能力基本得到满足，基本解决我国农村的生活用能，基本遏制因直接燃烧林木生物质和废弃生物质而引起生态环境恶化的趋势，从而有效地控制生态环境遭受破坏。第二阶段（2011~2030），我国农村林木生物质能源综合建设达到社会化，农用林木生物质能方式多维、多元化，生产、生活用能得到满足，林木生物质绿色能源转化技术得到普遍推广和应用，我国生态环境建设开始走上良性循环的轨道。第三阶段（2031~2050），建立起我国多能互补、结构合理、安全可靠的林木生物质能源生产供应体系，并形成规模，乡镇企业用能高效化，农民用能优质化，基本建立起适应可持续发展的良性循环的生态环境系统工程，全面增强我国植物生物质能源综合建设的可持续发展能力（陈军，2004）。

这三个阶段的实现需要针对不同规模的企业，在不同的发展阶段，制定不同的规划，分级分层次按照规定的进度开展，达到各阶段的目标，实现各时期的成果。在开发利用林木生物质能源的初期，应着重于政府的主导作用，开展示范项目的建设、加大科研资金的投入，以开拓国内市场为主；中期阶段，可以逐渐放松对林木生物质能源企业的束缚，鼓励其主动走向市场，在大型项目的起始阶段和基础设施上予以资助；长期规划应着眼于未来，充分考虑到市场成熟以后企业的自主能动性发挥，减少企业对政府的依赖，拓展已经成型的国内市场并一步扩大国际市场，拥有尖端的林木生物质能源生产技术和齐全的管理体系，林木生物质能源产品的生产量和销售量都位于世界前列。

（3）各种政策相互渗透，相互融合。林木生物质能源的产业化政策体系中，贸易政策、资源政策、生产政策、科技政策、投资政策、消费政策等都是相辅相成、相互促进的，不能偏废任何一项政策。引导鼓励企业投资，对丰富的资源进行加工利用转化为林木生物质能源产品投入市场，刺激消费者购买这些新兴的产品，使得企业能够从中获益，将所得的一部分投入到再生产的环节中去。在整个产业链中，每一个环节都至关重要，是前一个环节的继续和下一个环节的前提。

10.3.2　政策设计思路

通过对国外林业生物质能源产业政策的分析，对木本油料能源产业链研究，政府在推进木本油料能源产业发展，可从如下方面着手。

（1）通过加快并推进行业政策法规、行业发展纲要的制定和执行，确定林业生物质产业发展方向、发展目标、推进手段、推进机制；确定林业生物质原材料的规模化发展方向，建立林业原料回收机制，建立能源林发展政策；确定林业生物质产品进入市场机制。

（2）通过制定财政补贴、税收优惠、定向研发基金等相关政策，推动林业生物质产业的研发能力和研究效率，加快各项技术的成熟并产业化应用；推动并保障林业生物质企业对该行业的投资和生产，形成长期、高效、稳定的投资机制，形成行业的资金良性循环。

（3）通过信贷支持政策，吸引国有企业和民营企业进入林业生物质产业，降低行业投资的资金成本，保障企业实行规模化生产，行业实现规模化供应；通过投资于技术研发环节推动技术的成熟。

（4）通过配额制政策等相关方法，保证木本油料能源产品进入消费市场，强制确定市场份额，同时保证政府和企业利益；通过标准建立和市场普及等手段，促进消费者对木本油料能源的认知度和接受度。

10.3.3   我国林木生物质能源产业化政策体系的构建

10.3.3.1   贸易政策

贸易政策包括国际合作和国际竞争两个方面。随着经济全球化的进一步发展，世界各国的联系日益密切，经济和社会发展相互依存，世界已没有一个国家能够离开其他国家而孤立的发展。

首先，国际合作方面，应对全球能源和环境问题是世界各国的共同责任。发达国家已经完成了工业化进程，技术、人才及经济实力都处于世界领先状态，而且全球能源资源大部分是由发达国家消耗的，所以，发达国家在开发利用清洁能源、保护环境方面应该承担更大的责任。受技术、人才、资金、管理等诸多方面的制约，发展中国家的能源利用效率低，开发利用林木生物质能源的能力不强，单靠自己力量难以克服林木生物质能源发展中的困难和障碍，不可避免地走传统的发展道路，这将会造成能源资源浪费和环境破坏。发达国家可以提供资金、技术、人才、管理等多方面的支持，帮助发展中国家提高林木生物质能源开发利用的能力。各国应充分发挥各自的优势，扩大国与国之间林木生物质能源投资、技术和贸易的合作。

中国林木生物质能源资源丰富，市场潜力巨大，中国政府本着共赢的原则，鼓励国外企业投资我国的林木生物质能源开发。通过发挥我国现有的资源优势、技术优势、人才优势和体制优势，加强合作、取长补短、协调行动、互惠互利，是推动我国林木生物质能源产业化的必由之路。

其次，国际竞争方面，在国际合作的前提下，我国需要积极参与国际竞争，在全球大环境下，争取从以下几个方面提高自身的国际竞争力：首先，引进国外优良的林木生物质能源品种，加以改良和提高，培育出适合我国土壤、气候的新品种；其次，必须建立全球林业生物质能源信息库，储存并及时更新各国林业生物质能源的相关数据；最后，通过出国实地考察、研讨会、访问交流等形式借鉴国外先进的技术和经营管理经验，结合国内的实际，应用到我国的林木生物质能源产业化发展中。

10.3.3.2   资源政策

我国林木生物质能源资源丰富，但是也存在资源分散、加工运输困难等开发利用方面的不利因素，为了克服困难加快发展，建议采取以下措施：①对能源林以总资源量、技术可开发储量和经济开采储量三个等级，对它们的发展进行预测、规划，以及项目设计和评估，制定全国林木生物质能源区划图。根据林木生物质能源资源的特点，建设以林区废弃物为主体的东北绿色"油田"、以旱生灌草为主体的西北绿色"油田"、以麻疯树为主体的西南绿色"油田"，以及以油料木本和草本植物为主体的东南绿色"油田"。在此基础上，制定严格的设备规范和标准。②为能源林种植提供一定数额的直接补贴，为农民提供为期数年的贷款。③对农民实行事后补贴，即收购能源作物时再予以一定百分比的补贴。④制定一系列标准，例如树种果实含油量达到一定百分比以上，单位发电能力达一定度数以上。⑤鼓励引进国外的优良树种，开展与国外培育领域的合作研究。⑥制定政策保护我国特有能源树种的种子和果实。⑦加强能源植物的选育栽培和加工利用，重点是利用先进的生物技术改良能源植物品种，选育高抗逆、速生、高产的新品种。⑧加强能源植物资源普查，建立能源植物种质资源库、能源植物园和资源数据库平台，加强科普宣传工作。

10.3.3.3　生产政策

相对于化石燃料的生产加工，林木生物质能源是崭新的领域，为了降低机会成本，规避投资风险，特别需要在生产方面扶持生产加工企业，可行性建议有：①购买可更新能源证书(renewable energy certificate，RECS)。购买可更新能源证书的机构能通过出售生物质能源获利。②电网运营商有义务将符合规定的电站纳入其运营网，优先购买其提供的全部电量，并根据规定偿付。技术上便于其电网接纳且离电站所在地最近的电网运营商负有此项义务。在无损于上述电站优先权的情况下，通过经济的电网扩建能够接纳电流的情形，也视为技术上便于其电网接纳。在此情况下，电网运营商有义务根据原输电者的要求立即进行电网扩建。③根据不同的装机功率，进行不同额度的补贴。④与中低产田改造和农业结构调整相结合，在考虑生态保护的前提下，充分挖掘荒山、荒地、盐碱地等不适宜粮食种植的土地资源的生产潜力。⑤重视工、农业的衔接与系统优化，发展多元产品，降低成本。

10.3.3.4　科技政策

科技政策的目的主要是促进科学技术的创新、转移和改造，可以采取以下几种方式：①一次性提供占技术成本一定百分比的补贴。②每年提供一定金额的研发(R&D)扶持，鼓励引进国外先进的技术和管理经验，对购买的技术给予一定比例的成本补贴。③坚持促进专有技术转让的政策，同时直接鼓励在人员流动计划框架内职业资格的取得(理论和技术培训，在此行业中实习)。④制定政策保护我国林木生物质能源开发利用方面的专利。⑤建立国家级的质量检测系统，抓好产品研发与生产的标准化、系列化和通用化，加强技术监督。⑥保护知识产权，坚持自主开发与引进消化吸收相结合，有目的、有选择地引进先进的技术工艺和主要设备，在高起点上发展我国的林木生物质能源技术。⑦制定整体性的科技研发计划，启动产业化项目。

10.3.3.5　投资政策

为了鼓励企业投资林木生物质能源产业，可以采取以下几条途径：①为投资电力厂设立投资基金。②给予投资者一定比例投资成本的补贴。③为投资者提供技术帮助，包括出版物、研习会、会议、一对一的援助设备贷款、技术和能源评估研究、市场营销研究和其他可将能源效率和可再生能源选择及项目的信息传递给消费者的机制。④对大面积种植生产能源植物进行可持续性和生态学影响评价研究。⑤建立和完善能源植物试验和示范基地。

10.3.3.6　消费政策

消费者对于林木生物质能源产品的接受和使用，需要政府的宣传和引导，可以通过以下几点来实现：①鼓励消费者使用林业生物质能源的产品，对使用者给予一定比例补贴。②通过多途径、多形式的国际合作，扩展国际市场，增强我国林木生物质能源企业的国际竞争力。

10.3.4　政策方案

根据产业发展的基本规律，将林木生物质能源产业化发展分为三个时期，分别是产业发展初期，产业形成期，产业发展期（表10-4）。在产业化发展的不同时期，从国家宏观政策、原料供应阶段、研发阶段、投资生产阶段、消费阶段，针对发展思路和具体存在的问题进行不同层面的政策导向和扶持，保障中国林木生物质能源产业的可持续、市场化发展。

表10-4　林木生物质能源产业发展不同时期政策方案思路

	产业发展初期	产业形成期	产业发展期
国家宏观政策			
行业政策法规	深入研究，做好行业政策法规工作	优化行业政策法规，做好政策引导作用	保持
发展纲要	做好行业发展纲要，有力引导产业发展	优化行业发展纲要	保持
原料供应阶段			
能源林种植	鼓励收集 政策引导	规模收集 价格引导	居于次要位置
能源林规划	制定规划和实施方案	落实规划并适时调整	规划成果实现
能源林投资	直接投资，吸引大企业进入	持续投资，与其他林业工程相匹配	持续投资，保持原料供应
基建投资	能源林辐射基地予以资金配套，加强基建投资	持续能源林和相关产业配套投资	完成基建投资

（续）

	产业发展初期	产业形成期	产业发展期
基建贷款	设立基建类支持贷款，提供贷款优惠政策	保持一定优惠贷款政策，力度逐渐降低	取消基建优惠贷款
进价补贴	实行原料进价补贴政策	保持一定进口补贴政策，力度逐渐降低	取消补贴政策，市场引导
研发阶段			
示范项目投资	国家投资示范项目	保持示范项目示范性	普及示范项目
立项科研	设立关键性技术科研项目，专款专用	继续加大投入科研力量，重点突破技术和设备高效性	
专项研发基金	国家成立专项研发基金，支持民间研发	持续加大专项研发基金支持	保持专项研发基金
成立专门研究机构	支持成立专门研究机构，给予政策扶持	持续给予政策扶持	保持专门研究机构
技术革新推广	推进产学结合，加大革新推广	保持技术革新推广力度	保持技术革新推广力度
生产投资阶段			
财政补贴	制定财政补贴方案，高额财政补贴措施	保持财政补贴，力度适度减轻	逐渐取消财政补贴
税收优惠	制定税收优惠方案，高额税收优惠措施	保持税收优惠，力度适度减轻	逐渐取消税收优惠
政府手续优化	厘清政府程序，加快政府审批流程	优化政府审批流程	保持
专项贷款和利率优惠	给予专项贷款，提供专项利率优惠	持续保持信贷政策	逐渐取消
资源评价体系	建立生物柴油评价标准，规范市场	落实并实施评价体系	保持
融资渠道	拓宽渠道，政策引导	继续拓宽有效渠道	保持
消费阶段			
强制配额制度	确定强制配额制度，将生物柴油推入市场	保持强制配额制度	根据情况，适时调整
舆论导向	加强舆论宣传，做好可再生能源舆论导向工作，	保持舆论导向，加强舆论宣传	保持

（续）

	产业发展初期	产业形成期	产业发展期
价格补贴	针对消费者，直接补贴	保持价格补贴政策	逐渐取消
强制税收	综合考虑，对碳排放进行强制税收	保持碳排放强制税收	保持碳排放强制税收

　　林木质能源的产业化发展离不开国家的大力扶持。在产业初期，国家应给予适度的财政补贴和政策优惠，使林木质能源产业更具有竞争力。根据对林木质能源产业化的研究过程和得出的初步结论，对林木质能源产业发展提出相关建议，以供国家制定相应政策和法律时参考。

　　分阶段渐进、快速、持续推进我国林木生物质能源发展是本研究的核心政策主张。为此，我们的政策建议是：第一，以本研究提供的政策构建及要点为基础，结合政策规范详细具体地进行可操作的中国林木生物质能源发展政策方案设计；第二，各个地区结合本地情况因地制宜地进行区域政策方案设计；第三，政策调整与产业化进程相协调，因时制宜，把政策的良性调整和政策的稳定性有机结合起来，并不断总结和完善，将成功的有实际推动效果的政策和具有一般性的政策条款法律化；第四，将政策制定、政策实施、政策效应评估以及政策保障措施有机地统一，积极协调。

参考文献

[1]白颐. 美国和巴西生物燃料发展的几点启迪[J]. 化学工业，2007. 3：8~12.

[2]蔡飞，张兰，张彩虹. 我国林木生物质能源资源潜力与可利用性探析[J]. 北京林业大学学报(社会科学版)，2012，04：103~107.

[3]长沙天地绿色能源技术研究所. 现有生物柴油加工与转换技术发展现状及分析报告，2007.

[4]陈和平. 我国热电联产政策及状况的评述[J]. 热力发电，2003. 2：2~4.

[5]陈继红，等. 经济灌木资源现状及持续利用途径[M]. 北京：中国林业出版社，2000.

[6]陈柳钦. 国内外新能源产业发展态势研究[J]. Environmental Economy，2011(7).

[7]陈永康. 2GB-081 型背负式割灌机的研制[J]. 林业机械与木工设备，1996. 3：10~11.

[8]陈园. 我国生物质能源的产业化问题[J]. 广西大学学报(哲学社会科学版)，2009. 4：233~234.

[9]程序，朱万斌. 欧盟国家新兴的生物天然气产业[J]. 中外能源，2011. 6.

[10]池智. 2004 年我国大中型收割机市场分析及预测[J]. 农机市场，2004. 1：14.

[11]崔海兴，郑风田，张彩虹. 中国生物质利用政策演变与展望[J]. 林业经济，2008. 10：22~26.

[12]崔凯. 中国生物质产业地图[M]. 北京：中国轻工业出版社，2007.

[13]邓可蕴. 21 世纪我国生物质能发展战略[J]. 中国电力，2000. 33(9)：82~84.

[14]丁夫先. 建设林木生物质能源林，推进生物柴油产业开发[R]. 全国生物质能开发利用工作会议，2006.

[15]董玉平，邓波. 中国生物质气化技术的研究与发展现状[J]. 山东大学学报(工学版)，2007. 4.

[16]芬兰技术研究中心(VTT). 芬兰的可再生能源执行计划[EB/OL]. (2002-06-26) http：//www. nmjy. gov. cn/html/ncny/informationView/2006012559848. html.

[17]付玉杰，祖元刚. 生物柴油[M]. 北京：科学出版社，2006.

[18]傅伯钦. 丹麦秸秆生物质能源的开发与利用[J]. 大众用电，2007. 7：20~21.

[19]高尚武，等. 中国主要能源树种[M]. 北京：中国林业出版社，1990.

[20]耿金川. 营林机械——割灌机在幼林地的综合作用[J]. 河北林业科技，2002. 1：10~12.

[21]郭康权，赵东，等. 植物材料压缩成型时粒子的变形及结合形式[J]. 农业工程学报，1999，11(1)：138~143.

[22]郭铁成. 中国生物燃气现状分析[J]. 现代物业，2011. 4.

[23]郭雯. 意大利热电联产现状：能源政策、法规及市场自由化的影响[J]. 能源工程，2003 (5)：22~24.

[24]郭艳斌，张彩虹，张美艳. 我国木本油料生物能源产业政策工具选择的研究[J]. 科学管理研究，2011，04：

95～99.

[25]国家发展改革委能源所. 非粮食生物液体燃料试点示范项目工作思路[R]. 全国生物质能开发利用工作会议，2006.

[26]国家林业局. 中国森林[M]. 北京：中国林业出版社，2000.

[27]郝海德，董玉平，刘岗. 第三方物流对于我国生物质能资源可供性的战略意义[J]. 可再生能源，2006(3)：86～88.

[28]何斯征. 国外热电联产发展政策、经验及我国发展分布式小型热电联产的前景[J]. 能源工程，2003. 5：1～5.

[29]洪德纯. 新型鼓式削片机[J]. 木材加工机械，1994. 3：18～20.

[30]洪德纯，等. 国外削片机的新进展[J]. 世界林业研究，1994. 6：37～42.

[31]黄锦涛，王新雷，徐彤. 我国农林生物质发电相关问题研究[J]. 沈阳工程学院学报(自然科学版)，2008(1).

[32]黄锦涛，王新雷，徐彤. 生物质直燃发电经济性及影响因素分析[J]. 可再生能源，2008，26(2)：95～99.

[33]黄雷，张彩虹，秦琴. 环境成本与林木生物质发电[J]. 电力需求侧管理，2007(9)：77～80.

[34]黄雷，张彩虹，张大红. 能源产业发展区域布局分析[J]. 林业经济问题，2006，05：385～387，452.

[35]黄仁楚. 营林机械理论与设计[M]. 北京：中国林业出版社，1996.

[36]黄素逸，高伟. 能源概论[M]. 北京：高等教育出版社，2004.

[37]季昆森. 安徽省发展生态经济实施可持续发展战略的思考与对策[J]. 生态经济，2001(4).

[38]简德三. 投资项目评估[M]. 上海：上海财经大学出版社，2004.

[39]亢奋敏. 对柠条生态效益的研究[J]. 山西林业，1999. 6：18.

[40]蓝增寿，张彩虹，等. 瑞典、丹麦林木生物质能源开发昂首前行[J]. 中国林业产业，2006，01：59～60.

[41]李定凯，孙立. 秸秆气化集中供气系统技术评价[J]. 农业工程学报，1999. 1.

[42]李飞，吴创之. 生物质整体气化联合循环发电系统的发展现状[J]. 可再生能源，2006.

[43]李梁杰，杨伯元. 生物质能直燃发电项目的环境影响经济损益分析[J]. 工业技术经济. 2009(12).

[44]李怒云. 中国林业碳汇[M]. 北京：中国林业出版社，2007.

[45]李鹏，王维新，等. 生物质气化及气化炉的研究进展[J]. 农村新能源，2007. 3.

[46]李翔宇，蒋剑春. 生物柴油制备技术的发展[R]. 2006年中国生物质能科学技术论坛会议论文集，2006.

[47]李秀峰，等. 固定化脂肪酶催化异样小球藻油脂合成生物柴油[R]. 2006年中国生物质能科学技术论坛会议论文集，2006.

[48]李云. 我国林业生物质能源林基地建设问题的思考与前瞻[J]. 林业资源管理，2008. 6：12～20.

[49]厉以宁，吴易风，等. 西方福利经济学述评[M]. 北京：商务印书馆，1984.

[50]梁桂清. 我国割灌机的发展现状及前景[J]. 广西机械，2000. 1：24～25.

[51]梁丽芳，张彩虹. 构建森林生态服务市场的经济学分析[J]. 理论探索，2007，06：78～80，94.

[52]梁志鹏. 可再生能源发展的必经过程和我国的政策取向[J]. 中国能源，2002(5)：28～32.

[53]林琳，赵黛青，李莉. 基于生命周期评价的生物质发电系统环境影响分析[J]. 太阳能学报. 2008(29)，5：

618～623.

[54] 林永明. 生物质直燃发电厂燃料组织关键问题分析[J]. 广西电力，2009，32(2)：5～10.

[55] 刘刚，沈镭. 中国生物质能源的定量评价及其地理分布[J]. 自然资源学报，2007(22)1：9～19.

[56] 刘荣厚，牛卫生. 生物质热化学转换技术[M]. 北京：化学工业出版社，2005.

[57] 刘荣厚，等. 生物质热化学转换技术[M]. 北京：化学工业出版社，2005.

[58] 刘尚余，等. 生物质直燃发电CDM项目开发关键问题分析与研究[J]. 太阳能学报，2008(3)：379～382.

[59] 刘圣勇，张杰. 生物质气化技术现状及应用前景展望[J]. 资源节约与综合利用，1999. 6(2).

[60] 刘志强，孙学峰. 25MW生物质直燃发电项目及其效益分析评价[J]. 应用能源技术. 2009(6)：32～34.

[61] 刘志迎. 现代产业经济学教程[M]. 北京：科学出版社，2007.

[62] 龙夫. 美国开发可再生能源的政策与措施[J]. 中国三峡建设，2008：55～59.

[63] 鲁明中，等. 生态经济学概论[M]. 乌鲁木齐：新疆科技卫生出版社，1992.

[64] 吕文，王春峰，王国胜，等. 中国林木生物质能源发展潜力研究[J]. 中国能源. 2005，27(11)：21～26.

[65] 吕文，张彩虹，等. 林木生物质原料发电供热技术路线初步研究[J]. 中国林业产业，2006，(4)：39～44.

[66] 马隆龙，吴创之，孙立. 生物质气化技术及其应用[M]. 北京：化学工业出版社，2003：221.

[67] 马胜红. 实施风力发电、生物质直燃发电、光伏发电溢出成本全网分摊的可行性分析[J]. 中国能源，
2005. 10：5～13.

[68] 满相忠，王珊珊. 国外开发生物质能优惠政策及其经验启示[J]. 地方财政研究，2007. 8；58～63.

[69] 穆献中，刘炳义，等. 新能源和可再生能源发展与产业化研究[M]. 北京：石油工业出版社，2009.

[70] 聂小安，蒋剑春. 我国生物柴油产业化制备技术及其发展趋势[R]. 全国生物质能开发利用工作会议，2006.

[71] 欧盟政策补充部分：陈柳钦. 国内外新能源产业发展态势研究[J]. Environmental Economy，2011(7).

[72] 裴克，等. 国外营林机械[M]. 北京：中国林业出版社，1980.

[73] 曲格平. 能源环境可持续发展研究[M]. 北京：中国环境科学出版社，2003.

[74] 曲音波. 纤维素乙醇产业化[J]. 化学进展，2007；19(7/8)，1098～1108.

[75] 任东明，曹静. 论中国可再生能源发展机制[J]. 中国人口·资源与环境，2003，(5)：16～19.

[76] 日本能源学会. 生物质和生物能源手册[M]. 史仲平，华兆哲，译. 北京：化学工业出版社.

[77] 山东科学院能源研究所. 生物质气化集中供气技术[J]. 村镇建设，1997. 12.

[78] 神宇集团能源战线新尖兵. 绿色中国. 30～37.

[79] 盛奎川，吴杰. 生物质成型燃料的物理品质和成型机理的研究进展[J]. 农业工程学报，2004，20(2)：
242～245.

[80] 石元春. 关于我国生物质能源发展的战略与目标[R]. 全国生物质能开发利用工作会议，2006.

[81] 史立山，等. 瑞典、丹麦、德国和意大利生物质能开发利用考察报告(续)[J]. 阳光能源，2005. 12；64～66.

[82] 史立山，等. 瑞典、丹麦、德国和意大利生物质能开发利用考察报告[J]. 阳光能源，2005. 10；53～55.

[83] 宋安东. 生物质(秸秆)纤维燃料乙醇生产工艺试验研究[D]. 河南农业大学，2003.

[84] 万威武，刘新梅，孙卫. 可行性研究与项目评价[M]. 西安：西安交通大学出版社，2007.

[85]王东杰. 论生态经济学与环境经济学的区别与联系[M]. 生态经济, 1999(4).

[86]王革华. 新能源概论[M]. 北京：化学工业出版社, 2006.

[87]王光宇, 钱坤, 黄晓春. 秸秆气化集中供气工程效益分析与措施建议[J]. 中国资源综合利用, 2011. 11.

[88]王国胜等. 中国林木生物质资源培育与发展潜力研究报告[J]. 中国林业产业, 2006. 1：12～21.

[89]王加其, 朱静芸, 张彩虹, 李华. 合同能源管理在林木生物质能源领域的应用综述[J]. 经济视角（下），
2013, 02：23～25.

[90]王立国, 李东阳等. 投资项目评估学[M]. 大连：东北财经大学出版社, 1994.

[91]王连茂. 江西林木生物质能源产业化研究[D], 博士论文, 2009, 5.

[92]王书化. 区域生态经济——理论、方法与实践[M]. 北京：中国发展出版社, 2008.

[93]王素兰, 马尚斌, 秦旭东. 生物质燃气净化技术试谈[J]. 中州建设, 2005, 4.

[94]王涛. 生态能源林——未来生物质燃料油原料基地[R]. 全国生物质能开发利用工作会议, 2006.

[95]王炜, 项乔君, 常玉林, 等. 城市交通系统能源消耗与环境影响分析方法[M]. 北京：科学出版社, 2002.

[96]王泽, 等. 生物质热化学转化制备生物燃料及化学品[J]. 化学进展, 19(7/8)：2007.

[97]王振铭, 等. 我国热电联产现状、前景与建议[J]. 中国电力, 2003. 9：43～49.

[98]韦保仁. 中国能源需求与二氧化碳排放的情景分析[M]. 北京：中国环境科学出版社, 2007.

[99]魏殿生. 发展生物质能源林业在行动[J]. 绿色中国, 2006. 1：34～37.

[100]魏克. 考虑环境成本的火电投资项目风险经济评价[D]. 西北工业大学, 2006.

[101]魏学好, 周浩. 中国火力发电行业减排污染物的环境价值标准估算[J]. 环境科学研究, 2003(1).

[102]魏一鸣, 等. 中国能源报告：战略与政策研究(2006)[M]. 北京：科学出版社, 2006.

[103]吴创之, 罗曾凡, 等. 生物质循环流化床气化的理论及应用[J]. 煤气与热力, 1995. 9.

[104]吴创之. 生物质气化发电技术(1)：气化发电的工作原理及工艺流程[J]. 可再生能源, 2003. 1：42～43.

[105]吴创之, 等. 生物质能现代利用技术[M]. 北京：化学工业出版社, 2003.

[106]吴达成. 中国可再生能源发展项目成果可持续性问题探讨[J]. 阳光能源, 2005. 10：34～38.

[107]吴鸣颖, 楼台芳. 环境影响经济评价及其价值评估法在电厂建设中的应用研究[J]. 环境与开发, 1999(14).

[108]夏景涛, 姚贵宝, 庞传洪. 伐区剩余物的生产与综合利用[J]. 森林工程, 2001, 17, (5)：18～19.

[109]小宫山宏, 迫田章义, 松村幸彦. （日）日本生物质综合战略[M]. 北京：中国环境科学出版社, 2005：73～
86, 121～127.

[110]肖明松, 杨家象. 甜高粱茎秆固体发酵制取乙醇产业化示范工程[J]. 农业工程学报, 22, 增刊1, 2006, 10：
207～210.

[111]肖明松, 封俊. 甜高粱茎秆液态发酵制取乙醇工艺技术[J]. 农业工程学报, 22, 增刊1, 2006, 10：
217～220.

[112]谢勇, 柳华. 产业经济学[M]. 武汉：华中科技大学出版社, 2008.

[113]徐剑琦, 张彩虹, 张大红. 林木生物质能源树种生物量数量分析[J]. 北京林业大学学报, 2006, 06：
98～102.

[114]徐瑜青. 环境成本计算方法研究[J]. 会计研究, 2002(3)：49～52.

[115]许汝文, 田雁冰. 发电厂的环境成本分析[J]. 内蒙古环境保护, 2004(12)：24～27.

[116]薛辉. 我国生物质能政策综合分析[J]. 科技和产业, 2012, 5(12).

[117]姚向君, 王革华, 田宜水. 国外生物质能源的政策与实践[J]. 北京：化学工业出版社, 2006.

[118]姚志勇等. 环境经济学[M]. 北京：中国发展出版社, 2002.

[119]尹天佑等. 生物质能源技术开发利用与产业化[M]. 长春：吉林大学出版社, 2005：284, 304～311.

[120]俞国胜. 林木生物质能源开发利用技术研究报告[J]. 中国林业产业, 2006. 1：22～34.

[121]员普超, 张彩虹. 基于模糊数学方法的油料能源林市场开发潜力评估模型研究[J]. 中国市场, 2012, 15：101～102, 114.

[122]袁振宏, 李学凤, 蔺国芬. 我国生物质能技术产业化基础的研究[J]. 中国新能源, 2003-11-26.

[123]袁振宏, 吴创之, 马隆龙, 等. 生物质能利用原理与技术[M]. 北京：化学工业出版社, 2004.

[124]袁振宏. 我国的生物质能源发展方向与对策[EB/OL]. 中国新能源网 2003-12-29.

[125]袁振宏等. 生物质能利用原理与技术[M]. 北京：化学工业出版社, 2005.

[126]岳国君, 武国庆, 郝小明. 我国燃料乙醇生产技术的现状与展望[J]. 化学进展, 2007：19(7/8), 1084～1090.

[127]臧旭恒, 徐向艺, 杨蕙馨. 产业经济学[M]. 北京：经济科学出版社, 2007, 58.

[128]曾麟, 顾树华. 发展能源农业和能源林业, 立足国内保障石油安全[J]. 科技与经济, 2005, 9：79～83.

[129]曾贤刚. 环境影响经济评价[M]. 北京：化学工业出版社, 2003.

[130]张包钊, 郭凤华. 面向21世纪的美国生物质能源[J]. 能源工程, 1999, (2)：9～11.

[131]张彩虹, 张兰. 透视我国油料能源林产业[J]. 中国林业产业, 2008, 10：48～51.

[132]张彩虹. 林业投资新方向：中国林木质生物能源产业发展[J]. 北京林业大学学报(社会科学版), 2006, S2：24～28.

[133]张彩虹, 等. 林木生物质能源的经济分析和可行性研究报告[J]. 中国林业产业, 2006. 1：35～46.

[134]张管生. 甜高粱茎秆燃料乙醇工程路线探讨[J]. 中外能源, 2006, 11：104～107.

[135]张兰, 张彩虹. 林木生物质能源发展研究综述[J]. 经济问题探索, 2012, 10：186～190.

[136]张兰. 中国林木生物质发电原料供应与产业化研究[D]. 北京：北京林业大学, 2010, 55～67.

[137]张素平, 等. 纤维素制取乙醇技术[J]. 化学进展, 2007：19(7/8), 1129～1133.

[138]张无敌, 夏朝凤等. 生物质热解气化技术的评价[J]. 节能, 1998. 3.

[139]张艳丽. 中美发展生物质能的目的与举措比较[J]. 可再生能源, 2008, 26(5)：3～7.

[140]张永光. BP世界能源统计2012, 2006.

[141]张志达, 刘红, 等. 中国薪炭林发展战略[M]. 北京：中国林业出版社, 1996.

[142]张治山. 玉米燃料乙醇生命周期系统的热力学分析[D]. 天津大学, 2005.

[143]赵长春. 芬兰节能六大法宝[EB/OL]. (2005-06-19) http：//news3. ×inhuanet. com/world/2005-06/19/content_ 3104346. htm.

[144] 赵长春. 芬兰政府制定能源战略 [EB/OL]. (2005-11-28) http：//www. netsun. com/url/11pd1oh3023 om1ob5m25vd56k97k4n. html.

[145] 赵娥，刘轩，张彩虹. 参与式发展理论在黄连木木本能源林调研中的应用 [J]. 农村经济与科技，2011，02：33~35.

[146] 中国可持续发展林业战略研究项目组. 中国可持续发展林业战略研究 [M]. 北京：中国林业出版社，2004.

[147] 中国气候变化国别研究组. 中国气候变化国别研究 [M]. 北京：清华大学出版社，2000.

[148] 周篁. 美国有关可再生能源和节能情况考察报告 [J]. 可再生能源，2007，25(1)：98~101.

[149] 周应华. 我国发展生物质能的思路与政策 [J]. 中国热带农业，2006. 5：7~8.

[150] 朱成章. 美欧热电联产的沉浮对我国的借鉴 [J]. 大众电力，2003. 12：4~5.

[151] 祝惠春. 看芬兰如何节约能源 [N]. 经济日报，2005-07-11 (7).

[152] 21 世纪可再生能源政策网络. 全球可再生能源发展报告(修订版)，2006.

[153] Allen, J. , Brownr, M. , Hunter, A. , Boyd, J. and Palmer, H. Logistics management and costs of biomass fuel supply. International Journal of Physical Distribution & Logistics Management, 1998. 28 (6)：463~477.

[154] Anssi Ahtikoskia. Economic viability of utilizing biomass energy from young Stands-the case of Finland [J]. Biomass and bioenergy.

[155] Arnaldo Walter, Paulo Dolzan, Erik Piacente. Biomass Energy and Bioenergy Trade：Historic Developments in Brazil and Current Opportunities, 2005.

[156] Arxan Government. Arxan Green and Clear Industry Development and Planning. 2007. http：//travel. sohu. com/20071123/n253443352. shtml.

[157] Asia Alternative Energy (Astae), The World Bank. Scoping Study of Biomass Energy Development in Inner Mongolia, China, 2005. 77pp.

[158] Bernd, Per S. Nielsen. Analysing transport costs of Danish forest wood chip resources by means of continuous cost surfaces [J]. Biomass and Bioenergy 31 (2007)：291~298.

[159] Berndes, G. , M. Hoogwijk and R. van den Broek. The contribution of biomass in the future global energy supply：a review of 17 studies. Biomass and Bioenergy, 2003, 25(1)：1~28.

[160] Bjornstad, E. An engineering economics approach to the estimation of forest fuel supply in North-Tr? ndelag county, Norway. Journal of Forest Economics, 2005. 10 (4)：161~188.

[161] Clark B. Pine beetle crosses rockies. Vancouver Sun, 8 November, 2005. p. A1~A2.

[162] Cosranza R. What is ecological economics. Ecological Economics, 1989. 1.

[163] Dao, R. D. L. Study on biological characteristics of shrub Caragana intermedia and measures of its industrilization. Inner Mongolia Forestry Investigation and Design. 2008. 31 (3)：93~95.

[164] Domac, J. , Richards, K. and Risovic, S. Socio-economic drivers in implementing bioenergy projects. Biomass Bioenergy, 2005. 28：97~106.

[165] Easterly, J. L. and Burnham, M. Overview of biomass and waste fuel resources for power production. Biomass

Bioenergy, 1996, 10 (2/3): 79~92.

[166] Evaluation of the earlier stage for the RPS in Texas. Wiserr, Langnisso, USA, 2002.

[167] Faaij, A., Meuleman, B., Turkenburg, W., Wijk Van, A., Bauen, A., Rosillo-calle, F and Hall, D. Externalities of biomass based electricity production compared with power generation from coal in the Netherlands. Biomass Bioenergy, 1998, 14 (2): 125~147.

[168] FAO. Options For dendro-power in Asia: report the expert consultation. FAO Regional Wood Energy Development Programme in Asia, Bangkok, Thailand, 2000. 184.

[169] FAO. Global fibre supply model. United Nations Food Agricultural Organisation, Rome, Italy, 1998b.

[170] Fischer G, Schrattenholzer L. Global bioenergy potentials through 2050. Biomass Bioenergy, 2001, 20: 151~159.

[171] Fujino J, Yamaji K, Yamamoto H. Biomass-balance table for evaluating bioenergy resources. Appl Energy, 1999. 63 (2): 75~89.

[172] Gan, J. and Smith, C. T. A comparative analysis of woody biomass and coal for electricity generation under various CO_2 emission reductions and taxes. Biomass Bioenergy, 2006, 30(4): 296~303.

[173] Gingras, J. F. Harvesting small trees and forest residues. Biomass Bioenergy, 1995, 9(1/5): 153~160.

[174] Gronalt, M. and Rauch, P. Designing a regional forest fuel supply network. Biomass Bioenergy, 2007, 31 (6): 393~402.

[175] Hall Do Biomass energy in industrialized countries[J]. Aview of the future. For Ecol Manag, 1997, 91 (1): 17~45.

[176] Hall Do, Rosillo-Calle F, Williams RJ, Woods J. Biomass for energy: supply prospects. In: Johansson TB, Kelly H, Reddy AKN, Williams RH (eds) Renewable energy: sources for fuels and electricity. Island Press, Washington, District of Columbia, USA, 1993. 593~651.

[177] Hoogwijk M. On the global and regional potential of renewable energy sources. PhD thesis, Utrecht University, Utrecht, The Netherlands, 2004. 256.

[178] Hoogwijk M, Faaij A, Van den Broek R, Berndes G, Gielen D, Turkenburg W. Exploration of the ranges of the global potential of biomass forenergy. Biomass Bioenergy, 2003, 25 (2): 119~133.

[179] IEA Energy Statistics Division. Renewables Information. International Energy Agency, 2003.

[180] IEA, Renewable Energy Market & Policy T rends in IEA Countries. OECD/IEA, 2004.

[181] IPCC. Special report on emissions scenarios. Intergovernmental panel on climate change. Cambridge Univ. Press, Cambridge, UK, 2000.

[182] Junginger, M., Faaij, A., van den Broek, R., Koopmans, A. and Hulscher, W. Fuel supply strategies for large-scale bio-energy projects in developing countries. Electricity generation from agricultural and forest residues in North-eastern Thailand. Biomass Bioenergy, 2001, 21 (4): 259~275.

[183] K. Riahi, R. A. Roehrl (2000) Energy Technology Strategies for Carbon Dioxide Mitigation and Sustainable Development[J]. Environment Economics and Policy Studies, 2000, 3(2).

[184]Kai Sipila. Energy source in Finland VTT and Mariatta aarniala [R]. Finland: TEKES, 2004

[185]Kathryn Fernholz. Steve Bratkonich. Jim Bowyer. Alison Lindburg. (2009) Energy from woody biomass: a review of harvesting guidelines and a discussion of related challenges. Dovetail Partners, Inc. www. dovetailinc. org.

[186]Kumar, A. , Cameron, J. B. and Flynn, P. C. Biomass power cost and optimum plant size in western Canada. Biomass Bioenergy, 2003, 24 (6): 445 ~464.

[187]Kumar, A. , Flynn, P. and Sokhansanj, S. Bio power generation from mountain pine infested wood in Canada: An economical opportunity for greenhouse gas mitigation. Renewable Energy, 2008. 33 (6): 1354 ~1363.

[188]Lashof DA, Tirpak DA. Policy options for stabilizing global climate. United States Environmental Protection Agency, Hemisphere, New York, USA, 1990.

[189]M. Parikka, Global biomass fuel resources, Biomass and Bioenergy, 27, 2004: 613 ~620.

[190]Marie E. Walsh. U. S. Bioenergy crop economic analyses: status and needs. Biomass and Bioenergy, 1998, 14 (4): 341 ~350.

[191]Overend, R. P. The average haul distance and transportation work factors for biomass delivered to a central plant. Biomss, 1982. 2: 75 ~79.

[192]Pentti Hakkila. Developing technology for large-scale production of forest chips[R]. Finland: TEKES, 2004

[193]Rogner HH. Energy Resources. World Energy Assessment. J. Goldemberg, UNPD, Washington, District of Columbia, USA, 2000. 135 ~171.

[194]Rosillo-Calle, Frank; de Groot, Peter; Hemstock, Sarah L Biomass Assessment Handbook-Bioenergy for a Sustainable Environment. Woods, Jeremy? 2007 Earthscan.

[195]Satu Helynen. Bioenergy: cost reduction in the bioenergy system[C] // VTT Processes, Finland, 2002

[196]Smeets E and Faaij A. Bioenergy potentials from forestry in 2050 Anassessment of the drivers that determine the potential. Climatic Change, 2007, 81: 353 ~390.

[197]Smith, W. B. , P. D. Miles, J. S. Vissage, and S. A. Pugh. Forest Resources of the United States2002. USDA Forest Service Gen. Tech. Rep. NC ~241, St. Paul, Minnesota, 2004. 137.

[198]Terry Nipp (2004). "United States Support for the Agricultural Production of Biomass: the challenge of Integrating Energy, Agricultural, Environmental and Economic Policies", 447 –509 of publication of "Biomass and Agriculture: Sustainability, Markets and Policies", OECD Publication Service, Paris, September, 2004.

[199]The share of renewable energy in the EU. Comission of the European communities, 2004.

[200]U. S. Energy Policy Act of 2005. White Paper for a Community Strategy and Action Plan (COM (97) 599 final). Download: http: //ec. europa. eu/energy/res/legislation/ doc/com 599. htm.

[201]USDOE (2002). Roadmap for Biomass Technologies in the United States, Biomass R&D Technical Advisory Committee, December.

[202]Van Belle, Jf. , Temmerman, M. and Schenkel, Y. Three level procurement of forest residues for power plant. Biomass Bioenergy, 2003, 24 (4/5): 401 ~409.

[203]Varela, M., Lechon, Y. and Saez, R. Environmental and socioeconomic aspects in the strategic analysis of a biomass power plant integration. Biomass Bioenergy, 1999, 17 (5): 405~413.

[204]Wamukonya L, Jenkins B. Durability and rela×ation of sawdust and wheat-straw briquettes as possible fuels for Kenya [J]. Biomass & Bioenergy, 1995, 8(3): 175~179.

[205]WEC New renewable energy sources. A guide to the future. World Energy Council/Kogan Page Limited, London, UK, 1994.

[206]Willeb rand E, Ledin S, Verwijst T. Willow coppice systems in short rotation forestry. Biomass and Bioenergy, 1993, 4: 323~331.

[207]Wiltsee G. Lessons learned from existing biomass power plants. National Renewable Energy Laboratory Report no. NREL/SR-570-26946, 2000.

[208]Woodwell GM, Whittaker RH, Reiners WA, et al. The biota and the world carbon budge. Science, 1978. 199: 141~146.

[209]Yoshioka, T., Aruga, K., Nitami, T., Sakai, H. and Kobayashi, H. A case study on the costs and the fuel consumption of harvesting, transporting, and chipping chains for logging residues in Japan. Biomass Bioenergy, 2006, 30 (4): 342~348.

[210]Yoshioka, T., Aruga, K., Nitami, T., Sakai, H. and Kobayashi, H. and Nitani, T. Cost, energy and carbon dioxide (CO_2) effectiveness of a harvesting and transporting system for residual forest biomass. Japanese Forestry Society, 2002. 7 (3): 157~163.

[211]Young, H. E. Biomass utilization and management implications. In Weyerhaeuser Science Symposium 3, Forest-to-Mill Challenges of the Future, 1980: 65~80.

[212]Zhang, L. and Zhang, C. H. Study on potentials of forest bioenergy in China based on forest ecological security. Proceedings of 2nd International Conference on Logistics, Informatics and Service Science, 2012.7: 517~521.

[213]Zhang, L., Wahl, A., Bull, G. Q. and Zhang, C. H. Bioenergy Power Generation in Inner Mongolia, China: Supply Logistics and Feedstock Cost. International Forestry Review, 2010, 12(4): 396~406.

[214]Zhida Zhang et al. China Green Energy[M]. China Economics Press, Jan, 1999.